庆余年

·修订版·

QING
YU
NIAN

【悬空之刺】

V

猫腻／著

人民文学出版社

图书在版编目(CIP)数据

庆余年：修订版. 第五卷，悬空之刺/猫腻著. —北京：人民文学出版社，2020
ISBN 978-7-02-016438-7

Ⅰ. ①庆… Ⅱ. ①猫… Ⅲ. ①长篇小说—中国—当代 Ⅳ. ① I247.5

中国版本图书馆CIP数据核字(2020)第114134号

策划编辑 胡玉萍
责任编辑 涂俊杰
责任校对 王筱盈
装帧设计 李思安
责任印制 王重艺

出版发行 人民文学出版社
社　　址 北京市朝内大街166号
邮政编码 100705
网　　址 http://www.rw-cn.com

印　　刷 三河市宏盛印务有限公司
经　　销 全国新华书店等

字　　数 254千字
开　　本 890毫米×1290毫米 1/32
印　　张 9.5 插页3
印　　数 1—100000
版　　次 2020年8月北京第1版
印　　次 2020年8月第1次印刷

书　　号 978-7-02-016438-7
定　　价 39.00元

目录

第一章 菊花、古剑和酒

称病不朝数日的范氏父子终于站到了朝上，准备迎接暴风骤雨般的参劾。都察院的奏章已经递上来了许久，范建自承家教不严，出了范思辙这个不肖之子；范闲也上书请罪，就抱月楼命案一事自承监管不严。别的罪名范家却是一概不受，反正阴坏京都府尹、雨中杀人灭口的事情，二皇子一方根本没有证据，所有手法都极干净，足以堵住悠悠言官之口。

范家的指控，对方却有些难以应付，毕竟在京都府外杀人的是八家将之一的谢必安，而谢必安最终暴毙于狱中，这如何能够洗清？奇怪的是二皇子那边的反击浅尝辄止，没有试图把水搅得更浑，人们这时候才猜到双方已经达成了暗中的协议。

换句话说就是二皇子认输了。

皇帝陛下静静地听着，只是范闲出列请罪之时，才流露出一丝不可捉摸的神情。

不多时，经门下议事，陛下亲自审定，这件事情终于有了定论。

户部尚书范建，教子不严，纵子行凶，但念在其多年劳苦，又有首举之功，从轻处罚，罚俸三年，削爵两级，责其闭门思过。监察院提司兼太学奉正范闲，品行不端，私调院兵，虽有代弟悔罪之实，其罪难恕，除爵罚俸，责三年内修订庄墨韩所赠书册，不得有误。

刑部发海捕文书，举国通缉畏罪潜逃之范氏二子范思辙。

京都府尹已被捉拿下狱，除官，后审。

某国公……

最后是对二皇子的处理意见：品行不端，降爵，闭门修德六月，不得擅出。

范氏父子没有什么实质性的损失，二皇子一派却折损了许多官员，自己更是要被软禁六个月，处罚不可谓不重。所有人都清楚这一仗是范家胜了。有心人听着陛下亲拟的旨意，发现了一样极有趣的巧合——范闲与二皇子的罪名都很含糊，都是品行不端四个字。只是身为监察院提司品行不端无所谓，身为皇子被批了品行不端四个字，影响则是完全不同。

朝中风向为之一变，所有人都知道二皇子不再像往年那般备受圣上恩宠，只是陛下也没有再次传范闲入宫。人们不禁在想，莫非两虎相争，两败俱伤，范闲的圣眷……也到此为止了？

范闲没有什么反应，成天笑眯眯地待在太学里，与教员们整理书籍，间或去监察院里看看，还去枢密院秦老将军府上拜访了一次。接着又携着婉儿与妹妹进宫去拜各位娘娘，很凑巧地在北齐大公主暂居的漱芳宫里遇见了大皇子，只是没有见到陛下。

当然私下他做了很多事情，针对内库北方走私线路的布置渐渐进入正题，就等着一刀斩下崔家这只手，断了信阳方面和二皇子最大的经济来源。体内的真气他也在用心调理，等着老师费介的回信，看那药究竟吃还是不吃。

没过两天，在深秋的一场寒风里，已经被推迟许久的赏菊大会终于开始。范闲将自己裹成粽子，有些畏惧地看着窗外颓然无力的最后一片枯叶，心想这么冷的鬼天气，哪里还有不要命的菊花会开？

孤标亮节，高雅傲霜，说的正是中原士民们最爱的菊花。菊花并不少见，澹州的菊花茶乃是庆国著名的出产，这些年老祖宗那边经常采办许多入京。范闲对这种花相当熟悉，知道菊花虽然耐寒，前世元稹诗中还曾夸夸其谈地说过此花开过更无花，但终究不是冬日腊梅，在这般寒冷的深秋天气里，只怕早应该凋零才是。

马车穿越山下重重关防，在大内侍卫及禁军的注视下，范府几个年轻人下了马车，沿着秋涧旁的山路往上爬了许久，拐过水势早不如春夏时充沛的那道瀑布，陡然间看到一方依着庆庙式样所筑的庙宇出现在众人面前，出现在那面山石如斧雕刻出来般的山崖上。

悬空庙依山而建，最宽处也不过丈许，看上去就像是一层薄薄的贴画，被人随手贴在了平直的崖壁上。秋风甚劲，呼啸而过，观者不由心生凛意，忍不住担心这些风会不会将似纸糊一般的庙宇吹垮卷走。

传说这是庆国最早的一座庙宇，由信奉神庙的苦修士一砖一石一木所筑，总共花去了数百年的时间，用意在于宣扬神庙无上光明，劝谕世人一心向善。神庙不涉世事，但在历史传闻中经常隐约看到神庙的身影，加上苦修士们人数不多，一向禀身甚正，极得百姓敬爱。皇室对影响不到自己，却拥有神秘影响力的神庙保持着相当的敬意，于是三年一次的赏菊大会在悬空庙举行便成了定例。

皇室如今人丁不盛，所以还会邀请一些姻亲、亲近的家族参与。依照最近这些年的惯例，秦家、叶家自然在内。秦家在军中势力极大，叶家长年驻守京都，家中还有庆国如今唯一明面的大宗师，地位也极超群。除此之外，就是几位开国时受封的老国公家——范家能位列其中，倒不是因为如今的权势，也不是因为范闲娶了婉儿，而是因为范家的那位老祖宗亲手抱大了陛下和靖王这两兄弟，其中亲密非为外人知也。

范闲气喘吁吁地叉腰站在悬空庙下，看着四方三三两两站着的庆国权贵人物，忍不住低声咕哝了一句："赏菊赏菊，这菊又在哪里？"

林婉儿指着山下说道："在这儿了。"

范闲往崖边踏了步，倒吸了口气，赞道："好美的地方。"

悬空庙所依的山崖略微往里陷去，所以上来时他没有注意到路旁的那片山野里有什么异样，此时向下俯瞰，视野极其开阔，才发现这片山野竟是生满了菊花。这菊花的颜色比一般的品种要深许多，泛着金黄，花瓣的形状有些偏狭长。

“金黄之菊，果然符合皇家气派。”范闲看着漫山遍野的金星般花朵赞道，“这么冷的天气，还开得如此炽烈，真是异象。”

林婉儿解释道：“是金线菊，据说是悬空庙修成之后，当时的北魏天一道大师根尘亲手移植此处，从此便为京都一大异景。”

“根尘？苦荷大宗师的太师祖？”

“正是。”

山间泥土不肥，那些菊花生得并不如何繁盛，往往隔着好几尺才会生出一株花。只是此时观花者的距离已经被最大限度地拉开来，形成了一种错觉，总觉得那些星星点点的金黄花朵，已经占据了山野里的每一个角落，与深秋里的山色一衬，显得格外富丽堂皇。

最近陛下对范闲有些冷淡，加上婉儿的身份特殊，所以前来打招呼的贵族公子们不知道怎么说话，稍一寒暄便又分开。范闲有些无聊，下意识里按照职业习惯观察起四周的环境。

悬空庙孤悬山中，只有一条道路，山下禁军重重布防，庙里则是由宫典领着的一众大内侍卫。那些低眉顺眼的太监当中有没有洪公公的徒子徒孙谁也不知道。范闲没看见虎卫们的身影，略有些奇怪，不过目前的布置真可谓是滴水不漏，不需要担心什么刺客。

他与任少安打了声招呼，看着对方有些不好意思地被人拖走，不由得微微一笑。岳父辞相已久，原先的那些人脉终是渐渐淡了。然后他眯起眼睛，向木楼上方望去。

有位穿着明黄衣衫的人物，正在扶栏观景，这自然是皇帝陛下。

仰头看着，范闲心里有些莫名的情绪，好笑地想到一个场景——如果这时候北齐人或是东夷城的高手们把这座悬空庙烧了，天下会忽然变成什么样子？

他知道根本不可能发生这种事情，只是随便想想，心里开始计算如果自己要爬上这座庙宇，应该选择哪些落脚点、选择何等样的线路，才能在最短的时间内上到顶楼。

真的只是职业习惯。

一位太监从庙中急急走了过来，庙前空地上的年轻贵族们赶紧闪开道路，太监走到范氏三人面前，低声说道："陛下传郡主娘娘。"

林婉儿微微一怔，看了眼范闲，问道："戴公公，只是传我一个人？"

戴公公可是范闲的老熟人，也知道众目睽睽之下，范闲没有被传召入庙会带来怎样的议论，带着些许歉意与不安说道："陛下并无别的旨意。"

看着婉儿走进楼里，范闲领着妹妹向另一角走去，准备去看看那边可能独好的风景，不料身后传来一道略有些不安的声音："师父。"

叶灵儿明年就要嫁给二皇子，自然关心范闲与二皇子之间的争斗。今日二皇子与靖王世子并没有被特旨开禁出府，依然被软禁，没有来悬空庙。范闲温和一笑，说道："想什么呢？是不是怪我把你未来相公欺负得太厉害？"

叶灵儿见他神色自若，回复了以往的疏朗心性，笑道："还担心你不肯和我说话了。"

若若在旁笑了起来："这又是哪里的话？"

叶灵儿又道："以后牌桌子上少了思辙，还真有些不习惯。"范府后园这一年时常开麻将席，就是范若若、范思辙，还有林婉儿和叶灵儿这一对闺中密友。

"还不是你和若若给范思辙、婉儿送钱。"范闲笑道，"这牌局散了，你也可以少输点，这可是高兴的事。"

正说着，秦恒远远走了过来，嚷道："你们躲在这里说什么呢？"他的声音极大，想必是刻意让众人听到，范闲苦笑道："在说关于麻将牌的事。"

秦恒一听，来了兴致，说道："这个我拿手。"下一刻却是话锋一转，

"你身边怎么这么冷清？"

范闲微笑道："菊只能远观，不能近玩。我的性情你也清楚，本就不耐和这些人说什么……至于结交亲近也没有这个兴趣。"

所谓赏菊会，在他看来大概类似前世酒会般的交际场所，参加者借此显示一下与皇室之间的关系，他根本不屑靠皇权来宣示自己的存在，觉得实在无趣。

秦恒参加赏菊不知道多少次，早就厌了，听范闲这般说，忍不住点了点头。

"师父，这里景致不错，作首诗吧。"叶灵儿眨着眼睛说道。

范闲每次看见她像宝石一样发光的双眼，总觉得自己的眼睛要被闪花，下意识里眯了眯眼睛，应道："为师早已说过不再作诗。"

叶灵儿称他师父可以看作是小女生玩闹，这件趣事也早已在京都传开，范闲大大咧咧自称为师，就显得有些滑稽了，秦恒与范若若都忍不住笑了起来。

秦恒打趣道："小范大人在北齐写的那首小令，已然风行天下，难道还想瞒过我们？"这话令范闲大感头痛，随口抛了首应景，摇头说道："别往外面传去，我现在最厌憎写诗这种事情了。"范若若正在低头回味"不是花中偏爱菊，此花开尽更无花"两句，忽听着兄长感叹，忍不住问道："为什么？"

"因为，被追着屁股，要求写诗，是，世界上，最痛苦的事情。"范闲一顿一顿地说着，旋即在三人迷惑不解的目光中哈哈大笑了起来，笑得是如此开心，又不可与人道。

聚在庙前饮茶吟诗闲话的权贵子弟们听着这阵笑声，望了过去，很快便认出了这四人的身份，不禁很是震惊，心想小范大人已经将二皇子掀落下马，此时却又和秦、叶两家的年轻一辈站在了一起，这又代表着什么？

范闲不在乎别人的目光，忽然嗅到了一丝烟熏的味道，心想难道今天的主餐是烤肉？他转过头去，却看见悬空庙的一角有丝极难引人注目的黑烟正在升起！

没人发现异样，就连那些大内侍卫都没有什么反应。

秋风一过，那道黑烟便像是被撩拨了一下，骤然大怒大盛，黑色之中陡现火光，范闲已经随着这一阵风急速无比地向着悬空庙前掠了过去，留下一声沉喝。

“秦恒，护着这两个丫头！”话音落处，范闲已经来到庙前，看着那处猛然喷出的火头，感受着扑面而来的高温，一挥掌劈开一个向自己胡乱出刀的大内侍卫，骂道，“眼睛瞎了？”

悬空庙是木制结构，火势起得极快，年轻权贵们惊呼着四处躲避，混乱至极。现在虽是天干物燥的秋天，但这场火来得太过诡异，统领宫典又在顶楼，侍卫们不免有些慌乱。

范闲呵斥道：“备的沙石在哪里？”

众人稍微清醒了些，知道范闲的身份，自然听从他的指挥，首先请出一楼的那些老大臣，急派侍卫上楼护驾，传递消息，同时分出十几个高手往四周布防。

不多时，侍卫便将楼下的火苗压制住了，包括范尚书在内的那些老大人趁机从楼里退了出来，只是悬空庙楼梯很窄，报信的人动作有些慢，顶楼的人一时还撤不下来。

看见父亲无恙，范闲稍觉心安，又觉得有些诡异，没想到自己先前的幻想竟然变成了现实，如果这火真的蔓延开来，在顶楼赏景的皇帝……只怕真的会死。

这自然不是失火。不知道对方怎么可能隐藏身份进入看防森严的庙前，只是这放火的手段太差，竟是让自己发现了。不，事情肯定没有这么简单，范闲想着婉儿还在顶楼，一时间无法猜到对方的用意。

“范闲，护驾！”范尚书对他喝道。

“是。”范闲早有此心，来不及研究父亲极为复杂的眼神，在地上一蹬，整个人便化作一道黑影，踏着狭窄无比的飞檐，像鬼魅般往楼顶掠去。

他用指尖抠住飞檐里的缝隙，轻摆而上，脚尖踩着将将突出数寸的木栏外侧，身子忽地拔高，几纵几合，绝妙身法与小手段完美结合，不过眨眼间便攀到了悬空庙最高的那层楼。

楼下火势已灭，局面稳定下来，众人抬头望去，刚好看见他的身影像道闪电般掠至了顶楼，有人不知道他的身手竟然厉害到了如此地步，不由惊呼起来。

范闲右手握住顶楼下方的檐角，左腿微屈，左手放在靴中的黑色匕首把上，在山风中微微飘荡。楼里一片安静，他不敢贸然闯进去，喊了一声："臣范闲。"

有人在里面说了一声："进来。"

吱扭一声，木窗被推开了。

范闲双脚落在地面，眼角看着那些如临大敌的侍卫缓缓退后一步，知道自己先前若是不通报就闯了进来，只怕这一刻就是无数把寒刀劈面而至。

他的眼光在楼中一扫，没看到预想中的行刺发生，松了一口气，接着看到转廊处皇太后的身影一闪而逝，婉儿扶着老人家，洪公公袖着双手，佝偻着身子，走在最后面。

"你怎么来了？"一道威严里透着从容的声音响了起来。

范闲转身对栏边的中年人行了一礼，说道："下方失火，应是人为。"

满山黄菊透着股肃杀之意，皇帝似乎不担心自己的安全，看着栏外的大好河山与乱糟糟的楼下，唇角微翘，对那些如临大敌的官员们露出了一抹嘲弄的笑容。

太后与娘娘们正在离开，与来迎的侍卫合成一处。悬空庙顶楼除了皇帝陛下，还有太子、大皇子、三皇子、十几个宫中带刀侍卫，还有四五个随侍的小太监。

范闲有些担心，楼下那场火明显蹊跷，只不过被他灭得快，没给对方留下趁乱行刺的机会，但那些刺客肯定还藏在庙中——他身为监察院提司，对于庆国的力量相当有信心，就算有刺客潜伏，也只能是那种一剑乱天下的绝顶高手，人数不可能超过三个。但宫典不在楼中，这让他很不安。洪公公扶着太后下了楼，这更让他感到头痛，难道那些刺客放这场火，就是为了将宫中第一高手调下楼？

此时楼上除了那些带刀侍卫，真正的高手……似乎只有自己一个人了。大皇子的马上功夫可能不错，但面对刺客的突杀，只怕起不了什么作用。

皇帝似乎没把这件事情放在心上，也许这是一代君主必须表现出来的沉稳与霸气，范闲却不想他稍有伤损，就造成无数人死亡，对强自表现着镇定的太子使了个眼色。

太子明白范闲的意思，躬身道："父皇，火因不明，还请暂退。"

谁知道皇帝根本不理会他，转身看着范闲说道："火熄了没有？"

范闲微微一怔，点头道："已经熄了。"

"那为什么还要走？"皇帝轻抚栏杆，面无表情地说道，"朕这一世很少后退。"

范闲神情不变，心里却想骂娘，心想你爱装酷玩刺激，我可没这种兴趣，于是说道："虽无异动，但此处高悬峰顶，极难防范……请陛下以天下为重，马上回宫。"

以天下来劝谏一位皇帝是前世宫廷戏里最管用的手段，不过很明显对这位皇帝陛下没有什么用处，他冷冷地说道："范闲，你是监察院的提司，如果有人胆敢刺杀朕……那是你的失职，难道你要朕因为你的失职而受到不能赏花的惩罚？"

范闲气苦，心想今天这赏菊会本就没有让院里插手，自己怎么可能料敌先机？监察院遍布天下的密探网络最近确实没有听到什么风声，天下敢对庆国下手的势力不外乎是那么两三家，那两三家最近一直挺安静，最难让人猜透的东夷城也保持着平静，最关键的是四顾剑还在东夷城里。

难道这场火……并不是一场刺杀的前奏？自己真的过于紧张了？

太子以为他受了陛下训斥，脸上有些过不去，本准备为他分说几句，又想到范闲这些时日将老二打得极惨，自己很是欣慰，但他的实力似乎也到了自己无法掌控的地步，父皇打压对方说不定另有深思，所以就没说什么，只是向范闲投以一道安慰的目光。

大皇子却不会考虑这么多，沉声说道："父亲，范提司说得有理，虽说这天下只怕没有敢行刺父亲的贼子，但为了安全计，也为了楼下那些老大人安心，您还是先下楼吧。"

皇帝很欣赏大皇子这种有一说一的态度，对范闲依然没有什么好脸色，说道："范闲，你身为监察院提司，遇事慌张如此，实在深负朕望。"

范闲心里又多骂了几句娘，表情却越发淡定，自嘲笑道："陛下教训得是。"

皇帝略带一丝考究之意看着他，问道："是否有些不服？"

"是。"范闲忽然心头一动，沉声应道，"陛下一身系天下，再如何谨慎也不为过。这黄花之景年年重现，天下却只有您一人，哪怕被人说胆小如鼠，臣也要请陛下下楼回宫。"

楼间鸦雀无声，众人震惊无语，没料到范闲竟敢当众顶撞圣上、议论圣上的生死，还直接将先前圣上对他的训斥驳了回去！

"你的胆子很大……"不知道为什么，听到这番话后，皇帝的脸色却轻松了一些，"如果说你胆小如鼠，朕还真不知道这天底下哪里去找这么大的老鼠。"

这是一句笑话，但顶楼所有人都处于极度紧张的情绪中，没有人敢应景笑出声来。皇帝再次望向栏外，任山风轻拂已至中年、皱纹渐生的脸，轻笑说道："朕这一世不知道遇到了多少场刺杀，你们这些小孩子怎么知道当年天下是何等样的风云激荡？这样一个错漏百出的局，一把根本燃不起来的火，就想逼着朕离开？哪有这么容易。"

范闲听着皇帝的感慨，心思却分了大半在四周，宫典与洪公公都不在，虎卫不在，那些近身服侍皇帝的太监往上三代的亲眷都在朝廷控制中，忠心没有问题，但想靠这些人护得皇帝周全却是远远不够。他忽然心头一震，想到一件事——如果这时候陛下遇刺，自己身为监察院提司岂不是要担最大的责任？父亲为何没有考虑到这一点，直接让自己上楼护驾？

“陛下一生，遇刺四十三次，从未退后一步！”

听到戴公公这句掷地有声的话，范闲不由怔了怔，想到了远在北齐的王启年，才知道原来所有成功男人的身后都有一位或几位优秀的捧哏。

皇帝眼神平静，透着股强大的自信，缓声道：“北齐、东夷、西胡、南越，还有那些被朕打得国破人亡的可怜虫们，谁不想一剑杀了朕。但这二十年过去，又有谁做到了？当遇刺已经成为一种习惯，范闲你大概就能明白为什么朕会如此不放在心上。”

您这是熟练工种啊——范闲今天在心里骂的脏话、吐槽的俏皮话比哪一天都多，但在其位谋其政，自己是监察院的提司，就得负责皇帝的安全，最关键的是他可不想背顶天下最大的黑锅，于是乎依然不依不饶，厚着脸皮，壮着胆子劝皇帝下楼回宫。

皇帝终于被他说烦了，骂道：“范建怎么教出你这么个窝囊废来！陈萍萍怎么就看中了你！”

范闲神情如常，心里继续骂着：“有本事您自个儿教啊，这本来就应该是您的业务范围。”

局势已平静，估摸着再厉害的刺客也不敢继续出手，只能想办法遁去，不然稍后禁军撒网搜山肯定没有什么好下场，众人放松了些，看着一向喜怒不形于色的陛下痛斥范闲，不禁有些好笑，又有些同情，最小的三皇子笑得最欢，许是看着这幕心里觉得好生出气。

不知道皇帝今天为何如此生气，对范闲劈头盖脸地骂个不停，就像是在训斥自家儿子一般。

要知道范闲是一代名人，朝中重臣，这种太伤臣子脸面的事情真是极为少见。

范闲苦笑着却听出了别的味道，心道，陛下只怕也和自己怀疑同样的事情，才格外愤怒——如果说这出戏是老跛子或者是父亲大人暗中安排，只能赞一声胆大心狠、无耻弱智——皇帝不是傻子，怎么会看不出来这和“英雄救美”的戏码没什么区别？问题在于陈萍萍不是幼稚园大班生，范建也不是第一天上学在门口哭的小姑娘，陛下更不会相信自己最信任的两个属下会做出如此荒唐的事来为范闲邀宠——他生气的原因其实和范闲没多大关系。

不知道过了多长时间，皇帝终于不骂了，只听他重重一拍栏杆，令众人一惊。范闲惯能揣摩，朝戴公公一努嘴，做了个嘴型，示意他陛下骂渴了。

戴公公刚调去太极殿，小心谨慎至极，得了提醒不由一乐，便准备端茶过去侍候。

“换酒。”皇帝没有转身，却知道范闲这小子此时在自己身后做什么，眼里终于出现了一抹笑意，“冷吟秋色诗千首，醉酹寒香酒一杯。既上高楼赏远菊，不饮酒怎么应景？”

每三年一次的赏菊会都会配备菊花酒，只是先前楼下起火，令得太监们极为惊慌不安，忘了端出来，此时听旨意，一个眉清目秀的小太监赶紧端着酒案走向栏边，脚尖落地无声。

范闲微微一惊，这是《石头记》三十八回里贾宝玉的一首菊花诗，皇帝此时念出来，是想表明他什么都知道？

“《石头记》文字尚可，但一味男女情爱，便落了下乘……这些诗词更有些拿不出手了。”

三位皇子并随从们并不清楚陛下为什么忽然在此时论起文学之道，有些意外。范闲知道再不能退，苦笑着说道：“臣游戏之作，不想能入陛下巨眼，实是幸哉。”

皇帝看着他似笑非笑地说道："噢？朕还以为……你是怕人知道此书是你托名所著，所以刻意在诗词上下了些功夫，怎么糟糕怎么来。"

此时众人终于知道《石头记》原来出自小范大人之手，震惊之余却又觉得理所当然，这书一向只有澹泊书局出，文采清丽，实非俗品，若不是小范大人所著，又能是谁？

皇帝接过酒杯，轻轻啜了一口，淡淡笑着，不再理会窘迫与吃惊的儿子们。

盘上放着两杯酒，备着皇帝与太后一人一杯。此时太后已经下楼，那余下这杯给谁饮？皇帝看看太子，又看看大皇子，下意识里指向范闲，忽然发现有些不妥，又极生硬地一转，指向了正躲在角落里吃吃笑着的老三。三皇子年纪还小，苦着脸说道："父皇，孩儿不喜欢喝酒。"这种话也只能是这个小家伙说出来，才不会有事。

皇帝沉着脸说道："比酒更烈的事情你都敢做，还怕这么一杯酒？"

三皇子脸一苦，被这股冰寒的气势一压，竟是吓得险些哭了出来。他赶紧谢恩，迈着小脚走到栏边，伸出小胳膊取下酒杯便往嘴里送去。

当的一声脆响，三皇子手中的酒杯落在地上，滚到远处。他目瞪口呆地望着那道迎面而来的寒光，想不明白自己只不过喝了杯酒而已，怎么这个侍卫却要砍死自己？毕竟是位皇子，从小生长在极其复杂、极其危险的境况中，小家伙马上反应了过来——有人行刺！

父皇在他身后，如果抱头鼠窜，这雪光似的一刀便会直接斩在陛下的身上。最重要的是，他没有苦荷大宗师踏雪无痕的身法，也没有叶流云棺材架子般坚强的一双散手，估摸着这一刀会把他直接劈成两半，顺带取了皇帝的首级。躲与不躲都一样，三皇子选择了最正确的做法，他死死地站在原地，盯着那片刀光里刺客模糊的脸，不顾一切地尖声叫了起来！

啊！

尖锐的叫声响彻顶楼，从来没有人想过庆国皇宫的大内侍卫里居然会有刺客，所以当那把刀挟着惊天气势，砍向栏边握着小酒杯的陛下时，竟是没有一个人能反应过来！

只有范闲例外，他一吐气，一转腕，一拳头便打了过去。这个刺客隐藏得太深，出手太突然，刀芒太盛，他不敢保留丝毫，腰处的雪山骤现光明，融化而涌出的真气就像一条大河般沿着右臂运到拳头上，隔着几步的距离，向那个刺客递了过去。

拳风割开空气，携着嗡鸣，就像是一记闷雷在刀光里炸响，将泼雪似的刀光炸成了粉末！

一道强劲的气息从粉碎的刀光里生出，范闲气息微滞，震惊地发现这个刺客居然是个九品强手，也对，没有九品的身手，哪有资格行刺庆国的皇帝陛下？

范闲冲到三皇子的身边，左手一翻，黑色的匕首出腿，阴险地扎向刺客的小腹。刺客的刀断了一半，刀势却愈发凄厉，速度更快，似要以命搏命。侍卫们醒过神来，以最快的速度与范闲配合，把这个九品刺客围在了场间，眼看着便要控制住局面。

就在这个时候，悬空庙正前方天上的那朵云飘开了，露出了太阳。光芒一闪，楼宇间泛起了一片惨惨的白色，出现了一个身着白衣、手执一柄素色古剑的刺客——没有人知道这个刺客是怎么出现在了顶楼，也没有人发现他借着阳光的掩饰已经逼近了皇帝的身前！

嗤嗤两下破风声起，皇帝身边的两个侍卫最先反应过来，将陛下往后拉了一把，付出的代价则是死亡，鲜血疾出，两个侍卫的刀都没来得及拔出，就变成了楼间的死尸。

紧接着，白衣人拿着那把古意盎然的剑，直刺皇帝面门！

豪言一生未退的皇帝陛下，在这天外一剑面前，终于被悍不畏死的侍卫拖后了几步。

那把夺人心魄的古剑离他还有一尺远。但所有人都觉得已经刺中了皇帝的咽喉！

天下人都知道庆国皇帝不会武功，侍卫们疯了一般向栏边拥去，挡在了皇帝的身前。事起突然，他们只来得及用这种看似笨拙的方法，用身体挡住对方的剑势。

无数鲜血飞溅而起，皇帝的眼神依然平静，静静地看着那个一无往前、剑人合一的白衣刺客。

庆国侍卫的实力足够强，只是需要反应的时间，悬空庙下面有洪公公，还有叶、秦两家的两个九品强者，只要在一刹那间阻止住那个白衣剑客，就可以保住陛下的性命。但谁来阻止？侍卫们做足了应做的事。同僚中出了刺客，他们只怕很难活下去了——为了给家人留下活路，他们拿出了拼命的本事，替陛下挡剑——其实这些应该是陛下的几个儿子来做吧……

所有这一切都发生在极短暂的时间之内。

当时，三皇子受惊脱手的酒杯还在地上骨碌骨碌地转着，满脸震惊的大皇子正准备冲到父皇的身前，却只来得及踏出两步，距离还远。此时，范闲递出去的黑色细长匕首，距离第一个刺客的小腹还有几寸的距离，已经感觉到了身后那道惊天的剑势。

满天的血飞着，就像满山的菊花一样绽开。侍卫们死不瞑目的尸首在空中横飞，他们死都没有想明白，那个白衣剑客怎么可能躲在悬空庙的上方，那里明明已经检查过了！

所有的一切，都像慢动作一样，细致而惊心地展现在范闲的眼前。他甚至能用余光看清楚，太子向陛下赶去时的模样实在令人感动无比，但遗憾的是，他很凑巧地踩中了弟弟失手落下的酒杯，正以一种滑稽的姿势摔倒在地上。

上天注定，机缘巧合，此时只有离陛下最近的范闲来做这位忠臣孝子了……他清楚地感到，那柄剑上的杀意比第一个九品刺客更加纯粹、更加强大，他有信心救下陛下和老三，但肯定的是他要被那个白衣剑客所伤。

他决定搏一把。

这么好的机会，吝啬的范闲不肯错过。

这么强的敌人，好胜的范闲不肯错过。

但就在这个时候，发生了一件谁也没有想到的事。这一次对方使出了埋在侍卫里十年的高手，又不知花了多大的代价请动了那个白衣剑客，拼着让经营多年的内奸诱走了洪公公，才终于造成了当前这个局面——可谁也没想到那个九品刺客不是杀招，甚至连那个强大至极的白衣剑客也不是杀招。真正的杀招，来自庆国皇帝的身后！

那个先前奉上菊花酒的眉清目秀的小太监，当皇帝被白衣剑客逼退后，正好挡在了他的身前，只见他一翻酒案，伸手在廊柱里一摸，就像变戏法一样，变出了一把灰蒙蒙的匕首，狠狠地向着皇帝的后背扎了下去！

匕首藏在悬空庙的木柱里，柄端被漆成了与木柱一模一样的颜色，经年日久，根本没有人能发现那里藏着一把凶器。

没人知道这把匕首在这里放了多久，也没有人知道暗杀庆国皇帝的这个行动谋划了多久。只看这番耐性与周密的安排，就知道对方志在必得。

此时皇帝身前是一支古意盎然却剑势惊天的长剑，他的身后是一把古旧至极，却极其阴滑的匕首，根本毫无转圜之机。范闲知道，此时自己面临着重生以来最危险的一次考验，来不及嗟叹，下意识里做了他认为正确的选择。

就算是五竹或者是四大宗师此时出现，也很难在击退面前刺客、保住老三性命的情况下，再与那个白衣剑客硬拼一记，还有足够的时间杀死陛下身后的那个小太监。那个小太监没有什么功夫，但他手中的那把陈旧至极的匕首却是最要人命的东西。所以他选择了先救三皇子，再救陛下。事后看来这种选择就是大逆不道，但在范闲的眼里，三皇子只有八九岁，还是个小孩子。

救人，自然是先救小的。

黑色匕首像条黑蛇一般刺向第一个刺客的眉间。

对方筹划得极详细，当然知道范闲最恐怖的手段就是这把黑色的细长匕首——传说中费介那个老怪物亲自开光的不祥之物，那个刺客不敢怠慢，把黑色匕首拍向楼下。

他想知道范闲在失去武器的情况下，还能怎么破掉自己的残刀。

匕首刚刚飞出栏杆，范闲急速转身，将后背晾给了刺客，在转身的过程中，以根本没人能看清的极快速度在自己的头发里拈了一拈，借势向后轻轻一挥。

一只细细的绣花针，不偏不倚地扎进那个刺客的尾指外缘，连血都不可能冒一滴。

那个刺客却是闷哼一声，顿觉气血不畅，一刀挥出，斩去了自己的尾指。

抬头，已然不见范闲。

范闲已经来到了白衣剑客身前，随他而至的自然还有那三支勾魂夺魄的黑色弩箭与几大蓬已经分不清效用，但混在一起一定足以令任何高手烂肠破肚的毒烟！

一大片黄的、青的、白的烟，在悬空庙最顶层的木楼里散开，真是说不出的诡异，就像是京都偶尔能见的烟火一般。

不料那白衣剑客竟对范闲的作战方式十分了解，避开了那三支弩箭，也屏住了呼吸，依然是直直一剑，穿千山越万水，破烟而至，刺向范闲的咽喉。

一剑临面！

范闲的霸道真气肆虐起来，不知道是心神在指挥真气，还是真气控制住了心神，双掌疾出，真气竟似被压缩成了极坚固的两截山石，透臂而出，迎向那柄寒剑。

白衣剑客的剑就算刺穿范闲的胸口，他也会被这恐怖的两掌将胸骨尽数拍碎。

嗤的一声，那柄古剑就像是仙人拨弄了一下人间青枝，微微一荡刺进了范闲的肩头！

白衣剑客左手疾出，与范闲对了一掌。

轰的一声巨响，劲力直震四际，灰尘大作，毒烟尽散，白衣剑客再如何天才，也及不上范闲从婴儿时期筑下的真气基础，加上左手稍弱，腕骨咔嚓的一声竟是折了。

令人心惊的是，白衣剑客被震退之时，居然还抽走了插在范闲肩头的那柄古剑！

这得是多快的速度，多妙的手法！

一击不中，千里远走，这才是世间的第一流刺客。白衣剑客轻点栏边，再也不看范闲一眼，便往楼下跃去，衣衫被山风一吹散开，就像是一只不沾尘埃的白鹤翩然起舞。

在白衣剑客与范闲交手的那一瞬间，场间响起两声不怎么引人注意的声音。那个让范闲有些狼狈的九品刺客，满脸血红，双肩肩骨尽碎，鲜血横流，眼中带着一丝不甘与绝望，倒了下去。在他倒下去的同时，嘴角流出一丝黑血，等身体触到楼板之时，人已毙命。在他的身后，一直佝偻着身子的洪公公安静地站着，依然袖着双手，就像先前根本没有动手。

范闲转身，又看见了一个令他十分震惊、许多年之后都还记得的画面。

拿着匕首意图行刺的小太监已经昏倒在楼板上，头边尽是一片木屑！

皇帝拎着半边残破的木盘，面无表情地说道："朕不是叶流云，但也不是你这种角色能杀的。"

那个木盘是先前用来盛酒杯的，是混乱中皇帝唯一能够抓到的武器。

惊魂未定的范闲，看着这幕画面，忽然想起了前世看的电影。

好一招板砖！

悬空庙下响起一阵惊叫狂号与痛骂，想来是那个白衣剑客逃了下去。庆国权贵们果然胆量足，性情辣，知道对方是行刺圣上的刺客，竟是纷纷围了上去。

又是一声惊呼与闷哼远远传上楼来。此时不是表功论罚的时候，范闲探头往栏下一看，只见京都守备叶重正在吐血。叶重是九品强者，既然偷袭之中都吐了血，那个白衣剑客自然伤得更重。果不其然，远处满山菊花里，那个白衣剑客的身影明显有些迟滞。

“传说中四顾剑有个弟弟，自幼就离家远走，没有人知道他在哪里。”皇帝寒声说道，“范闲，替朕捉住他，看看他们兄弟二人是不是一样都是白痴！”

连遇惊险，一向沉稳至极的庆国皇帝终于动了怒。

范闲知道洪公公上了楼，皇帝的安危就不用自己担忧，哪怕肩头还在流血，他已经跃出了栏杆，像只黑鸟一般，疾速地往楼下冲去，然后骤然横掠，闯入满山菊花之中。

叶重调息完毕，也黑着脸追了过去。宫典是他师弟，如果今天捉不住那个刺客，只怕整个叶家都要倒霉，就算拼了这条老命，他也要亲手捉住那个刺客，而且是活捉！

紧接着，侍卫中的轻功高手也化作无数个箭头扑向了山野。

悬空庙顶楼，皇帝已经从愤怒中冷静下来，神情漠然至极，就像脚下的木屑、楼中的鲜血、侍卫与刺客的尸首、受伤和昏迷的人们、空气里的微甜味道并不存在，就像是自己没有遇到一场敌人筹谋数年之久的谋杀，只是在进行三年一例的赏菊之会。

负责陛下安全的侍卫面色惨白，那些包括戴公公在内的太监都瑟瑟发抖，不知道圣上遇刺会给自己的命运带来什么改变，还是说直接中止了自己的生命旅程。

太子已经从地上爬了起来，只见他满脸泪珠，与大皇兄二人跪在皇帝的面前，请罪道："儿臣无能，让父皇受惊了。"

大皇子在草原上杀敌无数，却没有想到当刺客来袭之时，自己竟是连做出反应的能力都没有，而他本来有些瞧不起的范闲竟然身手如此了得，意志如此强大。

"一入九品，便非凡俗……你们虽是朕的儿子，碰见这些亡命徒，反应不及，也是自然之事。"皇帝似乎没有怪罪儿子们的意思，只是看了一眼角落里那个死在洪公公手下的九品刺客，又看了一眼被太子踩破了的酒杯，眉头微微皱了皱。

他揽着怀中还在惊恐之中的三皇子，眼睛却看着楼下那片漫山遍野的菊花。

那处偶有动静，枝叶轻飞而碎。

"老奴去吧。"洪公公在皇帝身后轻声说着。他似乎并不认为一场刺杀之后，自己应该牢牢地守护在陛下的身边，"小范大人最近在生病，老奴有些担心。"

地板上范闲临去前扔下的药囊十分显眼，毒烟漫楼，总会有人吸了进去，这是他留下的解毒丸。想到那孩子的细心，皇帝有些歉疚，这时候才想起来，最近范闲的身体一直欠佳，洪公公上次去范府看了看，发现他身上的毛病确实有些麻烦。

皇帝的手指轻轻在悬空庙的栏杆上点了几下，笃笃作响。一直不起眼站在众人身后的范建似乎心有感应，向楼上看了一眼。

"你不要去了。"皇帝对洪公公说道，"朕派人。"

话音落处，悬空庙下方的山坳里又传来一阵异动，数个身影从隐伏处站起身来，身负长刀，沿着陡峭的山石缝隙，冲入花海之中，不多时便超过了提前出发的大内侍卫，循着最前三个人的踪迹而去，这些人正是虎卫。

山里有座庙，庙前自然就是山沟沟，只是这山沟沟有些陡。

范闲在山野里疾行，嗅着金线菊花瓣碎后的淡淡香气，像吸了鸦片一样，体内真气依循着那两个通道快速流转，瞬间补充了他精神与力量的消耗，双脚就像是长了眼睛一般，奇准无比地踏上各处岩石，身如黑龙，以令人瞠目结舌的速度向着山下冲去。

说起跳崖，这个世界上除了五竹没有谁能比他更快。更何况今天与白衣剑客一战，他真气的充沛程度与精神状态都处于巅峰，左肩这点伤势根本算不得什么。

数十丈处那个若隐若现的白衣刺客，身法也极精妙，只见他像云般聚拢散开，便柔顺无比地卸了地势的冲击力，速度丝毫没有减慢，但终究比不上范闲借着地心引力的加速。

两个人的距离越来越近。

后面那些还在寻觅下山道路的大内侍卫已经不知道被甩了多远，而那位境界高深的叶重大人，明显一身修为放在那个“重”字上面，也被拉下了好长一段距离。

冲到山下，看着远处隐约可见的禁军兵马旗帜，范闲松了口气，却意外地发现前方的白衣剑客身形一斜，改变了前进的方向，只见他擦着山脚疏林的边缘，往西方掠去。

踏上平地，范闲的速度本来不及那个白衣剑客，但白衣剑客受了叶重一掌，受的内伤比他更重，身法提不起来速度，被他死死缀着。

那个白衣剑客在高速奔行的过程中，又是强行一转，往西南方向穿插了过去。

范闲紧紧跟着。

白衣剑客再转。

范闲再跟。

数次突刺一般地转变方向，白衣剑客却极巧妙地保持着与远处禁军的距离，范闲也根本没有多余的力量出声求援。

嗖的一声，白衣剑客陡然加速，往正前方的一处湖面掠去！

范闲冲过去之后，才发现自己已经跟着那个刺客穿过了禁军的阵营。

前方一片空旷，无人防守。

白衣剑客对于禁军的布置、对于朝廷的反应流程熟悉到了一种很可怕的程度！

对于自己的追踪技能，范闲有足够的信心。北海的夜里，自己领着几个虎卫生生将肖恩追得凄惨不堪，他不相信，除了四大宗师还有谁能逃得出自己的跟踪。

但今天连番意外接踵而来。先是对方能够轻易穿透禁军的封锁，紧接着对方又表现出了十分强悍的摆脱能力，由山脚直至湖边，穿湖而过，在农舍与田野间穿梭，那个白衣剑客有好几次都已经消失在他的视野中，如果不是范闲眼力惊人，运气过人，只怕早就被对方摆脱了。白衣刺客在这一路上所表现出来的沉稳，甚至像是本能反应一般的躲避，让他有些佩服，他知道这得需要多少年的锤炼才能达到。尤其对方掩灭痕迹时的手法十分老练、阴沉，又让他感觉很熟悉——就像是他已经非常熟悉的那片黑暗一般，与这个剑客的一身白衣，透着股格格不入的气息。

想必这才是白衣剑客的真实一面，冷静、阴狠、决断，无一不是人间极致。

悬空庙上那一剑虽然煌煌然，壮烈至极，但在范闲看来却没有此时对方散发出的黑暗气息来得惊人，此人的真正实力只怕早已经超越了年老的肖恩，更在自己之上！

京都在望，城郭高耸，气势逼人。

呼的一声，白衣剑客去势不顿，单手脱去身上的雪白长衫，露出里面一件朴素简单的衣服，就如同京中居民常见的穿着。

白衫落在泥地中。

片刻之后，一只脚尖在衣上轻轻一点，一个身影疾速掠了过去。

京都不知有多少万人，对方肯定有可靠的身份做掩饰，就算监察院全力发动，只怕也再难找到他了。范闲顾不得震惊，直接从城门处冲了过去。

沉默的追杀、跟踪与反跟踪，在京都的民宅间、小巷间进行着，凶险处或许不及上次北海畔，紧张的程度却犹有过之。

楼角身影一飘，竹下布鞋一点，穿过热闹的旧市街，撞翻了一个卖糖葫芦的小贩。便是这一撞，让范闲判断清楚，刺客受的伤重，看来已经支持不住了，才会控制不住自己的身体。

一阵急促而轻微的脚步声，范闲成功地将对方堵在了一条死巷子的尽头。

他的脸色有些苍白，又有两团红晕，双眼晶亮一片，正是真气充沛到了极点的显现。

刺客的情况比较糟糕，那件普通的衣服上能看见隐隐渗出的血水。他转过身来，是一张苍白无比、范闲极为陌生的脸。想来平日里极少见阳光，也不知道易容过没有。只听他声音嘶哑，看着离自己只有十步远的范闲，说道："你不累吗？"

范闲轻声说道："我没想到你能跑这么远。"

刺客将手伸进衣衫，取出那把寒若秋水的古剑，一剑在手，全身上下的气质为之一变，由一个逃亡的黑暗刺客瞬间变成了一位高傲的剑客，浑身充满了自信与骄傲。

"我本不想杀你。"

范闲知道对方如果没有受伤的话，确实有足够的实力说出这样看似狂妄的一句话。感受着巷子尽头那股拂面生寒的剑意，他下意识里准备抠住暗弩的扳机，取出藏在靴中的黑色匕首，抛出最拿手的毒烟……不料，匕首没摸到，毒烟用完了，暗弩不在了。

刺客面无表情地说道："三支弩箭，一把匕首，十四粒爆烟丸，而现在……你是一无所有的。"

范闲的心渐渐下沉。弩箭、匕首、毒丸是他的三大法宝，有这三大法宝在手，他敢和海棠正面打上一架。此时面对着一位综合实力绝对不在海棠之下的绝顶高手，他能怎么办？他只有祈祷对方的伤势发作得更快一些，五竹叔能来得更快一些。

他说道：“你说出一个能让我满意的身份……我就离开。”

这是交易。

这是他冒险追踪这位绝顶高手到京中也要做成的一笔交易。

悬空庙的刺杀太古怪，宫典的离奇失踪，刺杀时的诡异感觉，这个刺客的出现与离开以及他对庆国内部事务的熟悉都揭示了一个可怕的真相，这次刺杀一定有庆国的大人物参与！

范闲想知道此事的真正起源，而不是急着为陛下洗去耻辱。他不是一个忠臣，更在乎的是这次刺杀与自己、与父亲、与监察院之间的关系。

“不要说气节这类的话。”他看着那个刺客说道，“你我都是一路人，知道承诺这种表现没有任何意义，我只需要你给出一些信息。”

刺客默认了他的说法，就在范闲以为他会接受这个对双方都很公平、绝对双赢的交易时，刺客却忽然说道：“现在的问题是，如果我杀了你，我不一样也可以离开？”

这个世界真的很妙，范闲强悍地拒绝了与二皇子和解共生——这个在所有人看来都很美满的提议，此时也有人很强悍地拒绝了他。靠的是什么？当然是实力。

剑光在瞬间照亮了整条小巷，深秋里的落叶被剑风刮拂了起来，飞舞不休，那把古意盎然的长剑，在凄美落叶的陪伴下，突兀而决然地来到了范闲的面前。

如同在悬空庙顶楼一样，范闲体内真气疾出，运至双掌之上，开天辟地一般，挟着雄浑至极的掌风，拍向对方的面门，对于迎面而来的长剑根本看都不看一眼。

掌风凛冽，将那个剑客的头发震得向后散去，就像是道道钢刺一般。

他的境界实力不如对方，于是只好拼命，他很清楚越是杀人无数的绝顶刺客越是珍惜自己的生命，越是骄傲越不愿意与别的庸人换命。刺客果然横剑一挥，斩向他的手掌。范闲收手，化为两道黑影直击对方的太阳穴，干净利落，简单至极，却是异常凶悍。

那个刺客却在这时做了一件他怎么也意想不到的事情！

他不再像大画师一样潇洒挥剑，不再妙到毫巅地运剑……他直接弃剑！

长剑脱手，急射而出，直袭范闲的咽喉，他的身体异常古怪地缩了起来，避过了范闲的凌厉拳风，将手放到自己的左腿靴口处，取出一把暗淡无光的匕首！

范闲怪叫一声，收拳而回，交错一击，仗着自己的霸道真气，生生将那夺命一剑击飞，古剑化作一道直线飞了出去，嗤的一声插在巷墙之中，不停地颤抖着，嗡嗡作响。

然后他看到了那把匕首。

无论是匕首的样式，还是刺客使用匕首的方式，都令他感到无比熟悉！

古剑在手时，这个刺客是位光明正大、堂堂正正的绝世剑客。但弃剑之后，他的光彩便似乎荡然无存，化作了秋风之中的一道魅影，手里那把尖锐的匕首就像是毒蛇吐出的信子。这种强烈的气质变换在骤然之间发生，令范闲措手不及，手上被划出一道细小的血口！

两道身影在巷中缠斗起来，贴身搏击全以奇诡之道而行，锋出无声，指出阴险，在极小的范围之内进行着极凶险的刺杀，两个人的动作越来越快，弯肘提膝，撩腹剁脚，由墙脚站至墙上，再摔到地面……一连串肉体撞击之声响起，惊心动魄。

如果范闲不是从小被五竹揍大的，如果不是深受监察院影响一直走的就是这个路子，只怕早已经被那把匕首戳出了几十个血洞，但饶是他躲得再快，终究还是被那把匕首割出了好些道血口子。

更令他心惊的是，这个刺客对监察院官服的构造十分清楚，匕首落下的地方全是没有重点保护的地方，而且对自己也研究得十分透彻，将自己的出手路线计算得死死的，自己赖以保命的小手段，竟每每在发动之前就被对方猜得先机，躲了过去。不论是拧尾指，还是插眼珠、捏阴囊，还是想倒肘击……什么样无耻下流阴险的招数，都失去了效用！

一抹浅灰色的光芒闪过范闲的眼帘，匕首的尖端很直很直地扎了下来，这让他想起了五竹叔的那根棍子，想起五竹叔说的那句话——直、狠、准。

他体内的霸道真气猛然迸发，手臂上的监察院官服都被震碎，右手微微战抖，隐隐然有了几分澹州海崖下叶流云散手的风韵，啪的一声击出。

像幽灵一样附在他左臂的刺客，只觉强大真气扑面而来，胸口一闷，被震了出去，脚尖往下一踩，不偏不倚地踩在范闲阴险踢过来的靴刀尖上，他飘然退开三尺！

范闲捂着受伤的左臂，看着这个可怕的刺客，发现对方也在流血，稍觉安心。

只是，五竹叔还没来。

刺客平肘将灰暗的匕首横举在眼前，声音微哑地说道："这是学你的。"

范闲感受着精神随着鲜血不停流失，寒声道："不用客气。"

没有时间治伤调息，对方在耐受力方面比自己更强，他没有再说第二句话，脚尖在巷墙上一点，踹落几块灰砖，紧跟着再次扑了过去，去势若虎，一往无前！

刺客退一步，跃起，反手撩刀，刺向他的太阳穴。范闲身法忽然变得极其阴柔，冒险地绕着那把匕首转了小半圈，右手两根手指间寒芒一闪，便要轻拈毒针刺过去。

他没有料到，刺客反手撩的一刀竟是假象。当针尖探过去的时候，对方已经从容拉回匕首，让毒针扎在了匕首的横面之上，针尖脆弱无比，啪的一声断了。紧接着刺客一膝顶在了他的后腰，一股剧痛让他横过身去，便看见了那把匕首快要刺进自己的胸口。

范闲绝望了，对方竟然准备得如此充分，连自己保命的三根发针都一清二楚！

而……五竹还没来。

他的闷哼变成了极狂暴的一声呼喊！

“啊！”

生死之际终于激发出了他体内最大的潜力，将那股强悍的杀伤力全数吸入了雪山之中，催发着霸道真气运至自己的双臂，夹住了匕首！双掌与匕首一夹，发出了极难听的嘶哑声，就像是烫红了的烙铁正在粗糙的脚掌上慢慢划过。

两个人的距离如此之近，以至于范闲能看到对方的眼睛。

倒霉这种事情，总是接踵而至，此时他到了最危险的时候，身体里的那个隐患居然也爆发了出来。暴戾的真气就像是不听话的孩子，又像是难以驯服的野兽，开始在经络中跳动，雪山处的真气蕴积也随着这一场耗费心神的缠斗突破了极限。

爆了。

在极短的瞬间，范闲感受到了从未感受过的苦楚，身体内每一处有感觉的神经都像是被撕裂了一般，痛楚无比。真气冲破经脉，散入身体，再也无法调动。

真气全无，双掌自然无力。嗤的一声轻响，那把始终无法真正刺中范闲的灰暗匕首，就这样简简单单，甚至有些荒谬地刺进了他的胸口。

范闲低头看着自己胸上的那把匕首，神情有些茫然。

那个刺客似乎也惊住了，怔怔地看着他胸前的匕首，停止了动作。

不知道过了多久，那种痛楚传到了范闲的脑中，他才明白自己中了很深的一刺，只怕这条小命就要这么糊里糊涂地交代在异世界的一条小巷之中。

不甘啊！还有很多事情没做，还没生孩子，《石头记》还没有抄到七十八回，还没有去内库看叶轻眉做的家什，还没有去神庙偷窥，还没有站在皇宫的大殿上向天下人宣告自己的身份。

最不甘的是……瞎子，你怎么还没来呢?

“意外。”

很意外的是，说出这两个字的除了临死不忘前世周星星的范闲，还有对面的那个剑客。只不过范闲说得极为不甘，对方说得极为无辜。

虎卫们赶到小巷时，没有来得及参加这场战斗，只来得及看着一个普通百姓模样的人，松开了手里的那把匕首，然后化作一道黑色的影子，掠过了巷尾那堵墙。而范闲这位虎卫们暗中议论了很长时间的厉害人物就像一个酒后的醉鬼般，直挺挺地摔倒在巷中的土地上。

“快追！”有虎卫低声吼道。

“先救人！”虎卫首领高达沉着一张杀气腾腾又阴郁至极的脸，蹲在范闲旁边，看着面前地上这个带着自己出使北齐的年轻官员，无比紧张与担心。

片刻后，一道虚弱的声音在巷子里响了起来：“死不了，不够深……快请御医……去府上找我妹妹拿解毒丸子……另外请陛下急召费介回京……我不想死。”

说完这句话，范闲看了眼那个刺客逃走的方向，便昏了过去。他已经隐隐猜到了那个刺客的身份，这事儿太复杂，太可怕，他宁肯昏迷不醒，也不愿意再继续思考下去。

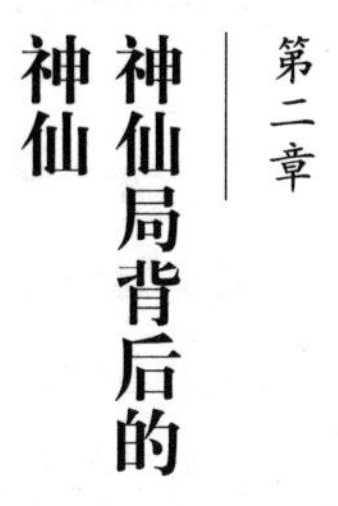

第二章 神仙局背后的神仙

车帘随着迎面而来的风飘了起来，露出一角青青山色和疾退的长长石板路，就像是无数幅的画面，正在不停地倒带。

一片黑色的布巾在飘动，化作流溢黑光，渐渐占据了整个画面。画面转而一亮，斑驳的亮片化作了眼熟的小花在澹州的山崖间开放着，一只略显粗糙但格外温暖的手伸了过来，摘了一朵。花儿在民宅顶的露台上被阳光与海风干燥，混入茶中。开水冲入杯中，荡起茶叶与干花，泛起金黄润泽的琥珀色。又有一只手伸了过来，稳稳地端起，放在了面前。

“少爷，喝杯思思泡的新茶吧，今天是她入门头一天。”许久不见的冬儿姐姐满脸温和的笑容，不知道为什么，她今天没有在澹州当豆腐西施。

范闲摇了摇头，接过茶送到另一边，看着正不停啃着鸡腿的婉儿叹道：“油乎乎的，你也吃得下去，喝杯茶清清嗓子。”

婉儿没有说话，反而是坐在右手边的妹妹笑了起来，眉宇间的淡淡忧色全然无踪，让他看着很是欣慰。

“该走了。”脸上蒙着一块黑布的五竹冷声说道。

“去哪儿呢？”他下意识里问了一句。

“去看小姐。”

“好。”他兴奋地站起身来，走到床边去提行李，还有那个……黑黑的箱子。但不知道怎么回事，今天这箱子格外的重，怎么也提不起来，把他搞得满头大汗。

……

一滴汗顺着额角滑落，滴在枕头上面，范闲有些迷糊地将眼帘撑开一条小缝隙，无神地看着上方的流檐彩绘，知道自己身处在一个很陌生的房间之中，有些惘然地想着，难道又穿了？

如果死一次就要穿一次，他情愿自己上一次就死得彻底，何必来这世上走一遭，看了那么些人，遇了那么些事，动了那么些情，生出不舍，却又离开，偏还记得。

他有些散离的目光渐渐适应了房间里的光线，像婴儿一样学习聚焦，终于瞧清楚了身边的画面。婉儿的眼睛已经哭成了红肿的小桃子，却攥着床单的一角，咬着下唇不肯发出声音——看来自己还活着，还是在庆国这个世界里，只是不知道此时躺在哪里。

转头有些困难，他从胸口处传来的疼痛知道自己的伤没有治好。房间里那些低眉顺眼的阉人正四处找寻着什么，冒充着忙碌与悲哀。门口处一群御医正紧张地对着一位中年人说话。

“陛下，臣等实在无法。”

中年人大怒道：“如果救不回来，你们就陪葬去！”

半昏迷状态中的范闲看着这一幕，忍不住想要冷笑，只是唇角不听使唤。这是挺耳熟的台词，只是你这皇帝到我要死的时候才来发狠，做人真不怎么厚道——与眼前情况相比，他倒更希望是那个叫作范建的父亲在对太医大吼大叫。

他想伸手拍拍婉儿的手背，却没有一丝力气动弹，体内无一处不痛楚，无一处不空虚，强行提摄心神，却是脑中嗡的一响，又昏了过去。

当范提司大人还有余暇腹诽皇帝、想要安慰老婆的时候，整个京都已经乱翻了天。

陛下遇刺！

此事不可能瞒过天下，很多人在黄昏的时候就知道了，令百姓们心安的是陛下没有受伤。但没过多久又传来消息，监察院提司小范大人忠心护君，英勇出手，解了陛下之危，又不顾病后虚弱，自悬空庙追缉刺客入京，身受重伤，不知道还能不能活下来！

范闲在庆国民间的名声一向极好，听到这个消息，京都居民们大多端着饭碗表示了真切的担心与衷心的祝福，夜里提着灯笼去庆庙替他祈福的人竟是排起了长队。

城南范府没亮几盏灯，府内一片黯淡，下人们手足无措地等着消息。范闲受伤后被虎卫直接送入了宫中，陛下返京后便将他留在了宫中，令御医们寸步不离地看着——少奶奶与小姐已经入了宫，还没有消息传出来，听说大少爷伤势极重，太医一时间没有很好的法子。让仆人们不明白的是，老爷没有入宫，阴沉着一张脸坐在书房里，不知道在想什么。

出了这么大的事情，陈萍萍也不可能还在陈园看美女歌舞，坐着轮椅回了监察院，第一时间内开始调查行刺一事，同时接手了悬空庙上被擒的那个小太监和那个九品高手尸体的调查。

靖王已经赶进了宫中，柔嘉郡主留在闺房里哭。

不知道京中还有多少小姑娘们在伤心。

二皇子令下人们紧闭王府大门，不准打听任何消息、做出任何反应。他知道自己现在的处境十分危险，值此多事之秋，任何不恰当的举动都会给自己带来灭顶之灾。

大皇子守在抢救范闲的广信宫外面，不停地踱着步。宜贵嫔也领着三皇子站在广信宫外面，今天三皇子这条小命可是范闲救下来的。且不说宜贵嫔与范府的亲戚关系，她知道陛下震怒的背后体现的是什么，自己应该表现出什么样的态度。皇后没有来，太子关心了几句，安慰了婉儿和若若几句，又请陛下以圣体为重，便回了东宫。据另外传来的消息，皇太后虽只是派洪公公来看了看，但老人家已经在含光殿后方的小念堂为范闲燃香祈福了。

广信宫以往是长公主在宫中的居所，也是范闲第一次夜探皇宫时来过的地方，但他没有在床上待过，所以先前醒来的一刹那，没有发现自己是躺在皇宫里。他是为了皇帝陛下才受了这么重的伤，但一位臣子被留在宫里治伤终究不合体统，好在他还是长公主的女婿。

广信宫的门被推开，皇帝沉着脸走了出来，看了眼泫然欲泣的范若若，眉间略现疲态。姚公公颤着声音说道："陛下，您先去歇歇吧，小范大人这里有御医们治着，应该无妨。"

皇帝的眼里闪过一道寒光："那些没用的家伙……"

"陛下，我想进去看看。"范若若稳住心神，行了一礼，"可是……太医正不让我进去。"

"嗯？"皇帝皱起了眉头，"为什么？"他注意到范家小姐脚边放着一个很寻常的提盒。

范若若咬着嘴唇说道："哥哥一直没醒来，但虎卫说过，让我拿他平日里常用的解毒药丸来，想必是他昏迷前心中有数，只是御医不……相信我的话。"

御医治病有自己的讲究，拒绝范若若的药很正常。但此时的皇帝与以往许多年里都不一样……似乎是第一次，他发现只有里面那个才是最出息的，也只有里面那个才不是为了自己的位置而思考问题。悬空庙上的危急关头，如果范闲第一选择是不顾生死去救皇帝，多疑成性的他依然会对范闲有所提防，因为那样的举动可以理解为一位权臣向一位君主展现自己的忠诚，而做皇帝这种职业的人，向来不会相信，或者说看重可以看得见的忠诚。

问题是……范闲选择了先救老三！

如果深究起来，都察院甚至可以就着这个细节弹劾范闲大逆不道。皇帝却自认为从这个细节里面看清了范闲城府极深的表面下依然有一颗温柔的心……就像当年那个女子。

所以，他很欣慰。

知道范闲重伤将死，他多年不曾动摇丝毫的心终于有了些震动，甚至开始怀疑自己对范闲是不是压榨得过于极端。自我怀疑之后，他更是对范建产生了一丝毫无道理的嫉妒。自己的几个儿子，老大太直，老二太假，老三太小，至于太子，皇帝在心底冷笑一声，心想这个小王八蛋莫非以为朕没有看见你故意踩中那个酒杯？他将范闲留在宫中是为了将其救活，也是中年男人骨子里的某种负面情绪在作怪。与他自幼一起长大的范建对陛下的感受十分清楚，所以在儿子身受重伤的情况下也没有入宫，只是沉默地留在了范府的书房里。

太医正走出殿门，禀道："陛下，外面的血止住了，可是那把刀子伤着了范大人的内腑。"

皇帝微抬下颌示意范若若的存在："为何不让范家小姐进宫？"

太医正就算在此时也不忘维护自己的医道，皱眉道："那些药丸不知道是什么成分……刺客的刀上浸着毒，但毒素也没有分析清楚，所以不敢乱吃，怕……"

"怕个屁！"一直坐在石阶上的靖王爷冲了上来，一耳光甩在太医正脸上，骂道，"老子给了你两个时辰！你不说把人救活，至少也要把范闲救醒！只要他醒了，以他的医术，要比你这糟老头子可靠得多！"

太医正挨了一记耳光，昏头昏脑之余大感恚怒，根本说不出什么话来。

皇帝正想训斥靖王举止不当，听着这几句话心头一动，觉得很有道理。如今费介不在京中，要说到解毒疗伤，只怕没有人比范闲更厉害，他说道："先想法子把范闲弄醒过来！"

话一出口，他才发现范闲果然是一个全才，而且如果他不是担心自己和皇子们中了烟毒，将药囊扔在了楼板上，只怕就算被刺客剑毒所侵也不会落到如今这步田地——又想到范闲的一样好处，他忍不住又叹息了一声，心想如果这孩子的母亲……不是她，那该有多好。

一时想着像她真好，一时想着是她真不好，皇帝的心情有些复杂，回御书房坐了会儿，依然无法静心，便起身向皇宫后方的一栋小楼走去。

另一边靖王领着范若若根本不管那些御医们的苦苦进谏，直接闯进了广信宫，来到了范闲的床边。婉儿一言不发，握着范闲冰冷的手，呆呆地望着他苍白的脸，连自己身后来了什么人都不知道。范若若看着这幕画面心里虽然难过，却更加坚定，心想一定要救活哥哥。

“弄醒他。”靖王爷今日再不像一位花农，却像是一位杀伐决断的大将，眯着眼说道，“如果吃药没用，我就斩他一根手指。”

范若若似没有听到这句话，直接从提盒里取出几个大小不等的木头盒子。

靖王爷道：“你知道……应该吃哪个？”由不得他不谨慎，毕竟御医们不是蠢货，说的话也有些道理，如果药丸吃错了鬼知道会有什么效果，说不定此时奄奄一息的范闲会直接嗝屁！

范若若点点头，镇定地从木盒中取出一个淡黄色的药丸，药丸发着一股极辛辣的味道。她将药丸递到婉儿手中，都是冰雪聪明之人，婉儿手掌一颤，也不多问一句，直接送到嘴里快速咀嚼了起来，然后又接过太监递来的温水饮了一口，让嘴里的药化得更稀一些。

在一旁紧张围观着的御医们知道这两位胆大的姑娘家准备灌药了，反正也无法阻止，有位御医上前用专用的木制工具撬开范闲的牙齿，林婉儿低头便喂了过去。

靖王伸手在范闲的胸口拍了一下，度过去一道真气。

然后，众人开始紧张地等待。

不知道过了多久，范闲长长的睫毛微微颤抖了一下，终于睁开了眼，只是眼神有些无力。

“范大人醒啦！”

早有知趣的太监高喊着去给皇帝陛下报信，殿内殿外顿时热闹了起来。

“有很多人会失望吧。”这是范闲真正醒来的第一个念头，然后他看着身边紧张、兴奋、余悲犹存的那几张熟悉的脸庞，低声说道，“枕头。”

婉儿紧张得说不出话来，赶紧拿了个枕头垫在了他的后颈处，知道相公是要看自己胸口的伤势，又多垫了一个，让他的头能抬得更高一些。

若若移了明亮的烛台过来，将他的胸口照得极亮。范闲让那股辛辣的药力在体内渐渐散开，提升了一下枯萎到极点的精力，这才朝着自己的胸口望去。

伤口不深，而且位置偏下，看着是胸口，实际上应该是在胃部的上端，御医们对外部伤势的处置极好，挑不出什么毛病。但他知道胃上也被刺破了个口子，还在缓慢流血，自己的真气已经完全散体，无法自疗，如果体内继续出血，估计熬不过今天晚上。

以这个世界的医学水平，对内脏受伤确实没有什么办法，怪不得御医。

“抹了。”他的精力只能很简短地发布命令。

范若若想都不想，直接取来煮过的粗布，将哥哥胸膛上的那些药粉全部抹掉，惹得旁观的御医们一阵惊呼——毫不意外，胸口处的那个伤口又开始渗血。

“针。”范闲对若若说道，无力地握住了妻子冰冷的手。

若若取出几枚长针。范闲对靖王爷说道：“天突，期门，俞府，关元，入针两分。”

下针需要真气加持，此时此地只有靖王爷有这个本事。靖王先前送药入腹的那一掌不知道蕴藏着练了多少年的雄浑真气，自然没有问题，只是他没有想到自己也要当大夫，于是依言接过细细的长针，有些紧张地依次扎在范闲所指的穴道上。

针入体肤，血势顿止，四周的御医瞠目结舌，不敢相信。

“三处。”范闲委顿无力地对靖王爷说了句。

靖王立刻明白了，监察院三处最擅长制毒，自己与陛下关心则乱，竟是忘了让他们入宫替范闲解毒，赶紧出殿让人去传监察院三处主办及一应人员入宫救人。

没料到三处的人早就在宫外等着了，三处头目更是请了好几次旨要进宫，只是今晚宫中乱成一团，好些禁军统领与太监被监察院传去问话，竟是没有人敢去请示陛下。

此时三处的人终于进了宫门，赶到了广信宫，带了一大堆东西，叮叮当当响着，好像是一些金属物件。那些御医与贵人们面面相觑，落在范闲耳中，却是格外动听。

三处头目是费介师兄的弟子，也就是范闲的师兄，与范闲向来极为相得。此时看着师弟凄惨无比的模样，他的脸色一下就阴沉了起来，伸出一根手指搭在了范闲的手腕上。

包括御医在内的所有人都紧张而好奇地注视着他。片刻后他收回手指，望着范闲说道："师弟的药丸已经极好。不过这毒是东夷城一脉的，试试院里备着的这颗。"

范闲依言服下药去，不知道是不是心理因素，精神顿时好了一些。

天下有所谓三大用毒宗师，费介为其一，肖恩为其二，还有一位却是东夷城的怪人。在这三个人当中费介涉猎最广，本事无疑最强，但是用毒宗师所选择材料及制毒、布毒风格都有强烈不同，肖恩偏重于动物油脂与腺体分泌，费介则偏重于植物树浆，这也影响了范闲。

那个刺客匕首上喂的毒是东夷城的硝石矿毒派，两派风格不通，想解毒十分麻烦，院里怎么可能有常备的解毒药？范闲清楚这药丸一定是有人借着师兄的名义送入宫中替自己解毒，只是常年沉迷于毒药学研究，从而有些一根筋的师兄根本没有想到这点。

毒素渐退，剩下的便是体内脏腑上的伤势。看着监察院的解毒本领，御医们终于有些佩服了，但还是很好奇这位范提司和三处准备怎么处理体内的伤口。

"师弟，你以前让处里准备的那套工具，我都带来了，怎么用？"三处头目自己也不清楚那些东西的功能。

范闲看着自己胸口下方的那个血口子，喘息着说道："我需要一个胆子特别大的人……还需要一个手特别稳的人。"

三处头目常年与毒物死人打交道，开膛剖肚的场面不知道看了多少年，胆子自然是足够大的，至于手特别稳的人……三处里面这些官吏，似乎都足以应付。

这时，范若若站到了床前，说道："我来。"

这句话真的吓着了所有人，范闲如果不是动不了，肯定会从床上跳起来，毫不犹豫地表示反对。第一是他自己对于缝合技术都没有太大的信心。第二他舍不得一向洁净柔弱的妹妹看到自己血糊糊的胸腹内部，更何况待会儿还要亲手去摸……

"婉儿你也出去。"他用有些发干的声音说道，"带妹妹出去。"

婉儿没有说话，轻轻摇了摇头。若若坚持地说道："我的手是最稳的。"

听到范家小姐这样有信心地说，包括三处头目在内的所有人都有些不解。

范闲看着姑娘家平时冷淡的眸子里渐渐生起的自信，沉默片刻后微笑着说道："待会儿会很恶心的，而且你是我的亲人，这不合规矩……不过既然你坚持，那我支持你。"

说了一长串话，他又有些委顿。场间一阵沉默。明暗交错的烛火耀着范闲的脸颊，他勉强笑着说道："那诸位还等什么呢？只是个小手术而已。"

三处拿来的那几个箱子确实是依范闲的建议做的，真正的原创者却是费介，可费介又是从哪里学会的这一套？除了范闲应该没有人知道，而今夜他却要做自己手术的医学总监了。随着他有些断续的话语，留在广信宫里的所有人开始忙碌起来。

皇宫生活奢华，有足够多的烛台，三处官员们又想了些法子让这些烛光集中到了平床之上，照亮了范闲露在床单破口处的身体。床单自然是用沸水煮过的。

小太监们急着烧开水、煮器械，让宫中众人净手，而若若则侧着身子，小心而认真地听哥哥讲待会儿的注意事项与操作手法。三处头目毫无疑问，是一位现成最好的麻醉师，那些小太监们，就成了手脚利落的护士。那些看着众人忙碌，却不知道大家在做什么的御医们，却似乎变成了那个世界里旁观手术的医学院三年级学生。

“反正不是妇科检查。”范闲这般想着，打消了将这些御医赶出门去的念头，至于别的杀菌消毒的方法——算了吧，咱皇宫家也没有这条件啊。

一声金属撞击的脆响回荡在安静的宫殿里，范若若点了点头，示意哥哥自己准备好了。

林婉儿回头担心地看了小姑子一眼，又取了张雪白的软棉巾擦去范闲额头的汗。

范闲艰难地笑了笑：“夫人，你应该去擦医生额上的汗。”

三处头目蛮不讲理地便准备喂药。不料范闲嗅着那味道，紧紧闭着双唇示意不吃，说道：“马钱子太狠，会昏过去。”

三处头目纳闷地问道：“你不昏怎么办？待会儿痛得弹起来怎么办？”

范闲没有关公刮骨疗伤的勇气，但只有他知道外科手术是怎么回事。他当然不可能直接昏迷，将所有事情都交给若若这个丫头，只听他虚弱地说道：“用哥罗芳，少下些。”

三处头目这才想到自己竟忘了那个药，其实这药还是他春天时推荐给范闲的，后来范闲北上南下用着，三处倒是极少用。他回到屋角翻了会儿，找到一个棕色的小瓶子，欣喜地走了回来，将瓶子举到范闲的鼻子下。

一股微甜的味道进入范闲的鼻中，过了一阵子药力开始发作，视线并没有变模糊，但他眼里的画面却变得有些怪异，似乎可以同时看到两个画面：一个画面是妹妹正拿着一把尖口钳子似的器械担心地看着自己；一个画面是很多年前，在一个被叫作医院的地方，一位眼熟的漂亮小护士正在和自己说话。

他的心神比一般人坚定许多，知道这一切都是幻觉，再过不久便会真的昏迷，于是抓紧时间说道："开始，快些。若若支持不住，师兄接。"

他的胆子很大，竟似用自己的生命在维护若若的自信，只是在哥罗芳的作用下他的神思总是容易飘离这个皇宫手术室，忘记那个正在手术的病人就是自己。看着婉儿雪白的脸，微肿后格外美的眼，又看着在自己胸口处小心忙碌着的妹妹，他傻傻一笑，心想如果将来让妻子与妹妹在家中都穿上粉色的护士服，那得是多美妙的场景啊！正所谓人之将迷，本性渐显。他曾经用哥罗芳对付过肖恩，对付过言冰云，对付过二皇子，今天终于遭报应了。

殿外的人们知道范闲已经醒了，开始医治自己的伤。人们早已经习惯范闲带来的惊喜，比如诗三千，比如戏海棠，比如春闱，比如一处，比如嫩豆腐……但这件事情还是太过怪异，气氛变得越来越紧张。皇帝陛下今夜也似乎因这位年轻臣子格外紧张，竟又坐着御辇回到广信宫前。他听着殿内隐隐传来的话语与某些金属的碰撞声，不由得皱起了眉头，想起了很多年前在北方战场上的艰难，自己好像也见过类似的场景，他摇了摇头，问道："怎么样了？"

靖王爷说道："御医们帮不上忙，三处那些家伙解毒没问题，但那刀伤太深了。"

皇帝说道："有她留下来的那些宝贝，应该没有太大问题。"

靖王沉默着没有回答，低下的双眸中一丝愤怒与哀伤一现即逝，化作古井无波。

不知道过了多久，广信宫的门终于被推开了，宜贵嫔顾不得自己的身份，拉着三皇子探头往那边望去，焦急地问道："如何？如何？"

回答她的是一声极无礼的呕吐声。出来的是一个小太监，先前在殿中负责递器械，此时第一个出殿，自然成了众人目光的焦点。但听着宜贵嫔的问话，他根本答不出来什么，只见他面色惨白，似乎受了什么刺激，只是扶着廊柱不停地呕吐。

姚公公骂道："你个小兔崽子，吐……"

还没有骂完，又有一位脸色苍白的年轻御医走出殿门，竟是和小太监一道蹲着吐了起来。

小太监自幼在宫中长大，杖责倒是看过，却没有看过此时殿中那等阴森场景。那些红的青的白的是什么东西？难道人肚子里就是那种可怕的血糊糊的肉团？范家小姐真厉害，居然还能用手去摸！而那位年轻御医习医多年，也不过是望闻问切四字，最恶心的也就是看看舌苔和某些贵人胯下的花柳，今夜头一遭看见有人居然用针缝皮，用剪子剪肉！

那可是人肉人皮啊！

又过了阵，越来越多的御医悄无声息地退出了广信宫，脸色都有些不好看，虽然大多数人还能保持表面镇定，内心深处也是受了极大的震撼。

皇帝一看他们的脸色，便知道范闲应该无碍，问道："怎么样？"

被靖王打了一记耳光的太医正先前也忍不住好奇，偷偷前去旁观，此时听着陛下问话，表情有些复杂地说道："陛下……闻所未闻，真是神乎其技。"

靖王忍不住骂道："问你范闲……不是让你在这儿发感叹。"

太医正站直身子，依然发着感叹，胡子微抖不止："陛下，王爷，下臣从医数十年，倒也曾听闻过这神乎其神的针刀之法，不料今日竟真的看见了……请陛下放心，小范大人内腑已合，定无大碍，只是失血过多，暂时无法清醒。"

他却不敢说小范大人在手术结束后终于没有挺过哥罗芳的药力，说了很多胡言乱语，荒唐不堪。这是断然不敢禀给陛下知晓的，好在那时候"手术台"边除了他就只剩下小范大人最亲近的那两位女子，应该无碍。

此时留在广信宫外面的人都是真心希望范闲能够活过来的人，听到太医正掷地有声的保证，齐齐松了一口气。大皇子向陛下行了一礼，便向宫外走去。他不想让众人以为自己是在对范闲示好，也不想人们以为自己是在揣摩圣意。他只是纯粹不想让范闲死了。此时听着对方安全，走得倒也潇洒。

皇帝挥挥手，示意宜贵嫔领着已经困得不行的三皇子先行回宫，抬步准备去广信宫里看看，靖王爷自然也跟在他身后。不料太医正却拦在了两位贵人身前，苦笑着说道："小范大人昏迷前说了不要有人进去，免得……"他想了半天终于想起了那个新鲜词，"感染……"

范闲这句交代只是想求个清静。皇帝想了想就此作罢，不料太医正热情地说道："陛下，臣以为，小范大人医术了得，应该入太医院任职……一可为宫中各位贵人治病，二来也可传授学生，造福庆国百姓，正所谓泽延千世……"

这话是大善之请，又没有什么私心，但此时情势紧张，陛下终于忍不住抢在靖王之前发火了，骂道："人还没醒来，你抢什么抢！范闲何等才干，怎么可能拘囿在这些事务之中！"

靖王却偏偏不生气了，嘿嘿笑着咕哝了一句："当医生总比当病人强。"

此时监察院三处的官员们也退了出来，得了陛下的几句褒奖，疲惫地离开了皇宫。此时广信宫中除了几个太监宫女，就只剩下了范闲及婉儿、若若三个人。

林婉儿心疼地看了范闲一眼，又心疼地看了面色苍白的小姑子一眼，轻轻擦去她额上的汗珠。范若若一直稳定到现在的手止不住颤抖起来，知道自己完成了一件很了不起的事情，哥哥的性命应该保住了，心神一松，双腿一软，险些跌倒在地。

林婉儿扶住她，自嘲地一笑，依然没有说话，这笑容里的意思很明显，鸡腿姑娘觉得……身边的人或多或少都能帮到范闲什么，只有自己似乎永远只能旁观。

"嫂子。"范若若终于发现了林婉儿异常的沉默，关切地问道，"身子没事吧？"

林婉儿被小姑子盯了半天，一时无言，旋即微笑着说道："没事。"

没事这两个字说得有些含糊不清，范若若定睛一看，才发现嫂子的唇边竟是隐有血迹，不由得吓了一跳，便准备唤御医进来看。林婉儿赶紧捂着她的嘴巴，生怕惊醒了沉醉于哥罗芳之中的范闲，口齿不清地解释道："木……事，刚凯咬着舌头了。"

范若若微微一愣，明白了是怎么回事，心头不由一暖，对这位年纪轻轻的嫂子更添一丝敬爱——先前给范闲喂药的时候，婉儿心急如焚，只顾着将药丸嚼散，情急之下咬伤了自己的舌头，只是心系相公安危，一直忍到现在也没有说。

广信宫里的白幔早已除去，此时月儿穿出晚云，向人间洒来片片清辉，与当年这宫里的白幔倒有些相似。宫外的人渐渐散了，宫内的宫女太监们将脑袋搁在椅子上小憩着，时刻准备着小范大人的伤势有什么变化，又有值夜的宫女安静地移走了多余的宫烛。

姑嫂二人坐在椅子上，看着昏暗烛光里安详睡着的范闲，脸上同时露出欣慰的笑意。皇城外，一身粗布衣裳的五竹确认某人的安全后，悄无声息地遁入了黑夜中。

过了数日，还是在皇宫里。往日清静，如今却是布防森严的梅园深处，京都如今最出名的那位病人躺在软榻上，看着园子里的那些初梅，发着感慨。

"什么时候能回家？"

这些天各种名贵药材不停地往他肚子里灌，想不恢复得快都很难。太监宫女在服侍人方面自然也比范府要强很多，连这梅园的景致都比范家后园要强不少，妻子与妹妹得了特旨可以天天陪在自己身边——这小秋阳晒着，小棉被盖着，小美人儿陪着，似乎与自己在家里的生活没什么两样——除了没有秋千。但他还是很想回范府，因为那里才是自己在京都真正的家。

仗着近二十年勤修苦练打下的身体基础，他恢复得极快，虽未痊愈，但总算可以平躺着看看风景了。只是体内的真气散离情况没有丝毫好转，他有些不安与恐惧。

若若吹了吹碗中的清粥，用调羹喂了他一口。林婉儿把手伸进他的宽袍，小心调了下双层布带的位置。这是范闲的要求。用布带束住伤口，加上重袋压着，对伤口愈合极有好处。

他有些困难地咽下清粥，埋怨道："天天喝粥，嘴里都淡出鸟来了……我想回家……不说吃抱月楼的菜，喝喝柳姨娘调的果浆子，也比这个强不少。"

林婉儿嗔道："刚刚醒了没两天，话倒是多了不少，陛下恩旨允你在宫中养伤，没人敢说什么闲言闲语……对了……口里淡出鸟来是什么意思？"

范若若也很不解："什么鸟？"

范闲面色不变，转移话题："我不是怕闲言闲语……只是有些想家。"

如今他身在皇宫，无法与启年小组联络，婉儿与若若也一直没有出宫，悬空庙刺杀已经过去了几天，他竟不知道任何消息，更无法去当面质问老跛子有关影子的事情，心里实在不爽。

梅园在广信宫后，环境清幽，穿过天心台便到了吟风阁，也就是他养伤的地方。虽然是陛下特旨将他留在宫中疗伤，但一个男臣长住宫中，总有些不大妥当。范闲深知此点，老老实实留在梅园里，各客来人探望都以身体不适的理由推了。

一位开朗中带着两分憨气的贵妇却熟门熟路地上了吟风阁，手里牵着个孩子，身后跟着几个宫女。范闲醒后，宜贵嫔天天带着三皇子来看他，本是亲戚，范闲在悬空庙上又救了老三一命，对方以此大恩为由，确实不好拦，而且范闲也清楚这位娘娘心里的打算。

"姨，不是说不用来了吗，怎么还提了东西？"他笑着说道。依礼论，他总要称对方一声娘娘，但宜贵嫔喜欢范闲叫自己姨，喜欢这种透着亲热劲儿的称呼，因此范闲也就不再坚持。

"虫草煨的汤。"宜贵嫔与两位姑娘见了礼，毫不见外地扯个墩子，坐到范闲的身边，“不是宫里的，是你家里熬好了让我送过来。”

范闲喔了一声，看着正忙着倒汤的宫女，发现有位眉眼略熟，笑道：“醒儿也过来了。”

醒儿正是他第一次入宫时带着他到各处宫里拜访的那位小宫女，她全没料到小范大人还记着自己，不禁面色微红，用蚊子般大小的声音嗯了一声，惹得众人都笑了起来。

“伤成这样，还不忘……”

宜贵嫔正要笑骂两句，忽觉不妥，嫣然一笑住了嘴。她年纪不大，性情天然有几分憨喜之意，极容易与人亲近，很熟络地与婉儿、若若聊了起来。

三皇子今日很老实，全没有抱月楼中的戾气。他低着头一言不发，只偶尔抬起头偷偷地看榻上病人一眼。悬空庙一事早让他消了对范闲的愤怒，当时场中除了这位大表哥，竟是没有一个人在乎自己的生死，包括两位亲兄长在内都只知道去救父皇……若不是范闲，自己这条小命只怕早就断送在那个九品刺客手中。

九岁的小孩子再如何早熟终究也只会以好恶判断亲疏，三皇子看着范闲苍白的脸，想着悬空庙上他拦在自己身前无比决然的身影，心中自然生出敬慕之意。

婉儿看了他一眼，问道：“老三你今天怎么这么安静？”

三皇子嘻嘻笑着说道：“晨姐姐，没什么。”

婉儿更加不解，说道：“浑似变了个人。”

宜贵嫔心疼地看了儿子一眼，说道：“若不是范闲，这小子只怕连命都没了，受了这么大惊吓，总要老实些才好。”

范闲躺在榻上不方便转头，只用余光瞧着这些女人孩子们说话，在醒儿的服侍下缓缓喝了碗虫草熬的汤。醒儿拿回碗时极快速地在他的手心上捏了捏，指尖柔滑无比。

范闲微微一怔，知道这小宫女肯定不会在此时来挑逗自己，定是宜贵嫔有些话想私下里与自己说，稍稍一顿，说道：“婉儿带三殿下去看看梅花……妹妹你也去。”

姑嫂二人互视一眼，知道他和宜贵嫔有话要说，款款起身，拉着有些不舍的三皇子往园子深处走去，顺路还带走了服侍在旁的太监与宫女。吟风阁里此时只剩下范闲与宜贵嫔二人，只是年轻男臣总不便和娘娘独处，醒儿很自觉地留了下来。

范闲看了醒儿一眼。

宜贵嫔会意，微笑着说道：“从家里带进来的小丫头，不怕的。”

“姨啊，”范闲苦笑道，“又有什么事情要这么小心？要知道我刚醒可没两天。”

宜贵嫔一挥手帕，笑着说道：“我不来找你，难道你就不想找我？”

这话没半点暧昧，只是她算准范闲极想知道宫外的消息，悬空庙谋刺一事实在诡异，不只宫中各位主子心下惴惴，朝臣不安，就连京中百姓议论起来都深觉不解，在饭桌上、酒肆里大声骂着刺客，小声猜着刺客的真实来路，竟是猜出了几百种答案。陛下让范闲安心养伤，断了他的一切情报来源，而她可以帮他。

“不怕陛下责怪娘娘？”范闲似笑非笑地望着她。

“都这时节了。”宜贵嫔说话很直接，笑道，“除了你我又没个人可以指望。”

范闲明白她说的什么意思。宫里四位娘娘有子，皇后不提，宁才人、淑贵妃的皇子都已经成人，各有势力。宜贵嫔出身高贵，又有范府为外援，不过三皇子实在是太年轻。

范闲想了想，将当时悬空庙的场景说了出来。虽然从儿子嘴里听过一遍，宜贵嫔听的时候依然紧张万分，双手死死攥着手帕，似担心那个隐藏在侍卫里的刺客一刀将儿子给劈死了，恨声说道：“怎么可能有刺客埋伏到侍卫里？宫中的侍卫三代老底都查得清清楚楚。”

“应该不是针对老……我叫老三可以吗？”

"你是做哥哥的，当然随你叫。"

范闲轻声道："也许那个刺客会顺手杀了老三，但陛下才是他的真实目的。您放心，虽然太子渐生忌惮，我和老二关系不好，但老三还小，不会被他们视作目标。"

这话放在皇宫里说，胆子确实有些大，吟风阁四周空无一人，宜贵嫔的脸色还是微微一变，然后有些不自然地笑笑。她最担心的就是宫里有人对自己儿子起了杀心，此时听范闲这么一说便将心放了一大半，小声对他说起宫外调查的情况。

"宫典已经被抓了。"

范闲并不意外，宫典是禁军统领兼任侍卫大臣的宫典，悬空庙刺杀事件发生的时候，他竟然不在陛下身边！这一条理由就足够将他踩翻在地，外加无数只脚踏上，让他永世不得翻身。

这位大统领当时究竟在做什么？

"他在京南四十里地的洛州……他说是奉旨前去办事。"宜贵嫔的神情有些疑惑，就算宫典要洗脱罪名也不可能说奉旨二字，这话捅到陛下那里马上就会被戳穿，"至于去办什么事，监察院审了两天，他始终不肯交代。"

范闲叹道："我知道宫典这人耿直，但全没料到他竟然愚笨如此。既然不是陛下让他去洛州一定就是那位，问题是他怎么能将那位搬出来？陛下不会认账，只会让他死得更快。"

宜贵嫔还是有些适应不了范闲的胆量，有些紧张地说道："这些事情……咱们就别管了。"

"我们可没资格管。"范闲摇头道，"叶家要倒霉了……刺客身份查清楚了没有？"

"死了的那个侍卫，听说是西胡左贤王府上的刺客，已经潜入庆国十四年。"

"怎么和西胡又扯上了关系？"范闲异道，"胡人怎么可能在宫中当差这么久还没被发现？”

“这胡人的来历有些厉害。”宜贵嫔解释了一番。

范闲这才知道死在洪公公手上的胡人刺客是当年庆国与西胡和亲时送过去的“假公主”的后代，过去多年，依然保有庆国人的面貌——这次和亲很有名，因为当西胡最惨的时候曾经想求和称臣，派了一队当年和亲队伍的后代回到京都，却被庆国冷漠地拒绝了。那支队伍后来悲惨地回了西胡，没料到却留了位高手在京都。

“对方怎么混进宫中当上了侍卫？手续是谁办的？”

“办的人早已经死了。”宜贵嫔道，“这便成了悬案。”

范闲沉默了一会儿，说道：“小太监还活着，以监察院的手段，应该能查清楚。”

宜贵嫔说道：“查得非常清楚。小太监是十五年前京都……那次风波中死去的一位王公的后人，当年让一个仆人抱着逃了出去。当时他刚刚出生，未上名册……那个仆人自杀身死，他被京郊一个农夫抱养，后来又自宫入了宫。”

“那匕首是怎么藏进去的？”范闲认为这才是真正的问题，小太监应该没有这样的谋略。

宜贵嫔接下来的话推翻了他的想法：“三年前小太监就负责在赏菊会前打扫悬空庙顶楼，就是那时候藏进去的，监察院找到了匕首的做家，确认了时间。”

小太监居然是十五年前流血夜的当事人。范闲知道京都流血夜是皇帝、陈萍萍、父亲为母亲的复仇，当时最大的几家王公被连根拔起，不知道死了多少人，就连皇后的家族都被杀光，只留下她一人孤守宫中，这个小太监会牵连到谁？

西胡，王公……这些人确实有行刺皇帝的动机和勇气，只是怎么会凑到一起了？他沉默片刻后继续问道：“叶家有什么反应？”

宜贵嫔说道：“叶重连上八篇奏折请罪，不敢回定州，老老实实地留在府里，连府上的亲兵都交给京都府代管，小心谨慎得无以复加，就看陛下怎么处理。”

“陛下啊……”范闲摇了摇头，“看叶流云回不回京都吧。”

这时梅园里隐隐传来话语声，二人开始讲些旁的事情。范闲就抱月楼一事对于毅国公府的伤害表示了歉意，宜贵嫔则代表国公府感谢范闲不避亲疏，勇于管教小孩子，阻止事态向不可预期的深渊滑去。双方交谈甚欢，然后就此告别。

“说了些什么？”婉儿看着宜贵嫔牵着老三往园外走去的身影，好奇地问道，“这位娘娘向来安于宫中，怎么今天如此紧张？”

范闲笑道：“孩子长大了，当妈的怎么还能像以前那样？咱们有了孩子你就明白了。”

林婉儿想到自己的肚子一直没动静，只是相公受了伤，也不好多说什么，遂转了话题：“外面怎么样了？是不是闹得天翻地覆？”

范闲将宜贵嫔带来的消息说了一遍，又说道：“风有些凉，回屋吧。”

知道有些话不方便当众说，婉儿与若若点了点头，使唤那些太监过来抬软榻。回屋后范闲看着床顶，不知道在想什么，半晌后说道：“你说叶家这次会有什么下场？宫典肯定是得了旨意才会去洛州……而且肯定不是陛下的旨意，不然宫典喊起冤来陛下都无法收场。这招荒唐却很奏效，太后密旨令宫典去洛州办事，他身为禁军统领当然要去，而悬空庙上偏生出了刺客。如果他不想被株连九族，这话只好埋在肚子里面，吃下这个天大的闷亏。”

林婉儿和若若都是聪明人，当然不会认为真是太后安排的悬空庙刺杀。婉儿微惊道：“你是说……宫典去洛州，是外祖母与陛下一起安排的？”

范闲嗯了一声。若若不解地问道：“为什么要这样做？”范闲冷笑道：“宫典是禁军统领，又是叶重的师弟，他这次倒霉，叶家自然要跟着倒霉。”婉儿心忧自己的好友叶灵儿，叹道：“叶家一向忠诚，为什么陛下要……”

话没说完，大家都懂。范闲叹道：“如今陛下既然已经生疑，只好选择让叶家靠边站，至少京都重地不能再让他们师兄弟二人把守着……最关键的是叶家又有一位咱们庆国唯一明面上的大宗师，叶流云一天不死，一般的由头，根本动不了叶家。所以才会用了这么阴损、大失皇家体面的一招……难道不怕冷了臣子们的心吗？”

“为什么……陛下会对叶家动疑？”

“陛下指婚二皇子与叶灵儿……叶重当时就应该拒婚，哪怕他认可这门婚事，也应该在第一时间内请辞京都守备一职，不说归老，哪怕调回定州也能让陛下心安些。”

“而他这两样都没有做，所以……”若若摇头道，“这里面的弯弯绕绕真是多。”

范闲道：“在北齐的时候我就猜到会有这么一天。只是没有想到陛下会用这等手段。”

婉儿忽然说道：“如此看来，那天悬空庙的刺杀本来就是陛下意料中事？”

范闲不确定地说道：“不知道所有的事情都是在计算中，还是说陛下只安排了其中一项？”

林婉儿回望着他的双眼，说道：“陛下此生不喜行险，所以……他顶多会放一把火。”

房间里一片安静，气氛非常压抑。

如果悬空庙的火是陛下安排的，那后面的连环几击又是谁安排的？

“这个局安排得太巧了，我无法相信这是一方势力或几方势力能安排出来的计划。应该只是凑巧而已。几方埋藏在宫中的刺客，忽然发现悬空庙上的情势十分适合行刺，于是，不用商量，也没有预谋，连番的刺杀就这样陡然间爆发出来。”

最后，范闲对自己说：“很明显，这是一个神仙局，完全出乎陛下意料的神仙局。”

在离皇宫不远的那座阴森建筑中，陈萍萍坐在轮椅上一言不发，七位头目不知道该说什么，皇帝遇刺，禁军要承担最大责任，监察院也难辞其咎。如果不是提司大人挽救了局面，或许监察院也会和叶家一样，等着宫里来揉捏自己。

已经正式出任四处头目的言冰云开口打破了密室的安静："西胡埋在侍卫里的刺客、十五年前血夜余孽的小太监、传说中四顾剑的弟弟，这几个人根本不可能凑到一起来筹划这样一个局面……而且那把火究竟是谁放的至今没有查出来。北齐锦衣卫目前正在大乱之中，根本没有余暇来筹划此事，东夷城也没有筹划此事的任何迹象。"

六处代任头目说道："四顾剑有弟弟只是传说中的事情……谁也不知道这人是不是真存在。"

监察院二处头目愧然说道："虽说是属下失职，但属下以为要谋划这样一个杀局，情报来往必不可少，总会被我们抓到一些线头，可是却一个线头也没有！我只能认为那几方之间没有进行过真正的接触，甚至，我想大胆地判断，那几个刺客彼此都互不相识！"

轮椅上的陈萍萍缓缓睁开双眼，用有些浑浊的目光看着自己的下属们，心想陛下喊人放的火，当然不能被你们抓到，至于那个西胡的刺客，胆大的小太监，鬼知道从哪儿冒出来的，陛下与老夫又不是真正的神仙。

"这是个神仙局。"陈萍萍打了个呵欠，说，"凑巧罢了，哪有那么多好想的。"

所谓神仙局，是指事件中出现了常理无法判断的变数，从而导致神仙也无法预判的局面出现。比如当年陈萍萍率领黑骑千里突击，深入北魏国境，抓住了秘密回乡参加儿子婚礼的肖恩。监察院已经算准了所有的细节，甚至准备好了付出更惨重的代价，可是肖恩在婚礼上没有喝费介调的酒，用冷静到冷酷的程度控制着自己的饮食与身旁的一切。

当监察院以为这个阴谋不可能再按照预期的流程发展下去的时候，

发生了一个令人意想不到的变化——肖恩听着新房里传来的吵闹声，开始郁闷，开始想喝闷酒，而很凑巧的是，负责替他看管皮囊中美酒的亲兵队长，在旅途上没忍住酒馋，已经将酒喝光了，所以这位不负责任的亲兵队长，在肖恩大人要酒的时候，惶恐之下昏了头，直接灌了袋婚礼上的用酒。

于是肖恩中了毒，于是陈萍萍和费介成功。直到很久以后，陈萍萍他们才知道，肖恩如此郁闷，是因为他的儿子……不能人道。

又比如在二十年前，南方一位盐商在寿宴之后忽然暴毙，刑部一直没有查出案件的缘由，便转交给了监察院四处，谁知道查来查去竟查出当夜有十四个人有犯罪嫌疑，包括姨太太们在内的所有人似乎都想让那位富甲一方的大商人赶紧死掉。

那真正的凶手是谁呢？

又过了三年，一位穷苦老头儿偷烧饼被人抓到了官府，他大约是不想活了，坦承三年前那个盐商就是死在他的手里。得到这个消息，监察院四处的人又羞又惊，心想自己这些专业人士怎么可能放过真正的凶嫌？赶到案发地一审，众人才恍然大悟。

那老头儿和盐商是小时候的邻居，自小一起长大，后来老头儿去梧州生活，返乡定居的时候看见那位盐商做大寿，不知道是中了什么邪，竟是爬进了院中，拿起一块石头，将醉后的盐商生生砸死了。

监察院曾经注意过院墙上的蹭痕，但哪里会想到一位回乡定居的老头儿竟会冒着大险，爬入院中行凶，还没有被家丁护卫们发现。当时还没有成为四处主办的言若海好奇地问那个老头儿："后来我调过案宗，保证也向你问过话，你为什么一点都不紧张？"

老头儿说道："有什么好紧张的，大不了赔条命给他。"

言若海也是头一遭看见这等人物，问道："那你为何要杀他？"

老头儿理直气壮地回答道："小时候，他打过我一巴掌。"

悬空庙的刺杀事件，似乎也是一个神仙局。

皇帝陛下对叶家生疑，又忌惮着对方家里的大宗师，便借太后名义将宫典调走，在悬空庙楼下放了把小火，想陷害叶家。火起之后，顶楼稍乱，那个西胡的刺客见着这等机会，终于忍不住了，一个高手在皇宫里熬了十几年，实在太过憋屈——当时洪公公护着太后下了楼，他对范闲实力的判断有偏差，看着离自己只有几步远的皇帝，决然出手！

侍卫出手，给了那个白衣剑客一个机会。白衣剑客出手，那个小太监看见皇帝离自己不到一尺的后背，想着那把离自己不到一步、藏在木柱里的匕首，觉得这是上天给自己的机会——面对这种诱惑，矢志复仇、毅然自阉入宫的他怎会错过？

从最开始荒唐的放火开始，隐藏多年的刺客们嗅到了事件当中的可乘之机，毫不犹豫同时出手，来自五湖四海的他们，为了同一个目标走到了一起，格外坚决与默契。

深夜里的广信宫，范闲躺在床上，望着幔纱，怎样也睡不着，这些天在皇宫里养着，白天睡得实在是多了些。宫中的烛火有些黯淡，他盯着那层薄薄的幔纱，似乎是想用樱木的绝杀技将这层幔纱撕扯开，看清楚背后的真相。

太监们都睡了，值夜的宫女正趴在方墩子上面小憩，他自言自语起来。只是嘴唇微开微合，没有发出丝毫声音，他是在对自己发问，也是再次梳理一下这件事情的来龙去脉。

“西胡的刺客，隐藏的小太监，这都是留下死证活据的对象，监察院的判断应该不会出什么问题。可是影子呢？除了自己，大概没有人知道那个白衣剑客就是长年生活在黑暗之中，从来没有人见过的六处头目，庆国最厉害的刺客影子。神仙局？我看这神仙肯定是个跛子。皇帝想安排一个局，剔除掉叶家在京都的势力，提前斩断长公主有可能握着的手……想必连皇帝也觉得我把老二逼得太狠，而且他肯定知道我年后对信阳方面的动作。

“那你想做什么呢？”他猜忖着陈萍萍的真实用意，“如果我当面问你，想来你只会坐在轮椅上，不阴不阳地说一句：在陈园，我就和你说过，关于圣眷这种事情，我会处理。

“圣眷？

“横生变故之后，你还有闲情安排影子去行刺，再让自己来做这个英雄？

“事情有这么简单吗？”

范闲不相信，影子出手只是为了设局让自己救皇上一命，从而获得难以动摇的圣眷，这不符合陈萍萍算计到骨头里的性格，他总觉得陈萍萍有些什么事情在瞒着自己。

“如果说你是想行刺皇帝也说不过去，先不说忠狗忽然不忠的问题，你如果谋刺动静肯定比现在大很多，难道是想代皇帝试探那几个皇子？这未免太多管闲事。”

想来想去，他也想不明白，只好睡去，哪怕在睡梦中，他依然相信母亲的老战友，一定将内心最深处的黑暗想法隐藏得极为深沉，而不肯给任何人半点窥看之机。

“这个世界没有真正的神仙局。”陈萍萍坐在轮椅上，看着林子里那个蒙着眼睛的少年说道，“你也知道的，五册上面提到的盐商……之所以那个抢烧饼的老头儿能够轻而易举地杀死盐商，是因为府中的家丁护卫早就已经被那些姨娘们买通了，她们很乐意看到有人帮助她们做这件事情。

“那老头儿会对盐商下杀手，也不是因为许多年前，盐商打了他一记耳光那么简单。

“准确的原因是，那个盐商当年抢了那老头儿的媳妇。夺妻之仇嘛，这也是大仇。而且也别相信言若海会查不出这件事情来，其实你我都知道，那一次他被盐商的妾室们送的五万两银票给迷了眼。所以说，”陈萍萍下了结论，“没有什么神仙局，所有事情都是人为安排出来的，就算当中有凑巧出现的变数，也在我的掌控之中。”

五竹面无表情说道：“世界上从来没有完全掌控的事情。”

“我承认西胡刺客与那个小太监的存在，确实险些打乱了我的整个计划……不过好在，并没有对陛下的安危造成根本性的影响。”

“从你的口气里，我无法察觉到，你对皇帝有足够的忠心。”五竹把话挑明。

陈萍萍笑了起来：“我效忠于陛下，但为了陛下的真正利益我不介意陛下受些惊吓。”

“什么是真正的利益？一个足够成熟的接班人？”只有面对着陈萍萍这种老熟人，五竹的话才会像今天这么多。

陈萍萍道：“政治是一个谋划的过程，陛下要赶走叶家，光一把火远远不够。”

“你觉得那个皇帝如果知道了事情的真相，会相信你的解释？”五竹问道。

陈萍萍摇摇头：“只要对陛下有好处，我能不能被相信并不是重要的事情。”

五竹相信他和费介都是这种老变态，回道：“你的那个皇帝险些死了。”

陈萍萍很习惯于他这种大逆不道的称呼，从很多年前就是这样，五竹永远不会像一般的凡人那般口称陛下，心有敬畏。

“陛下不会死。”老头儿说得很有力量，“我绝对相信这点，不要忘了，陛下永远不会让人知道他最后的底牌。”

“他死不死，我不怎么关心。”五竹忽然偏了偏头，“我只关心，他差点儿死了。”

两个他，代表着五竹截然不同的态度。

陈萍萍苦笑了一声，他当然清楚范闲意外受了重伤会让五竹如何生气，即便是他，面对这样的五竹时，依然有一股打心底深处透出来的寒意，所以尝试着解释："范闲在担心皇帝会不会因为他的崛起太过迅速，而对他产生某些怀疑，所以我安排了这个局，一劳永逸地解决他的疑虑……只不过我布置了故事的开头，却没有猜到故事的结尾。"

他笑了笑，很得意于自己还记得小姐当年的口头禅："虽说这和影子也有关系，他老想着与你打一架，你又不给他机会，能和你的亲传弟子动手，他自然愿意。当然，如果范闲不追出来受这么重的伤，这件事情也就没有太大的意义。"

五竹忽然说道："你让影子回来，我给他与我打架的机会。"

这话险些把陈萍萍噎过去，咳了半天，他摊手说道："只是意外而已。"

五竹很直接地说道："如果只是意外，为什么他在我来之前就已经逃走了？"

陈萍萍满脸的褶子里都是苦涩，无奈地说道："是我的安排，我担心你不高兴让他出什么意外，我身边也就这么一个真正好使的人……你连他都杀了，我这把老骨头还怎么活下去？"

五竹没有说话，在夜风中飘扬着的黑布表达着不满。

"我死后，影子会效忠于他。"陈萍萍很严肃认真地说出了自己的判断。

五竹微微偏头，考虑范闲会不会接受这个补偿，没用多长时间便确定像范闲这种好权之徒肯定会对一位九品上的超强刺客感兴趣，转而说道："你在南方找到我，说京里有好玩的东西给我看，就是这出戏？"

"范闲总说你在南边玩，我本以为他是在骗我。没想到你真的在南边，这事情很巧。"

陈萍萍说道："可惜我低估了范闲的实力，也低估了范建的无耻，这老小子知道火是陛下放的，就着急着赶范闲上楼去救驾……没让你看到这场戏，可惜了。"

五竹缓缓抬起头来："你想杀太后？"

陈萍萍摇了摇头说道："太后毕竟是范闲的亲奶奶，而且那年她虽然没有对太平别院施以援手，但毕竟没有亲自参与……至少到目前为止我没有查到证据。”

五竹面无表情说道：“如果你查到些什么或是我发现了什么，不管范闲怎么做……我会做。”

陈萍萍知道“我会做”这三个字代表着怎样的决心与实力，摇头说道：“老五，虽然你是这天底下最恐怖的人物，但也不要低估一个国家的力量。而且我是监察院院长，必须考虑天下怎样安稳地传下去。这也是小姐的遗愿。所以这些比较无趣的事情还是我来做吧。”

“那你本来究竟准备让我看什么？”

“既然这场戏没有上演，这时候就不要再说了。”

五竹不似常人，没有追问的兴趣，干净利落地转身准备离开。

陈萍萍看着他的背影说道：“你带着少爷去了澹州之后，我们就没有再见过面。十七年不见，这么快就要走？”

五竹顿了顿，说出两个干巴巴的字：“保重。”

以他的性情能说出保重这两个字已经很奇妙，陈萍萍心头多了一丝暖意。

陈园老仆走了过来，推着他的轮椅往房里走去。陈萍萍不知道在想什么，有些满足地叹了一口气，说道：“你说，能诱动那两个耐心极好的侍卫和小太监动手……我算不算一个很厉害的人？真要谢谢那个西胡刺客，如果他看着范闲上了楼便继续藏着，这事儿便很无趣了。”

老仆人认真说道：“院长大人算无遗策。”

陈萍萍叹息道：“天生劳碌命，时刻不忘为陛下拔钉子……哪里算得过陛下啊。”

第三章 三封信

在皇宫里又住了些日子，直到霜寒渐重，天上隐有飞雪之兆，在范闲的强烈要求下，皇帝终于允了他回家。经历悬空庙救驾一事，所有人都知道范闲的圣眷不只恢复如初，更是犹胜往昔，这是拿命换回来的恩宠，没有谁会眼红，只是难免有些嫉妒罢了。

范闲出宫之日，各宫里都送来了极丰厚的礼物，就连皇后也不例外，二皇子生母淑贵妃的礼物尤其重，太后老祖宗都将随身用了十几年的祛邪珠赏给了范闲，娘娘们哪里敢大意。

他掀开窗帘一角，借着外面的天光，看着手中那粒浑圆无比的明珠，微微眯眼，不知道在想什么。林婉儿与若若最是高兴，在宫里待了这么些天着实有些闷了。

车至范府正门，两座石狮间早在台阶上铺好了木板，中门大开，像迎接圣旨般将马车迎了进去。大少爷伤成这样，自然要安排妥当。马车驶进后宅，藤子京几个人小心翼翼地将范闲抬了下来，思思紧张地守在旁边，她没有资格入宫，这些天在家里是急坏了。

范闲看着思思微红的脸颊，嘲笑了几句，转过头便看见了父亲与柳氏。他望着父亲眼中那一抹故作平静下的淡淡关怀，心头一暖，轻声说道："父亲，我回来了。"

其后局势发展果然如范闲所算，那位孤鸿一般在天下游荡的庆国大宗师还是没有回京都，叶家与整座京都的防卫系统脱离，失去了未来直接左右朝政的力量。

如果叶流云真的回了京都，宫里那位看似和蔼的皇帝一定会显露出最狠厉的一面，拼着折损庆国国力，也要将叶家直接除掉——一个世家，掌握着京都重地，马上要与皇子联姻，最关键的是有一位大宗师，但凡稍微流露出不服之意，那都是对皇权的最大威胁。

最终叶流云没有回京，说明叶家老实地接受了安排。陛下看在叶流云的面子上也不会让叶家太过难堪。叶重被打发去了定州，爵位军功无一削减，封赏更胜当年。就连那位直鲁得有些可爱的宫典，犯下如此大的罪过，也没有被严办，只是夺了军职。

叶家很委屈，但为了庆国的将来，他们必须做出牺牲，好在可以借机远离京都这个是非之地，也不见得是件坏事。真正失望的还是远在信阳的长公主和如今被软禁在府中的二皇子。

“真是荒唐。”范闲看着沐铁送来的院报，忍不住摇了摇头。叶家退后的京都布防所有人都在盯着，京都守备一职毫不意外地落到了秦恒的手中，最要害的禁军统领兼御前侍卫大臣这个向来由一人兼任的职位却被陛下一分为二。御前侍卫大臣暂空，据宫中传来的消息应该是洪老太监暂时管着。而禁军统领竟落在了大皇子身上！

范闲说的荒唐，指的就是这项任命。在两个时空的历史里，都极少有皇子出任禁军统领的先例，为何？不就是怕那些胆大包天的皇子起兵造反！皇帝让大皇子管禁军这是在想什么？要知道东宫有太子，大皇子的生母宁才人是东夷人，大位无论如何也轮不到他。

沐铁不敢接话，禀报了一处最近的工作，看着他的神色似乎有些倦了，赶紧告辞出去。

“老师，歇歇吧。”私下史阐立还是习惯称范闲为老师而不是大人，他看着范闲有些苍白的脸色，心疼道，“陛下有旨让您三个月内不得问院务……就是让您好好养伤，您却偏生不听。”

门师圣眷非凡，他这做学生的也有些隐隐骄傲。

范闲这才注意到他，喝道："你不在抱月楼待着，天天跑我书房里泡着是个什么意思？"

史阐立苦笑道："那地方……待着感觉总是有些不对。"

范闲直接摆手将他赶了出去，顺便让他喊邓子越进来。邓子越进了书房，范闲的神情凝重了很多，问道："院里对那个白衣刺客下的什么结论？"他知道自己不可能挖出陈萍萍的秘密，但放着与老跛子完全相近的资源而不用来猜谜，实在有些可惜。

"陛下在悬空庙上一口喊出对方身份，但是……"邓子越苦笑道，"四顾剑当年确实有个弟弟，已经失踪多年，大家都觉得应该是四顾剑夺东夷城的时候杀死了。"

范闲有些意外监察院竟然没有在陈萍萍的诱导下抹掉这条尾巴，还是说陈萍萍自信影子的真实面目不可能被人猜出，所以干脆没有做这些手脚？

"但是……"邓子越说了第二个但是，"陛下既然说是四顾剑的弟弟，我们这些做臣子的也不好直接反对，尤其是不知道陛下的随口一言会不会牵涉到后几年的动向。"

去年范闲在牛栏街被刺杀，庆国皇帝借此良机出兵，占了大片土地回来，现在所有臣子都习惯了陛下栽赃找借口打仗的爱好，哪里敢随便自作主张。

按理讲，范闲应该亲自去监察院审一下那个小太监，看看那个刺客的尸体，但他知道这里面的水有多深，还在思考自己应不应该涉入太深，所以没有去。还有一个原因就是在目前的身体状况下，包括父亲大人在内的所有亲人都不会允许他出府。他自己也不敢出，惜命如金的小范大人体内真气全散，不知道什么时候才能收得回来，哪里敢冒险出门。

当然，他不会将自己真实的境况，透露给任何人知道。

书房门被人推开了，护卫没有反应，因为来的是婉儿与若若。邓子越见着夫人小姐的不悦神情，行了个礼赶紧退了出去。以至于范闲想让他传言冰云来府上一趟都没来得及说出口。

“说定了好好养伤，偏不肯省这个心。”姑嫂二人配合熟练地开始为他换药、喂药、唠叨。

范闲苦笑道：“大约是这名字没取好，总是闲不下来。”

何止是闲不下来？自他出宫，范府就变成了京都最热闹的地方，三院三寺六部的官员们络绎不绝前来探望病情，无数权贵纷纷登门，大臣们不分派别都来示好，范府门口的南长街上马车如云。悬空庙刺杀一事，让范闲重新成为庆国最炙手可热的人物。官员们不是瞎子聋子，范闲受伤后被留在宫中这么多天，甚至听宫里传出来的消息，范闲治伤那一夜陛下都没有怎么睡过——如此恩宠，也只有陈萍萍这个孤寡老头才能相提并论。

很多人小心翼翼地巴结着范府时，但心里何尝完全服气？尤其是那些勇武的年轻人都嫉妒范闲的运气太好，陛下遇刺的时候，自己为什么不在陛下身边？

“这回家里捞了不少银子。”范闲说的是正经话并不是在开玩笑，前世的时候一个县长生个病少说也要弄个好几万，更何况他这等层级的大臣。

“只是苦了老爷。”林婉儿像哄孩子一样喂了他一口药，笑着说道。

养伤中的范闲哪有心情去接待那些名为看病、实为示好的官员，但这些官员们各有来头，便苦了范尚书大人，每天除了例行部务，绝大部分时间竟是用来招呼客人。

范若若微恼道：“这些人来一次不说，居然还轮着又来，也不怕招人烦。”

“各部大臣还是好的。”林婉儿想到一件事，佩服地说道，“最可怕的是那位太医正。这位老大人真是耐心极好，来了四次你都不肯见他。最后连陛下都传话给他说你不会进太医院，结果他还是不肯死心……刚才听藤大家的说他今天又来了，正坐在那厢书房里，硬是不肯走。一杯茶都喝成清水，老爷连使脸色他也只当看不见。真是个厉害人物。”

范闲也是佩服得五体投地，皇宫那夜，最开始太医正对于他的医术没有丝毫信心，却丝毫不影响他偷偷留在广信宫里偷窥加偷师，待后来他发现范闲医术的奇妙之后，更是下定决心要将范闲拉到太医院，至少也要让范闲将那些古怪的医术传下来。外科手术在现在医者眼中自然神奇无比，范闲却清楚自己只是命大，而且有些关键问题导致了这门学问在如今世上实在很难推广。他看了眼正调整自己伤口处系带的妹妹，想到了某种可能，摇了摇头。

书房里三个人待着，气氛正好，不料却有人轻轻敲了敲门，范闲皱了皱眉头。

“有客来访。”护卫禀报道。

这下连林婉儿的眉头也皱了起来，说道：“不是说了谁都不见吗？”

这客不见不成，范闲看着不请自到的大皇子，苦笑道：“在宫里更方便，大殿下却没去梅园看我，怎么今天却来了？”林婉儿也抱怨道：“大哥，现在府上人正多，你怎么也来凑热闹？”

大皇子自小看着妹妹长大，知道斗嘴自己不是对手，使了招移花接木，说道：“大公主随我来了，这时候正与范夫人说话，晨妹妹也去看看吧。”

林婉儿与范若若对那位只闻其名、不见其人的异国公主很是好奇，而且知道大皇子有话要对范闲说，便起身离去。

书房里安静了下来，范闲微抬右手，示意对方用茶，轻声说道：“恭喜大殿下。”他恭喜的自然是对方出任禁军大统领。

大皇子道：“何喜之有？本王原先便是征西大将军。”

范闲笑了：“虽说是降了两等，但是禁军中枢，与边陲阴山又如何一样？”

大皇子看了他一眼，不知道他说这话是不是隐着些别的意思，片刻后说道：“本王……不想做这个禁军统领，宁肯去北边将燕小乙替回来。”

范闲心想陛下将燕小乙调得远远的，将叶家看得死死的，防的就是信阳那个疯女人，你去北边，燕小乙当然高兴，陛下却会非常不爽，他笑着说道："不要告诉我，大殿下今天来看我这个病人，要说的就是自己职场上的不如意，当然，我可以做一名称职的听众。"

"不只是听众。"大皇子没明白"职场"两个字是什么意思，"我想请你帮个忙。"

自称"我"了，不是"本王"了。范闲注意到这个改变，开始紧张起来，说道："殿下，禁军统领何其要害的位置，陛下是信任您的忠诚，才有此安排。范闲身为臣子岂能妄议？"

大皇子正色道："实不相瞒，回京之初我对你颇不以为然。在西边听闻京都出了位诗仙，但我是位武将，从来不信这些风花雪月之事对天下黎民、朝廷上下能有何帮助……不过回京数月，看你行事狠厉中不失温纯，机杼百出之中尤显才能。且不说你将老二整治得难受无比，单说那悬空庙一事，便令我对你的观感大为改观……而在皇宫之中，你竟然能治好自己的将死伤势，我想不到世上还有什么事情可以难住你。所以这件事情你一定要帮我。"

面对这无数顶高帽，范闲沉默不语。陈萍萍说过大皇子与众不同，从小就刻意地远离宫廷，想离那张椅子越远越好。如今陛下这个杀人不用刀的老鬼要将他拖进浑水中，也难怪他愤怒得想要反抗，只是对方竟然找到了自己头上，实在是有些出乎意料。

他乐于见到在这些"兄弟"之中能有一人有这样的开阔疏朗心性，也很同情对方的境遇，但还是坚定地摇了摇头："非不为，实不能，范闲只是臣子，监察院不能妄议朝政。"

大皇子叹了口气，他今天来的本就有些冒昧甚至是冒险，只是环顾京中，除了范闲他能去找谁呢？难道说自己终究只能再去一次陈园？

"陛下心意已决，谁都无法改变，我看殿下也不用再去陈园跑一趟。不过我有些好奇，殿下今日为何会来找我？难道在你看来我值得信任？"

范闲猜到他在想什么。

大皇子看着他的眼睛说道:“当时在悬空庙中你先救小弟，再救父皇，我很欣赏你。”

范闲默然，没想到在那个世界里形成的价值观让皇帝与大皇子对自己都产生了信任。

大皇子今日来是想表明自己的态度，也希望能从范闲这里得到提示，只是对方保持沉默，他也不好再多说什么。好在有婉儿在中间做桥梁，将来如果京中局势真的有变，不奢求监察院方面能帮助自己，但范闲应该也会有所偏向。

“听说太医正在府上已经来了好几回？”他有些不自在转了话题。范闲在心里笑了一声，解释道：“他想让我去太医院任职，被陛下驳了，又想我去太医院教学生。”

本是闲谈大皇子却认真起来，说道：“那夜我也守在广信宫外。很多人都奇怪，你怎么敢让范小姐在自己的肚子里面动手？那些御医们已经将你吹成了仙人。”

范闲苦笑道：“别信他们的，费介是我老师……如果让他们四岁的时候，就天天去挖坟赏尸，替泡在尸水中的尸首开膛剖肚，他们也会有我这本事。”

“原来如此。不过太医院当然及不上监察院权高位重，但好在太平。太医正的想法也极简单，你的一身医术如果传授出来，不知道能够救多少条人命。”

他看着范闲继续认真地说道：“救人这种事情，总比杀人要好。我常年在军中，知道一个好医生对那些受伤的军卒来说意味着什么。”

“为什么要去传授医术？”

“造福天下。”

“太医正想必也是这个意思？”

“正是。”

“殿下原来今天的兼项是帮太医正做说客，难怪先前话题转得那么硬。”范闲笑了起来，感到伤口有些隐隐作痛，说道：“不是取笑，相反对太医正我心中确实有分敬意。”

要做外科手术有许多问题都无法解决，第一是麻醉，第二是消毒，第三是器械。范闲麻醉用的是哥罗芳，消毒用的是硬抗，这都是建立在强悍的身体基础之上，换成一般百姓，只怕不是被迷药迷死，就是被并发症害死。器械问题更是难以解决，范闲和费介想了几年，也只是倾三处之力做了那么一套。如果连止血都无法办到，还谈什么开刀？将这些理由用对方能够理解的言语解释了一番，大皇子终于明白了其中道理，想到西征军中那些受了箭伤、得不到医治的军卒，不禁生出很多遗憾，叹道：“就没有更好的法子？”

不知怎的，范闲的脑海中又浮现出妹妹那双出奇稳定的手，说道：“有些基础的东西，过些天我让若若去太医院与御医们互相参考一下。”

大皇子点了点头，又道：“先前你似乎对于‘造福苍生’这四个字有些不以为然？”范闲表面上是位以利益为重的权臣，但几番旁观，大皇子总觉得对方的抱负应该不止于此。

范闲轻声说道：“造福苍生有很多种办法，并不见得救人性命才是。”

大皇子有些不解。

“比如殿下您，您在西边数年，与胡人交战，杀人无数，可是却阻止了西胡入侵，难道不算造福苍生？”

范闲这记马屁，就算大皇子再如何沉稳也得生受着。

“再比如我。世人都以为监察院只是个阴森可怕的密探机构，但如果我能让它在我手中发挥作用，让天下黎民安居乐业……难道不算造福苍生？目的或许是一致的，但方法可能有许多种。”范闲越说越起劲儿，像极了自己前世时的初中语文老师，眉飞色舞地将鲁迅当年弃医从文的旧事讲了一遍，当然是托名庄墨韩的古籍上偶尔看到的千年前旧事。

“救国民身体，不若救国民精神？”大皇子若有所思道，“可是我庆国如今并不是这故事中那国的孱弱模样，何需以文字教化？”

这话实在，庆国民风淳仆之中带着一股清新的向上味道，与清末民初让鲁夫子艰于呼吸的空气大不相同。范闲挠了挠头，说道：“所以……我不止弃医，连文也打算一股脑儿弃了……我这算什么？弃医从政？弃笔从戎？”

大皇子依然不认同他的观点：“你确实是位天才人物，为什么不将胸中所学尽数施展出来？如果能让这个世界变得更好些……”

范闲有些艰难地挥挥手，说道：“大多数人都想要改造这个世界，但却罕有人想改造自己。[1]我以为，先将自己改造好了再说。”

数十年前曾经出现过一个想要改造这个世界的女人，结果她死了。

范闲不想步她的后尘，他比较怕死，比较自私。

说话间，窗外忽然传来一阵喧闹声，声音里透着喜庆。

大皇子看了他一眼，笑着说道：“看来封赏你的旨意下来了。”

前来范府宣旨的是姚公公，三声炮响，范府忙碌了好一阵子才摆好了香案，大皇子与北齐公主不方便再留在府中，太医正却还倔强地留在书房里。圣旨进府是件大事，范闲都被从卧房里抬了出来，好在宫里想到他在养伤，特命他不用起床接旨，也算是殊恩。

陛下赏的东西确实不少，姚公公念了好一阵子还没有念完。范闲对这些赏赐不放在心中，也没认真听，只觉着这太监的声音极好催眠，躺在温暖软和的榻上，眼皮子微微搭着，竟是险些睡着。范尚书咳了一声，婉儿微惊，掐了掐范闲的掌心才让他勉力睁开双眼，最终也只是听着什么帛五百匹，又有多少亩田，金锭若干，银锭若干……终是没个新鲜玩意儿。

范家什么都缺，就是不缺银子，这是庆国人都知道的事情，陛下也

①这是偶尔看到的一个QQ签名。

没有在这方面做出太多补偿，只是让范闲复了爵位，顺带提了范建一级爵位，父子同荣。

正旨宣完，堂间众人无声散去，姚公公这才开始轻声宣读了陛下的密旨。

密旨不密，只是这份旨意上的好处，总不好四处宣扬。范闲听见陛下调了七名虎卫给自己，精神一振，才觉得皇帝不算太小气，欣喜之余将陛下另外两条旨意不经意间漏了过去。

如今的他最担心的就是自己的人身安全，明年要下江南，谁知道到时候能不能恢复真气。五竹叔现在越发不把自己的小命当回事了，还是得靠自己。

在花园里，范闲看见了那七名熟悉的虎卫，领队的还是高达。这些虎卫数月前与他一同出使北齐，如今被陛下遣来保护范提司，心里也是极为乐意——与小范大人在一起总比待在陛下身后的黑暗里要舒服，更何况小范大人武技高明，己等也不用太操心。

身负长刀的虎卫在高达率领下半跪于地，齐声行礼："卑职参见提司大人。"

范闲笑道："起来吧，今后本官这条小命就靠你们了。"

虎卫们以为小范大人在开玩笑，不知道如何接话，干笑了两声，哪知道范闲说的是实在话——现在就算海棠忽然患了失心疯要来杀自己，他也不会太无措。

"你们先去见见父亲。"范闲对高达说道，"虽说平日里这么做不应该，不过既然你们要跟着本官，也就不需要忌讳太多。"

高达点点头，带着虎卫往前宅去拜见自己的老上司。

"绣枕？美酒？衣服？……居然还有套乐器？"范闲在房里才开始认真听赏赐的单子，看了妻子一眼，苦笑说道，"我虽然当过协律郎，可是从来不会玩这个。"

"宫中规矩而已。"林婉儿看范闲一脸无趣，也就没说赏赐里甚至还包括马桶之类的物件。

此时园子里忙得是一塌糊涂，藤子京在府外安排人手接着宫中来的赏赐，藤大家的忙库房归类，有些要紧的事又要来房里请少奶奶的示下。看着藤大家媳妇在大冷天里跑得满头是汗，范闲忍不住说道："这到底是赏人还是罚人？"

藤大家媳妇眉开眼笑地说道："哪怕是一针一线，也不能含糊。这可都是宫中赏的福气……整个京都，还有哪家能一次得这么多赏的？少爷这次可是挣了大大的脸面。"

"赏赐又不能当饭吃。"范闲自嘲道。

"拿命换来的脸面，不如不要。"林婉儿几乎与他同时开口，她甚至觉着皇帝舅舅居心有些不良，难道指望赏赐越丰厚，自己的相公将来就会为他多挡几次刀子？

"陛下也真是小气。"范闲笑道，"报金银数目的时候，我可是仔细听着的。"

林婉儿笑道："你还在乎那些？不过是个意思。"

"怎么不在乎？"范闲一挑眉头说道，"如今咱家全靠那个书局养着，总不好意思还要到前宅找父亲伸手要吧？他老人家手里银子倒是真多，我也不能总当啃老族。"

"啃老族"三个字挺简单，林婉儿猜明白了，见房内没有闲人，轻声取笑道："你不是还有间青楼吗，听说那楼子一个月能挣几万两银子。"

范闲失笑道："那是小史的，你别往我身上揽。"

林婉儿假啐了他一口，嗔道："自家人面前还装着，也不嫌累得慌。"

"随时随地都要装，最好能把自己都瞒过了才好。"范闲正色道。

"大哥先前找你做什么？"林婉儿睁着大大的双眼好奇地问道。

范闲略想了想，说道："他不想做那个禁军统领……看我有没有什么法子。"

林婉儿同情道："依大哥的性子肯定不愿在京中待着。"

范闲冷笑道："谁愿？陛下可不放心这样能征善战的一个儿子老是领军在外。"

这话说得有些大胆毒辣，婉儿心里都颤了颤："你现在说话也是愈发不小心了。"

"当着你才敢说得直白些。"范闲叹道，"我就算愿意帮他，但毕竟是位臣子，在这些事情上根本没有发言权，真不知道他怎么猪油蒙了心敢对我说得这般透彻。"

林婉儿笑道："大哥以为看在我的面子上你总不至于害他。他自幼想事情就这么简单。"

"这京都的水太深，我游了半天，发现还没探到底。"范闲皱眉道，"春天下江南，你和我一块儿走，争取在那边多待些日子，也真正消停一下。"

"不知道到时候朝廷是让你安个钦差身份先查内库，还是直接任你个虚职。"林婉儿分析道，"如果是钦差身份，就不能带家眷。如果名义上要长驻江南，我跟着去倒无妨。"

范闲摇摇头，说道："管他怎么安排，反正我要带着你走。"

"这话就不讲理了。"林婉儿笑吟吟地说着，心里多了几分甜蜜。以范闲和她的身份，再怎么坏了规矩也没人敢多嘴说什么，只是不知道娘娘们会不会同意自己远赴江南。她自幼身子柔弱，去过最远的地方也不过就是去年在苍山过了一个冬，今日听范闲说有可能去传说中美丽如画的江南看看，她当然很开心。

此时，她忽然想到一件事，说道："陛下让虎卫保护你，是让京都人知道，你身受重伤，虎卫来的理由充分。可虎卫的身份不一样，只怕会有些显眼。"

范闲伸手摸了摸自己唇上有些扎人的胡子，笑着说道："放心吧，陛下是个聪明人，让虎卫来府上用的理由自然是保护你这位郡主娘娘。"

就在这时，房外传来敲门声，范闲摇了摇头，不是恼火于有人打扰，而是发现自己真气全失之后，对于周遭环境的变化远没有往日那般敏感，再也无法提前许久便能听到脚步声。

范若若领着太医正进了屋，太医正看见林婉儿也在屋内，慌得急忙行了个大礼，又将脸转了过去。庆国不像北齐，没有这么多男女间的规矩，更何况太医正的年龄足以做婉儿的祖父了，他这迂腐的举动顿时惹得屋内众人笑了起来。

“父亲……说，哥哥既然精神不错，便与太医正大人谈谈。”范若若无奈地说道。

范闲心里一凉，知道父亲这个油滑的家伙终于顶不过太医正的水磨功夫，将他推给了自己。不过他对太医院的要求也有了决断，望着太医正微笑着说道：“老大人的来意，本官清楚。不过本官断不可能出府授课……不过我会口述一些内容，印成书本，再送到你那边。”

太医正捋了捋胡须，觉得这也算是不错的结果，微微沉吟之后说道：“医之一道，最讲究身传手教，只是看着书本，总不是太妥当。”

范闲说道：“书出来之后，若有什么疑难之处，我让若若去讲解一下。”

太医正闻言满脸惶恐：“怎能让范家小姐抛头露面？”宫中手术时，他在旁边看着，知道是范家小姐亲自动针，倒是不怀疑她的手段。

“若若也不懂什么，我还得在家中教她。”范闲笑眯眯地说道，“不过家师马上就要回京了，到时候就由他老人家负责去太医院讲课，他的水准比若若可是要强不少。”

太医正大喜之后又有隐忧：“当年我就请过费先生几次，他不来我可没法子。”

“我去请陛下旨意，不要担心。”范闲唇角露出得意的一笑。

待太医正心满意足地离开，范若若才惊呼道：“哥哥，我可是什么都不懂！”

“没办法啊。”范闲安慰道，“我先拣高温消毒、隔离传染那些好入手的写了，别的等老师回来再说，你也可以顺便跟着学学。”

范若若愣了愣，旋即不知想到什么，重重地点了点头。

范闲小两口倒有些意想不到，妹妹竟会答应得如此爽快。

“哥哥，你总说人这一辈子要找到自己喜欢做的事情。”范若若微微一羞说道，“那天夜里虽然我没有出什么力，但看着哥哥活了过来，我才知道……原来救活一个人，会是这样的快乐，所以就算哥哥今天没有这个安排，我也是要向你请教医术的。”

范闲半晌说不出话来，心想难道自己会让庆国的将来出现第一位女医生……只是不知道费介再教个女徒弟，最后会让妹妹变成华扁鹊还是风华。不！一定不能是华扁鹊那种女怪物，当然应该是风华这种漂漂亮亮的西王母。他看着妹妹愈发生动的清丽面容，安慰自己道，最不济也得是个庆国版的大长今。

入夜了。

思思铺好了被褥，将暖炉的风口调到恰到好处，便与端水进来的四祺一道出了屋。范闲夫妻二人静静地躺在床上，看着阁外的烛火也渐渐暗了下来，许久没有发出一丝声音。

“睡不着？”

“嗯，白天睡得太多了……你呢？怎么今天也睡不着？记得在苍山的时候，你天天像只小猫一样睡的。”

“说到猫……小白小黄小黑不知道怎么样了。”

“被藤大家的抱到田庄去是你授意的，怎么这时候开始想它们了？”范闲笑着说道。

林婉儿轻声咕哝道：“是你说，养猫对怀孩子不好。”

范闲一怔，心想总不好当着你的面说自己其实很讨厌猫这种动物吧？不管是老猫还是小猫，看着它们那份慵懒狡猾的模样，便是一肚子气。

“……我是不是很没用？”林婉儿侧过了身子，吐气如兰喷在范闲的脸上。

“有些痒，帮我挠挠。”范闲示意妻子帮自己挠脸，好奇地问道，“怎么忽然想到问这个？”

林婉儿轻轻帮他挠着。

“你身边的人都有自己的长处，都能帮到你。思辙会做生意，若若本就是京都有名的才女，现在又要开始学医术。小言公子帮你打理院务，就说北边那个海棠……”

范闲咳了两声，险些没震破胸部的伤口。

“……那也是位奇女子，只怕也是存着安邦定国的大念头。只有我……自幼身子差，被宫里那么多人宠着长大，却什么都不会做，文也不成，武也不成。”

范闲听出她话里的意思了，翻身看着她说道：“其实有些话我一直没有与你说。”

“嗯？”

“人生在世，不是有用就是好，没用就是不好。比如我，我最初的志愿是做一名富贵闲人，而像言冰云，其实他又何尝愿意做一辈子的密谍头领，他和沈家小姐之间那种状况你又不是没看到。你自幼在宫中长大，那样一个污秽肮脏凶险的地方却没有改变你的性情，便有如一朵青莲般自由生长，而让好命的我随手摘了下来……这本身就是件极难得的事情。”

婉儿听着小情话，心头甜蜜，依然有些难过：“可是……终究还是……”

范闲阻止她继续说下去：“而且你很厉害啊，打麻将连弟弟都赢不了你。”

二人笑了起来。

“再者，其实我清楚你擅长什么。”范闲认真地说道，“对朝局的判断你比我有经验得多，眼光之准实在惊人，春闱后若不是你在宫中活动，我也不会过得如此自在……相信如果你要帮我谋略策划，能力一定不在言冰云之下，只是……”

林婉儿睁着明亮的双眼，认真地问道：“只是什么？”

“只是我不愿意你牵涉进这些事情里来。你是我的妻子，我有责任让你轻松愉快地生活，而不是让你也终日伤神。我是大男子主义者。”他微笑着下了结论，“至少在这个方面。”

婉儿叹了口气，叹息声里透着满足与安慰，轻声道：“我毕竟是皇族一员，虽然我知道你信任我，但你也说过这些事情阴秽无比，我不愿你以后疑我，宁肯你不告诉我那些。”

她与范闲的婚姻起于陛下的指婚，内中含着清晰的政治味道。只是天公作美，让这对小男女以鸡腿为媒，翻窗叙情，比起一般的政治联姻，要显得稳固太多。只是在政治面前，夫妻再亲又如何？历史上这种悲剧并不少见。更何况长公主终究是她的生母，所以婉儿这番言语并无一丝矫情，更不是以退为进，而是实实在在地为范闲考虑。

“不要想那么多。”范闲平静而坚定地说道，“如果人活一世，连自己最亲的人都无法信任，这种可怜的日子何必继续？”

京都落了第一场雪，小粒的雪花飘落在地面上，触泥即化，难以存积。民宅之中湿寒渐重，好在庆国强盛，一应物资丰沛，就连普通百姓家都不虞保暖之材，远远便能瞧着黑色屋檐上冒着缕缕雾气，想必屋中都生着暖炉。

一辆普通的马车在京中不知道转了多少弯，终于来到一幢独门别院前。天寒无人上街，四周一片清静，邓子越小心翼翼将范闲抱到轮椅上，推进了小院。

范闲今天穿着一件大氅，毛领高过脖颈，很是暖和，伸手到唇边吐了口热气暖着，眼睛瞥着院角正在苏文茂指挥下砍柴的年轻人，微微一怔。那个年轻人眉目有些熟悉，赤裸着上身，在这大冬天里也是没有半点畏寒之色，不停地劈着柴。

“这就是司理理的弟弟？”他微眯着眼，想找到那个姑娘的影子。

邓子越应道：“司姑娘入了北齐皇宫，他的身份有些敏感，不好安置，便安排到了这里。”

这间小院是范闲唯一的自留地，除了启年小组，大约就只有陈萍萍知道。陛下给他的虎卫可以保证他的安全，肯定也有陛下监视自己的耳目，所以他今天冒雪而来，要做些安排。

“这位司公子是位莽撞人……为了他姐姐可以从北齐跑到庆国，难保过些天不会跑出这个院子。”范闲握拳于口，轻轻咳了一声，说道，“盯紧一些，如果有异动，就杀了他。”

邓子越面无表情地应了声，推着他往里间走，轮椅在地上的浑浊雪水上碾过。屋内的监察院官员出来迎接，看着坐在轮椅中的提司大人，心神一凛，似乎产生了一种错觉，以为庆国又出了一位院长。

京都深正道旁的宅院一向没有太多人驻留，主要任务是负责传递范闲的命令，接收王启年递过来的消息。司理理的弟弟和其他人都在厢房里生活，留给范闲办事用的房间自然没有生火的习惯。今天知道提司大人要来，早有人提前生了暖炉，但屋子里积蓄了很多的阴寒，一时间还是没法子散开。范闲坐在轮椅上，感受着房间里的寒冷，忍不住哈了哈手，苦笑道：“连个炉子也舍不得生……院子难道穷成这样了？”

邓子越正在炉子上烤砚台，又喊下属们弄些热水来把冻住的毛笔润开，听着大人的话苦笑着说道：“大人这些日子事多，又受了伤，没备着今天您过来。”

好不容易折腾得差不多了，范闲撑着脑袋，看着邓子越拿着墨块儿在温好的砚台上死命磨着，用温水兑着，就像磨刀一样地吃力半晌，终于磨出了些墨汁儿。他满意地点点头，新心腹的水磨功夫看来比太医正也差不到哪里去，将润开后的毛笔伸进砚台里，蘸了些墨，在雪白的纸上写了几个字……妈的，墨居然又冻凝住了！

范闲大怒，将焦木头子似的毛笔扔到桌上，骂道：“在家里怎么没见冷成这样？”

邓子越只觉一股寒风在房内四处刮着，小心翼翼地回道：“府里的炉子要好使很多，这间院子当初买的时候，就没备着这些，连炕都还没来得及烧暖。”

“我又不在这儿睡觉。”范闲恼火着说道，“你一个，老王一个，都是抠死了的主儿……当初给了王启年一千两银子，他硬是只花了一百二十两，买了这么个破院子……是想冻死我不成？”

邓子越有些同情远在北齐还被提司大人天天训斥的前任，小心地说道：“胜在清静。”

“不只清静了。”范闲看了他一眼，恨恨地说道，“这叫清寒！若让京中那些大臣们看见了，只怕还真以为咱们监察院是个清水衙门。”

他今天有几封重要的信要写，顾不得那么多，勉力用着毛笔，但终究还是无法顺手，几番折腾之后，终于放弃，一拍书桌喝道：“那支笔给我！”

邓子越磨蹭了半天，终于从贴身的衣衫里取出一支笔来，递给范闲的时候却是面露慎重之色，说道：“这笔挺贵的，听说内库也没多少存货了，大人省着些用。”

范闲一把抢了过来，无比鄙视地看了他一眼，心想不就是支铅笔，弄得这么金贵做什么？等去江南再找几个石墨矿，内库的铅笔生意自然能重新起来。到那时节，我喊内库做两筐让你背着，一筐让你写到死，一筐让你沿街扔着玩！

铅笔在雪白的纸面上滑行着，就像是美人的脚尖在平滑的冰面上起舞，偶尔刮起几丝冰屑雪痕。邓子越知道提司大人在写密信，早识机地退了出去。冰冷的书房里只有范闲一人抓着破笔头儿在写着，嘴里吐出的雾气在纸上一现即逝，看着很有些鬼魅。

信的内容也很鬼魅，虽然是监察院密信，但此事干系太大，而且铅笔的笔迹可以擦，范闲不是太放心，用的言语比较隐晦，事涉时间之类的重要句子用的都是暗语。

信是寄给王启年的，写的是崔家的事情。崔家在京都大受碾压，为了帮助二皇子与信阳方面筹银子，迫不得已调了大批走私货物到了北齐，但那边的渠道一直没有打通，已经出现了积货的现象。目前在线路上以及北方库中，崔家从信阳调出积起来的货物，大约能占到内库年产六分之一的数额！从这个比例上就可以看出，长公主把持内库这些年，胆子已经大到何等样的程度，谋取私利是毫不手软。

范闲与言冰云用了几个月的时间打击二皇子、威压崔氏，才造就如此局势，自然要一口将对方吃得干干净净，连骨头都不吐一根出来。

他在给王启年的这封信最后写道：开饭了。

手冻得有些僵，他开始怀念在澹州的时候，思思天天帮自己抄书，而自己抄书时，这丫头会将自己的手放在她的怀里暖着，触手丰盈，手感着实不错。

心头微荡，提笔再写，这第二封信是写给海棠朵朵的。只是写信的时候，心中有所放荡，信上言语也就放肆了一些，偶有撩动。

自北齐回国以后，他与海棠的通信一直没有断，也早习惯了北方有这样一个笔友，双方作为两个大国年轻一代的代表，保持畅通的联系渠道非常有必要，对将来也极有好处。他在信中聊了些庆国京都最近发生的八卦，当然悬空庙事件也在其中。庆帝遇刺一事震惊天下，北齐上京早有详报，但他身为当事人讲起这故事来肯定要比说书先生动听许多。他又在字句中暗暗点出，准备对崔家动手了，让她与那位不知男女的小皇帝与自己配合好。在信末他抄了一首诗，以证明自己依然如往常一般才气纵横。

> 我来苔欲报恩分，契阔非尽利与荣。古人有为知己死，只恐冻骨埋边庭。中朝故人岂念我，重裘厚履飘华缨。傅闻此北更寒极，不知彼民何以生。

这是司马光《苦寒行》的最后几句，范闲又看了一遍信，觉着这诗实在是太过应景，字里行间的悲天悯人之意恐怕会让海棠姑娘回思许久——骗死小姑娘不偿命，本就是他最喜欢做的事。

确认没有什么遗漏，他封好信封，压好火漆，忽然心头微动，总觉得自己的倾诉欲望还没有得到完全的满足，一时间陷入沉默之中。

没过多长时间，他铺开另一张白纸，略一沉忖，提笔写道：

朵朵，你好，前面那封信算是公事，这封随便聊两句。今天京都下了庆历五年的第一场雪，比以往时候来得更早一些。想来上京的雪更大，天更冷，那天在你的菜园子里看见篱角处有几枝梅，不知道那几枝腊梅可有绽开红点，滋润一下白雪单调的容颜。

你养的那些鸭子怎么样了？小心些，别冻死了……小黄小黑小白都在京外田庄养着，听说那里的伙计把三只大肥猫当祖宗一样供着，怎么可能养出问题来。

我这边挺好的，吃了睡，睡了吃，家里很安静。这两天妹妹一直在太医院里忙，听说已经成了京都难得一见的风景。婉儿今天回林府了，我那位可爱的大舅哥大约是最近受了冷落，脾气有些不好。不知道你这时候在做什么呢？

范闲随意写着，就像是说话一般散漫，想到哪儿写到哪儿。

对了，我那个姓史的学生开了家青楼，生意不错，尤其是菜品十分精致，哪日你若游至庆国，我陪你去坐坐。啊，忽然想到，上京那家酒楼的名字我都忘了，但还记得那天的酒不错，和你说了不少胡话，也不知道你还记得多少。

你前几封信我都读了几遍，总觉着酸不忍睹。你一堂堂圣女，不要学那些大家闺秀的做派，总喜欢在信里夹些诗词之类，虽然我假假有个诗仙的名头，却没有批改作文的兴致。

上回你说司理理如今过得不错……嗯，这种事情以后就不要多聊了，我对此事一向有一份记恨在，而且不知为何，尤其头痛于从你的嘴中听到她的消息。

朵朵，来庆国玩吧，我妻子对你也很好奇……另外就是顺便问一句，你们天一道的功法能不能传外人？我最近对你们的练功方法忽然多了很多兴趣。

这看似自然的发问，深刻流露了范闲内心深处的无耻与奸诈。

窗外的雪似乎大起来了，屋外那个年轻人还在劈柴，年轻人总是热血。只是我如今虽然年齿尚浅，但不知为何，心中却显出些老态，看着身周人事，总是极难提起兴致，厌了乏了，无趣了……外面的风雪在呼啸，许是催我落笔，那好吧，就到这里吧。房里的炉子太破，温度一直没办法升起来，虽然还想和你聊聊，但总觉得没必要和老天爷的冷酷作对……另外，请帮我照顾好他，谢谢，并祝万安。

信虽自然，里面还是夹杂了太多有用的信息。他将信又看了一遍，然后在信的最尾加了一句话："王启年，你要再敢偷看，我就让沐铁他侄儿去偷看你闺女洗澡！"

"怎么比往常多了一封？"邓子越数了数手里的信件问，"给海棠姑娘有两封？"

"问那么多干什么？"范闲回道，"还是老章程，全程护送至上京。"

邓子越点点头，走到屋外将密封好的几封信递给早已等候在外的启年小组成员，那位哥们儿数了数手里的信，也发出了同样的疑问："怎么……有两封？"

邓子越看着他，唇角有些难看地抽搐了两下，说道："问那么多干什么？"

二人对望一眼，点了点头，住嘴不语，心里想着，提司大人用监察院的最高密级邮路寄……情书，实在是有些奢侈。

范闲坐着轮椅出了深正道的小院，上了马车便往林府去，准备去接婉儿和大宝回府。他随意问道："太学司业有什么讲究？还有我早就不在太常寺了，为什么升我做太常寺少卿？"

"少卿有二，任少卿为主，大人为副。这是虚职，也不用天天去。太学司业总领七门，这两个职位都是正四品上。"邓子越提醒道，"您接手提司之职便不能再任朝官，这次陛下旨意任您这两个虚职，想必只是以示圣眷，并不见得有旁的意思。"

范闲不这样看。这是圣旨里的最后两项任命，自己起初没有当回事，后来越想越不对劲，陛下心思缜密，绝不会拿官位当馍馍用，于是问道："这两个职位……有没有什么特别的地方？"

邓子越有些不确定地回道："太常寺掌管宗庙杂事，入宫比较方便……太学司业这些年却没有出现过，几次新政后，官职都有些乱了……"他忽然想了起来，接着说道，"往年的太学司业要入宫为皇子讲学，是太傅的助手。"

范闲这才明白皇帝安排这两个职位给自己是什么意思——太常寺少卿加上太学司业，难道自己要变成皇子们的老师？准确地说，岂不是要负责管教老三那个小混蛋？他大怒地骂道："老子可没这闲工夫天天入宫……不是要下江南了吗，怎么还安排这种混账事给我做？"

咯吱一声，马车似是被他骂停了。

车帘掀起，只见一个太监领着几个宫中侍卫站在小雪里。姚太监看着马车里的范闲，畏寒地抖了抖眉毛，战着声音说道："大人，叫奴才一路好找……快随我走吧，陛下宣您入宫。"

姚太监先去的范府，没找着人，也不知道正在养伤的提司大人跑哪儿去了，竟是连尚书大人都不清楚，郡主娘娘也不在府中，竟是寻不到人去问范闲的下落。陛下还在宫里等着，这可急坏了他，问清楚了郡主回了林府，他领着侍卫往那边赶，凑巧在路口碰见了这辆马车，如果不是侍卫眼尖认出一个范闲的亲随，只怕还会错过。

范闲说道："我要去林府接人，怎么这时候让我入宫？"

陛下传召还这么不急不慢应着，真快急死了姚公公，他哪里见过这么不把宫中传召当回事的臣子！他与范府向来交好，不好摆什么脸色，只是急声催促道："陛下传召好长时间了，小范大人您要再晚去，只怕陛下会不高兴。"

"难道还敢不去？"范闲苦笑说道，见不得老太监在雪天里站着，招呼他进了马车，一行人往皇宫驶去，另安排了人手去林府通知婉儿。

"老姚，给句实话，出什么事了？"他半靠着养神，双眼微眯，没有看这太监头子一眼，范府把这些太监喂得极饱，他也懒得再递什么银票。

姚太监如今其实也不怎么敢接范家银票了，笑着说道："我做奴才的怎么知道？"

范闲摇摇头，佯怒道："你这家伙，做事不地道……嗯，那我另打听件事。"

姚太监竖起耳朵，确认四周没有什么闲杂人等，压低声音说道："大人，什么事？敢说的我都能说。"

"上次悬空庙里……那几个太监怎么处理了？"范闲皱着眉头。

姚太监神情一凛，片刻后举起手掌平摊在自己的咽喉上划了一道。

范闲面色不变，却不知道心头是如何想法。这是必然的结果。太监的队伍里出了刺客，在场的人自然逃不了一死，只怕宫里还要清洗一大批。

"老戴呢？"

"他是老人，陛下信得过，但也不能在太极殿待了……上两个月因为他那不成才侄儿的事情被都察院参了一道，他在宫中就过得难堪，后来好不容易陛下瞧在淑贵妃的面子上将他重新提了起来用。没想到又遇着这件事……也算是倒霉到了家。这不，什么职司都被除了，还挨了十几记板子，发配去了司库，这么大把年纪的人在这大冷天里下苦力……"

姚太监与戴公公是同年入的宫，平日里互相之间多有倾轧，但此时看着对方垮台，也有些物伤其类，说着话他还拈袖在眼角擦了擦。

“熬几天吧，等陛下的火气消了再说，能保住条老命就不错了。”范闲摇了摇头，又问道，“那如今在太极殿当值的是谁？”

“洪竹。”姚太监看着范闲疑惑的脸，小声解释道，“一个年轻崽儿，今年开始跑太极殿和门下这条路，陛下喜欢他办事利落。”

“传旨的事也让那个……洪竹做？”范闲好奇地问道。

姚太监摇摇头，说道：“他哪有这个资格身份。”

马车刚过新街口就被姚太监喊停了，邓子越很不满意，宫前这片广场极为宽阔，这飘雪的冬天里，让伤势未愈的提司大人坐着轮椅过去实在有些过分。

姚太监委屈地说道：“上次出事之后，禁军管得极严，如今这些兵爷们个个跟狼似的盯着所有人，那阵势恨不得将入宫的所有人都给吓走。”

范闲摆手道：“别难为姚公公，我们下。”

邓子越有些恼火地看了宫门处一眼，将范闲抱下马车，放到轮椅上，赶紧打开黑布大伞，早有旁的监察院官员推着动了起来。雪粒击打在黑伞之上微微作响。

姚太监没这般好命，拿手遮着头，和身边的几个侍卫抢先往宫门处赶了过去。

范闲整个身子都缩在大氅里，躲着迎面来的寒风，半边脸都让毛领遮着，还觉着一股寒意顺着衣服往里灌，头顶天光黯淡，雪声入耳。

禁军看到风雪中那些面色冷漠的监察院官员推着轮椅，轮椅上只有一把黑伞牢牢地遮住了由天而降的雪花，一星半点儿都没有漏到轮椅上的那人身上。

“今天没传院长大人入宫啊？”有人惊讶地说道。

“是范提司！”禁军将领赶紧迎了上去，替过邓子越接过大伞，挡住风雪，将监察院一行人接到了宫门处，稍一查验，便放行入宫。

第四章 游园惊梦

“不是在御书房？”范闲皱着眉头，暂不理会扑面而来的寒风，问身旁的姚太监。

陛下久候范提司不至，已经发了脾气。小太监们接着范闲了，哪里敢怠慢，就像脚上踩了风火轮一般往深宫狂奔而去，推得轮椅吱吱作响，打着素色大伞的太监东倒西歪。

姚太监跑得气喘吁吁的，回道：“在……在寝宫。”

范闲面色不怎么好看。姚太监才想起来提司大人还在养伤——陛下不能等，可是如果让提司伤势再发，自己也没好果子吃，遂赶紧让众人把速度降了下来，劈头盖脸一通乱骂，又讨好地侧脸问道：“小范大人，没颠着吧？”

范闲面无表情地说道：“没这么金贵。”

不一时，众人便来到了皇宫园中一处，不是皇后所在的寝宫，而是宜贵嫔所在。姚太监赶前几步入内通报，不一时便有人来接着范闲进去。

皇帝穿着便服坐在暖榻上，有一搭没一搭地和宜贵嫔说话，三皇子老老实实地坐在边上抄着什么东西。看见太监们推着范闲进来，他回头看了范闲一眼，淡淡地说道：“受了伤，不老老实实待府里养伤，在外面瞎跑什么？”

一位皇帝对一位年轻臣子，貌似训斥，实则关心，按理讲做臣子的应该感激涕零才是，范闲却是暗自冷笑，心想若真的关心自己，怎么会等了十七年才来表现这些？如果真的是担心自己伤势，为什么又急着宣自己入宫？不过他脸上依然让感动一现即逝，然后平静地应道："回陛下，好得差不多了，这才偷偷出去逛逛，正准备去林府接婉儿。"

"婉儿……回林府了？那宅子里又没什么人……除了那个傻子。"皇帝似乎不怎么喜欢把自己的外甥女和林府联系起来，面色有些不豫。宜贵嫔偷偷望着陛下的脸色，呵呵憨笑着岔开了话题："范闲，你伤没好就到处跑……也不怕范尚书打你板子？"

皇帝微微一怔，旋即笑道："范建……哪里舍得。"

虽是笑话，却含着别的意思。范闲心情更冷，脸上带着微笑，没有接话。皇帝看了正在抄书的三皇子一眼，对范闲说道："你前些日子在太学整理出的几本经策……朕让承平这些天在学，太傅以为深了些，你怎么看？承平，去见过范大人。"

三皇子姓李名承平。依庆国规矩，皇子们对大臣都极为尊敬，皇帝这声吩咐也不怎么出奇。三皇子赶紧住了笔，小心地走到轮椅面前，对范闲行了一礼。

"这怎么使得？"范闲坐在轮椅上，无法避开。

"你如今是太学司业，正是分内的事情。"皇帝像在说一件很寻常的事情。宜贵嫔却听出来陛下有心让范闲做三皇子的老师，想到范闲的文声武名以及在朝政中的影响力，忍不住眉开眼笑，越看范闲越觉得顺眼。

宜贵嫔的神色落到皇帝眼中，他忍不住笑了起来："瞧把你乐的。"

宜贵嫔之所以受宠，就是因为在表面上她不会隐藏什么心思，高兴的时候就高兴，听着陛下揶揄也不慌张，呵呵笑着说道："谢谢陛下给平儿找了位好老师。"

范闲听着二位长辈自顾自说着，心中气苦，暗想这事怎么没人来征求一下自己的意见？

三皇子捧着书卷过来，范闲接过来略略一看，回禀道："庄大家的经策之学是极好的，太傅以为程度深了也有道理，不过这几篇只是入门的东西，提前接触一下也没什么问题。”

君臣之间又随意说了几句，范闲小心应着，但知道皇帝肯定有些话要对自己说。果不其然，在喝了碗热汤之后，皇帝看似随意地开了口。

“外面雪停了……初雪应惜，范闲，你陪朕去园子里逛逛。”

“是，陛下。”

皇帝站起身来，宜贵嫔微笑着，将一件大红锦面狸毛里的鹤氅披在了他的身上。

离开宜贵嫔居住的漱芳宫时，雪已经停了，皇宫地面上一片湿清，却没有积雪，只有园子里的冬青树上挂着些雪痕。天上灰白一片，红墙黄檐雪枝青砖，十分美丽，空气中没有一丝杂味，清新异常。

皇帝披着大氅当前走着，一个小太监推着范闲沉默地跟在后边，一路上那些穿着棉褂的太监宫女远远避开，路边遇着的则偏身于侧，安静不语。

“雪雨天，见朕不用下跪。”猜到范闲在想什么，皇帝说道，“这是朕即位之后就定的规矩，天天跪来跪去，他们也不嫌烦……把衣服跪脏了、跪破了，难道不要内库掏银子买？”

范闲坐在轮椅上，悄悄将领口松了颗布扣。雪停风消后，他感觉有些热。听着皇帝的话，知道话题要往内库方向转，他却很无赖地不肯接话。

似乎有些恼怒于范闲的沉默，皇帝冷冷问道：“范家老二现在在哪里？”

这时候已经到了宫中最僻静处的一个园子，前方有一弯小湖，湖中搭着石桥，通向中心那座亭子，亭上微有残雪，难掩黑石肃杀之意。

小雪初霁，宫中寒气郁积，这天威果然是难以抵挡的。但范闲坐在轮椅里十分暖和，身上穿的那件高领大氅挡风蔽雪，甚至有些热了起来，对于皇帝的发问，他早就已经做好了心理准备，也从来没有指望家里将范思辙偷运出京，会瞒住多少人。

“前日刚收着信，已经在上京安定下来了。”

范闲有意无意地看了身后的小太监一眼，皇帝正游兴大发地在前面走着，没有注意到身后两人的眼神交流。

小太监就是洪竹，他看着范提司笑吟吟的眼神，不知怎的却是心里陡然一寒，生出害怕的情绪来——他知道小范大人是在警告自己，某些话是断不能传入他人耳中的。他最近一直跟在陛下身边，知道很多事情，赶紧低头不敢与范闲的目光对视。

“就这么说出来了？”皇帝往湖那面走，淡淡地说道，“朕本以为，虽然很多事情天下人心知肚明，但表面上的功夫总要做一做。”

范闲转了转脖子，让腮帮子与领子上的软毛摩擦着：“陛下有问，臣不敢有半句虚言。”

皇帝忽然住了脚，小太监赶紧拉住范闲的轮椅，不敢与皇帝并排，范闲没坐稳，眉头皱了一皱。

“对着朕不说假话……对着天下人就敢明目张胆撒谎？”皇帝回过头来，似笑非笑地看着范闲，眼角的几丝皱纹带着笑意，也有几分质问的意思。

范闲抬起头来，有些无礼地正视皇帝的双眼：“臣忠于陛下，又不是忠于那些百姓。”

“可是有人曾经说过……”皇帝的眼神忽然有些奇怪，“民为贵，社稷次之，君为轻。”

“胡言乱语，不知道是谁这么大的胆子。”范闲眉头一皱。他当然知道谁会有这么大的胆子——原创者是孟子，抄袭者是老妈。

“刑部如今还在通缉你的弟弟。”皇帝哈哈笑了两声，回身继续往前行走，“你难道就不怕朕处罚你？”

洪竹推着轮椅跟了上去，范闲听着轮子发出的吱吱声，有些头痛，摇头说道：“陛下圣明，定能体谅臣的苦衷。”

“苦衷？”皇帝冷笑了一声，“怕老二如今才会觉得自己有苦衷不能诉吧？”

“啊……臣有罪。”

范闲知道自己这时候应该要扮演出微微惊慌，就像是清宫戏里那些与皇帝亲近的臣子，但他明知道把二皇子搞下马是皇帝的意思，自己只不过是把刀。而且自己在皇帝心中也不是一位简单的臣子，所以他根本没有害怕，也没有紧张。以至于再如何发挥演技，终究还是流于表面、稍嫌浮夸些，“臣有罪”这三字拖得有些长，戏剧感太强于是不真。

皇帝压低声音骂道：“便是做戏，也不知道认真些！”

范闲苦着脸应道：“臣知罪。”

翻来覆去就是“臣有罪，臣知罪”这些无趣的话语，好在上了湖中那道木桥，皇帝与他暂时终止了谈话。京都已经颇冷，但初雪天气，湖水肯定没有到结冰的程度，还在桥下绿油油、寒津津地荡着。木桥修得平整牢固，轮椅压在上面有些不稳，范闲抓紧了轮椅的把手，双眼盯着木桥的那些缝隙，心想如果这时候身后的小太监忽然变成杀手，自己可就惨了。

前方亭中事先来打扫布置的太监宫女们遥遥一礼，便散去无踪。皇帝坐在铺了软垫的石凳上，用目光示意范闲自取一杯热茶饮着，自己却用两根手指拈了松子来慢慢剥着。小太监洪竹知趣地退在亭边，一则望风，二则随时备着亭内的主子们有什么吩咐。

“怎么样了？”皇帝问道。

范闲似乎被杯中的茶水烫了一下，皱了皱眉头，应道：“陛下是指臣的伤势，还是……”

“后者。”

范闲很直接地回应道：“已经准备动手，院令已经发了下去，这件事情没有经过院里，应该不会引起太多人注意。”

皇帝点点头。

范闲继续讲解细节：“目前还在境内的货应该全部能截下来，只是……

怕被北齐人知道了风声，也从里面赚一大笔，毕竟崔家在北方也囤了不少货……”

但是他隐藏了很重要的信息，那就是他与北齐皇帝分赃的计划。

“往北方的线路一共有三条，目前四处已经着手控制，内库那方面的院里人手，由于和那面的人在一起待得太久，所以不怎么放心，暂时没用。”

他将言冰云拟的计划详尽道出，还没有说完，皇帝挥手说道：“朕不要细节，只要结果。”

范闲顿了顿，说道：“请陛下放心，最迟一年，应该能恢复内库大半的进项。”

皇帝摇头：“内库要恢复当年盛况是不可能的事情……朕想你也明白其中原因。”

范闲低下了头。

皇帝问道：“朕来问你，为何你笃定朕会支持你对老二和长公主下手？”

“因为……朝廷需要银子。”

皇帝嗯了一声，说道：“朝廷要做事，要扩边……就需要银子，而云睿这些年将内库掏得太厉害，朕也看不下去了，才会属意你去接手这盘烂摊子。你没有让朕失望，首先是有这胆气接手，其次是下手够狠，不会因为对方的身份而有所忌惮……这是朕取你之处。”

“谢陛下赏识。”范闲只能谢恩，长公主毕竟是自己的丈母娘，他当然不能妄加评论。

亭外风停雪消，清静之中略有寒意，皇帝拈了一颗松子放进唇中缓缓嚼着，随意问道：“叶重回定州了。朕让和亲王做禁军统领，听说京中很有些议论，你听见了什么没有？”

范闲苦笑着应道：“议论自然难免，毕竟不合旧例。”

“你的意见？”

范闲心想这等事情怎么轮得到自己来给意见，赶紧说道："臣岂敢妄自言语。"

"说吧，朕恕你无罪。"皇帝没有看范闲的脸，只是将眼光投注到皇宫园里的冬青树上。

范闲知道与皇帝说话是很困难的事情，韦小宝当年假九真一，终究还是被康熙捉住了辫子。而自己暗底下做的事情——偷进皇宫，与北齐的协议，与肖恩的对话——这些都瞒着面前这位皇帝，如果事发，谁知道自己会有什么样的下场？

皇帝实在有些深不可测，如果范闲不是占据那个天然优势，断然是不敢与对方玩的，所谓优势就是，自己知道对方与自己的真实关系，而对方并不知道自己知道这一点——于是他大可以扮臣子玩纯忠，对方心中对自己越歉疚，自己能得的好处就越大。

"大殿下不愿意在京中待着。"范闲直接说道，"而且堂堂亲王降秩使用，也是不合规矩。最关键的是，皇宫乃是庆国心脏，不得不慎。"

这话很直接，甚至有些过界了，皇帝冷冷地说道："世事不如意者，十之八九，他不愿留在京中，难道就舍得看着我这做父亲的孤守京都？你这个说客实在是没有什么水平。"

范闲微窘，心想大皇子去范府拜访自己的事情，没有瞒过皇帝。

"不要和老二闹了，如果他安分下来。"皇帝将前段时间京都里的事情做了个了结。

"是。"范闲点点头。是啊，他要做的事都已经达到目的，还闹什么呢？

"这次悬空庙之事，你有大功。"皇帝幽幽地说道，"不过你身为监察院提司，居然让刺客混入了京都，这是你的失职，两相抵消，朕只好赏你那些没用的物件，你不要有怨怼之心。"

"臣不敢。"范闲认真地回道，"本就是臣失职……受伤也是臣学艺不精。"

皇帝感兴趣地问道："那剑客一直没查出来是谁，你与他交手过，能不能猜到些什么？”

亭外起了一阵寒风，范闲觉得有些冷。他不知道皇帝这一问的真实目的是什么，却觉得自己如果一个不慎就会前番尽输。白衣剑客是影子，不管陈萍萍基于什么原因做了这个局，在与自己通气前当然不会把真相告诉皇帝。但如果皇帝隐约猜到真相，自己该怎么答？如果说不知道，会不会动摇自己好不容易在皇帝心中建立起来的地位？只是刹那震惊，范闲极好地掩饰了过去，惊疑道：“陛下不是说，那白衣剑客是四顾剑的弟弟？”

皇帝冷笑道：“当年东夷城争城大乱，四顾剑剑下无情，将自己家里人不知道杀了多少，但逃出去了一个……当日高楼之上那一剑如果不是四顾剑的剑意，朕的眼睛怕是要瞎了。”

范闲心头稍安，知道自己赌对了，微笑着说道：“可惜了，如果能握着实据……来年借此名义对东夷城出兵，臣这伤也算值得。”

这话搔中了皇帝的痒处，他嘲讽道：“四顾剑被费介治好后就再也没当过白痴，怎么可能认这个？首先便是不承认在世上还有个弟弟活着，接着便是送上国书，对朕遇刺一事表示震惊与慰问，对刺客的穷凶极恶表示难以置信……”

中年男人自顾自说着，却发现没有人响应自己难得的幽默，回头一看，发现范闲正认真地看着自己，亭外那个小太监更是半佝着身子，不敢发声。看着这一幕，他心里不禁叹了一口气，想着这么多年过去了，敢像她一样没上没下与自己闹腾的人果然是再也没有了。

皇帝情绪有些黯然，问道：“范闲……当日楼上，为何你先救平儿？”

范闲坐于轮椅中请罪，平静地应道：“当时情形，若臣至陛下身边，也只挡得住前面那一剑，顾不得身后那一刀……三殿下却危险。”

“噢？”皇帝自嘲一笑道：“莫非朕的命还不如平儿的命值钱？”

范闲苦苦一笑，再次请罪：“臣罪该万死，当时情势紧张，一时间没有反应过来。”

“待你冲到朕身前时，先机已失，难道你就不怕死？”

范闲想了想，说出了句大逆不道的话：“当时臣想着，拼着这条小命，如果能挡了那一剑，自然极好，如果挡不了……嘿嘿……能和陛下一同去另一个世界看看风景，这也算是极大的荣幸吧。”

皇帝大笑起来，笑声震天而起，传至亭外极远处。园子角落候命的太监宫女们听着陛下的笑声，不由面面相觑，心想范提司今天讲了什么笑话，竟将圣上逗得如此开怀。

不知过了多长时间，笑声止了，皇帝看着范闲眉眼间的那抹熟悉，老怀安慰，放缓声音说道：“此去江南，你自己多注意些，不要什么事情都冲在前面……听说你在北边也是这么闹腾，堂堂大臣，也不知道惜身存命。”

范闲微感窘迫，知道陛下这话说得有道理，国之大臣，有几个会像自己往日那样惯出险招？只是自己骨子里就喜欢单身独行，说到底还是对别人都不怎么信任——不过，离江南之行还有几个月，皇帝这临别之谕似乎说得也太早些。

“陛下。”他想到那件事情，有些紧张地说道，“先前在宜贵嫔那处说的……是说笑话？”

皇帝将双眼一瞪，冷冷说道：“君无戏言。”

范闲惶恐万分：“臣年齿不高，德望不重，怎可为皇子师？”

“记住，你是庄墨韩都赞许的人。北齐太傅不过是庄墨韩的后辈，如果不是瞧着你年纪实在太小，朕便直接明旨宣你入宫讲学，又有谁敢讲二话？”

“可是臣明春便要往江南一行，误了三皇子学业不好。”

“带着平儿去，朕已经与太后说好了。”

范闲半天没有说出话来。

“好好做。江南事罢，在京中再放两年，朕让你入中书门下。”皇帝看着他语气柔和地说道，“朕，是看重你的。”

范闲略一沉默后，毫不矫情地点了点头，便准备请辞回家。不料皇帝又挥挥手，说道："今日立冬，宫中有宴，你就在宫中用饭……朕让人去接婉儿了。"

范闲又是一惊，不知道这代表着什么。

"太后想见你。"皇帝咳了两声掩饰道，"老人家想见见婉儿的夫君究竟生的是什么模样。"

御辇离开，亭中清静下来，只剩下范闲与那个今日专门负责推轮椅的小太监。

范闲注视着皇帝离开的方向，眼里的自嘲一闪即逝，今日受召入宫，事发突然，他依然有些小小的期望，或许那位中年男人会让自己去看看那幅画？或许那位中年男人会对自己说些什么？没料到最后依然是这种仁君忠臣的奏对，不禁有些失望。

帝王家本是无情的，他当然清楚，只是有些为那个叫作叶轻眉的女子感到不值。

是的，为叶轻眉感到不值。

当初他与若若去太平别院拜祭，便在茶铺里遇到了皇帝，为什么？

太后对他的态度向来不好，应该早就知道了他是叶轻眉的儿子，为什么没有杀他？

为什么监察院与内库会落在他的手里？

再往前看去，为什么会有与婉儿的婚约？

为什么在北齐上京的皇宫里，小皇帝喊了那声林妹妹，差点把他给吓死？

为什么在使团收到南庆来信，知道若若要嫁人，他下意识里生出不愿意的想法？

原因很简单，因为他知道林婉儿是自己的表妹，而若若不是自己的亲妹妹。

是的，他是叶轻眉的儿子，但他的亲生父亲不是范建，而是这座皇宫的主人。他早就隐隐猜到了自己的身世，却没有对任何人说，包括范建与陈萍萍，那两位父辈当然早就知道。

天空没有落下雷霆，一切都在他的心里。

他沉默地注视着皇宫，面无表情，不知道在想什么。

雪水从檐角滴落，发出啪啪的轻响，散发着莫名的寒意。

那个叫作洪竹的小太监无来由地觉得好生寒冷，声音微颤地说道："提司大人……晚膳还有些时候，陛下交代过，您可以随意逛……逛。"

不是在梅园养伤，还是少犯些忌讳为好，而且范闲还处在不喜欢这座皇宫的情绪里，由是面无表情地说道："就在这亭子里看看。"

他的视线像两把小刀子一样在小太监身上扫了一遍。

"冷？"

"是。"

"流汗了？"

"……是。"

范闲面无表情地说道："不要害怕，陛下让你在这里听，自是信你。"

先前皇帝与范闲的谈话看似家常，隐着的信息却十分"丰富"。洪竹才知道监察院与二皇子的争斗、内库的事情，竟是陛下默许，如果传出宫去，只怕会引起轩然大波。

"奴才不怕。"小太监可怜地应道。

范闲看着小太监那张坑坑洼洼的脸，忽然问道："太监也长青春痘？"

"青春痘？"洪竹怔了怔，明白是什么意思，有些恼火地应道，"小的也不清楚。"

范闲接着问道："你……就是洪竹？"

洪竹没想到居然连提司大人也知道自己的名字，顿时觉得有些光彩，应了声是。

"陛下近侍是要害处……更何况前些日子太极殿的小太监里面出了个刺客……陛下既然信你，本官自然也信你……对了，听说老戴如今在做苦役？”

洪竹看了他一眼，试探着说道："是啊，挺惨的。"

范闲道："我跟老戴打过交道，人不错，小公公在宫中帮忙照顾一二。"

洪竹心头大喜，赶紧应道："您吩咐。"

范闲说道："日后有什么事，和我说一声。"

回到漱芳宫时，三皇子还在静心抄书，看着他乖巧的模样，想着自己的身世，范闲忽然有些不悦，望向宜贵嫔问道："太后真允了？"

宜贵嫔笑道："我也是今日才听陛下实允……这是好事情，老祖宗怎么会反对？"

范闲心知事情没这么简单，说道："跟着我去江南……您也舍得？"

"江南水好人好风物好，有什么舍不得？"宜贵嫔招手让他靠近些，范闲依言靠了过去，听着她压低声音说道，"你带着他离宫里越远越好，最好能拖几年就拖几年。"

范闲才知道宜贵嫔做的是这等消极打算，回道："一味退让总不是个事……再说了，江南内库也不需要花什么工夫，我只是过去看一眼，总不能老拖着。"

宜贵嫔想了想发现确实是这个道理，叹道："也对，陛下不会允你总不在京都。"

范闲安慰道："年纪还小，不值当这么早就开始操心……太后在宫里看着，太出格的事情那几位不敢做，咱们和其他那几座宫里不一样，尚书巷说话还有几分力气，父亲一时不会退，最不济还有我不是？只是有件事情您得允我。"

"什么事？"宜贵嫔紧张起来。

"我不怎么会当先生，几位门生也是他们自个儿十年寒窗的造化。"范闲认真地说道，"我只能将殿下当……弟弟一样教……难免会有些不恭敬的时候。"

听着“当弟弟一样”这句话，宜贵嫔眉开眼笑，连连点头。范闲像看神仙一样看着她，心想眼前这位怎么像中了六合彩似的高兴？于是试探着说道：“可能有时候……会动手。”

“动脚都由你！”宜贵嫔笑道，“只要别打出个三长两短来，随你怎么揉捏。你是不知道，前些日子那个楼子的事情让我吓了一大跳，平日里只知道他和老二关系好，谁知道老二这个……杀千刀的，竟撺掇着平儿去做那件事，他这么小的年纪知道个什么？还不是被人拿来当刀子使……幸亏你把这事很快压下去了，不然不知道陛下会气成什么模样。”

范闲心想您这位儿子可不是一个善主儿，又听着宜贵嫔低声说道：“把他管教老实些……哪怕将来变成如今没用的靖王爷，至少也谋个一世安康啊。”

范闲听着这话有些感慨，世上只有妈妈好，这句歌词果然没有唱错，而没妈的孩子像根草，自己的身世也证明了这句歌词的正确性。

“奴婢参见晨郡主。”

随着宫女们嫩脆的行礼声，林婉儿搓着两只小手走了进来，下身穿着一件翡色叠层裙，上身是件大红绫袄子，袖口上严丝合缝地缀着两道狐狸毛，毛茸茸的煞是可爱。

范闲坐在轮椅上平伸出双手。

婉儿将手放入他温暖的手掌之中，动作很是自然。

范闲轻轻揉着她有些寒凉的小手，问道：“就这么着便来了？”这一身颜色有些近似于红配绿，只是红色深得生动，翡翠透着清贵，不过入宫用膳总应该穿得华丽些才是。

林婉儿说道：“在家里等了你老久，也不见人来……后来苏文茂叫人过来说了声，才知道你被宣进了宫。我带着大宝回府，刚到门口就被太监拦着，先去见过太后皇后，略说了几句话就来见你。一路忙着，哪里有时间换衣服。”

“大宝呢？”范闲最关心的就是自己的大舅子。

“放心吧，若若在家。”林婉儿接过宫女递过来的热毛巾擦了两把，一屁股坐到宜贵嫔身边，侧头笑眯眯地问道，“在聊什么呢？”

宜贵嫔没急着回话，先把宫女训了几句，这大冷的天用热毛巾让郡主擦脸，也不怕待会儿出去被冷风激起，这才回头笑着将陛下的安排说了一遍。

林婉儿诧异地看了范闲一眼：“这就定了？”

范闲点点头。

有太监过来传话，请漱芳宫里的五位贵人去含光殿用膳。宜贵嫔拉着三皇子的手去后厢梳洗。觑着这个空儿，范闲压低声音问道：“让你和太后娘娘说的那事……怎么样？”

林婉儿看了一下四周，轻声说道：“你想退婚，这事又不早些和我商量……突然弄这么一出，太后怎么可能允。再说了，我是晚辈，说这事本就不合礼。”

范闲叹道：“若若不喜，我这做哥哥的有什么办法。也是想趁着抱月楼这事，弘成惹了宫里不高兴，趁机将这事办了，哪想到会这么麻烦。”

“陛下指婚，岂能说退就退。你也太宠若若了。”

“就这么一个妹妹，我不宠她谁宠？”

“我看还得公公进宫来。”婉儿盯着后厢，确认没有人偷听，这才轻声说道，“让老爷直接和陛下说，我们两个分量不够。”

范闲苦恼道：“虽说两家闹了这么一出，可父亲还真是喜欢弘成。就连弘成天天逛青楼，他也不觉得有什么大不了，便是连老二那边闹出来的事也不在意。”

林婉儿噗哧一声笑了出来：“公公当年可是流晶河最出名的人物，当然不以为这算什么大事。”出口才觉着自己取笑公公有些不合适，嘿嘿一笑掩了过去。

冬至大如年，这一日庆国上下都在休息，朝堂停，军队歇，边关闭，商旅休，就连遥远的北齐，这一天都在安身静体地过着幸福的小日子。

庆国习俗，冬至要吃羊肉，京都的民宅街巷中，无数缕热雾从那些或宽敞或逼仄的厨房里飘了起来，绕着各色瓮锅的上方绕了三转，再觅着唯一的一条生路，钻出了窗间的细缝。这些热雾中透着一股干辣椒的辛味，鲜羊肉的膻味，药材的异味，萝卜的甜香味，四味交杂，美妙无比，弥漫在无数院落外的大街小巷中，令闻者无不动容垂涎。

含光殿内，最后的那张案几之后，范闲看着筷尖被切成耳朵模样的羊肉、碗内白汤里漂浮着的菌花与名贵蔬菜，不禁叹了一口气——宫里的羊肉果然与民间不同，做工是精致了许多，却也少了那分香火温暖意。没有豆腐与萝卜，这羊肉还怎么吃？最大的问题是——羊肉已经是温的了，不能烫得自己嘴唇儿发麻，这喝着还有什么劲儿？

他勉强喝完碗中的汤，又挑了筷酱拌着饭，缓慢而细致地咀嚼着，眼观鼻，鼻观唇，唇含筷尖，专心无比，静静地听着殿中谈话，没有插上一句，孤单得就像身后不远处那辆轮椅。

含光殿是太后居处，是皇宫里最为宏伟的建筑，虽和北齐上京那败家子皇宫比起来简朴太多，依然是富丽堂皇，映烛如日，耀得冬日殿内的陈设与物具闪闪发亮。

殿内皇族子弟默然进食，不敢直视最上方的那位老妇，以及老妇身旁的皇帝与皇后。今日人到得齐整，靖王一家三口还有被软禁的二皇子都入了宫，二皇子与弘成看见范闲进来时微有异色，自然不会像泼妇一般冲上来指东骂西、要生要死。

这是范闲第一次看见皇太后，从对方眉角的皱纹里似乎能看到对方当年的手段与坚硬的心，虎虽老病威犹在，有她坐着，就连一贯放肆无比的靖王爷都老实了许多。

人不熟，但这宫殿他熟悉，当初玩盗帅夜留香的时候他在这宫里走了两遭儿，在老妇人床下的暗格里摸出了那把钥匙。想到这件事情，他的心情有些异样，先前那一瞥，他发现太后的唇角已经耷拉下来，知道这位老人家活不了几年了。

“晨丫头坐哀家身边来。”太后的视线从范闲脸上掠过，喊着自己的外孙女，“给我捶捶。”

婉儿走到太后身边说了几句什么，又瞥了眼范闲，估摸着是在逗老人家开心。果不其然，皇太后笑了起来，笑骂道：“看来你在范府将他喂得倒是饱，连宫里的饭也吃不下去了。”

话音虽低，却清清楚楚传到了众人耳里，都知道说的是范闲。范闲心想婉儿在宫中最为受宠看来不是假话，但依然很是警惕，因为太后看着他的目光显得情绪非常复杂，有一分欣慰，二分骄傲，三分疑惑，剩下四分却同样是警惕。

“今儿人到得算齐整……去年哀家身子不适，所以没有聚，今日看见驸马的模样，哀家心里也高兴。”皇太后说着高兴，脸上却没有丝毫表情，转向皇帝说道，“只是你那妹妹一个人在信阳待着，总不是个事，这女儿女婿都在京都，她在离宫算什么？”

范闲心中冷笑，知道终于说到正题了。

太后的意思很清楚，驸马都能参加皇族的家宴，为什么长公主不能？皇帝眼神幽冷地说道：“天气冷了，路上不好走，开春的时候就让云睿回来。”

听着这话，皇太后满意地点点头，范闲注意到对面二皇子的左袖有些不自然地抖了抖，应该是知道大援即将抵京，有些激动难忍。只是……为什么太子的神情有些古怪？

这些都不重要。太后对他的态度很冷淡，这点比较重要。他受伤的时候，太后曾经为他祈福。后来他又得了太后赐的那粒珠子，以为老人家的心软了，现在看来只是自己瞎想罢了。既然君不君臣不臣，父不父子不子，祖不祖孙不孙，自己还用得着忌讳那些吗？

殿内的娘娘皇子们对范闲都极为熟悉，知道这位驸马爷不是简单角色，哄人乐更是他最擅长的小手段，不过有些不明白的是为什么范闲如此沉默，不趁着今日家宴的机会，好好地巴结一下皇太后。坐在太后身边的婉儿，有些担忧地看了范闲一眼。

寒夜之中，雪花再起，纷纷扬扬飘洒着。皇宫角门处，范闲坐在轮椅上，微微低着头，面色宁静似无所思。林婉儿有些担心地问道："相公，没事吧？"

"没事。"范闲依然死死低着头，"我只是在冒充狄飞惊而已。"

虎卫与启年小组来了，马车往范府驶去。

林婉儿好奇地问道："狄飞惊是谁？"

"一个一辈子都低着头的人。"范闲抬起头来，望向窗外的皇城沉默了很长时间，忽然笑道，"不说他了，赶紧回家吃羊肉吧，父亲他们应该还等着的。"

第五章 煮茶论身世

离庆国京都约四千里，那座更古老的上京城里，今日雪势极大，鹅毛般的雪纷纷扬扬地落下，大街小巷就像是铺了一层纯白的羊毛毯子一般。那些备着暖炉的宅屋上却积不住雪，露着黑色的檐顶，两相一衬格外漂亮。从城门处便能远远看见那座依山而建的皇宫，宫檐的纯正黑色要比民宅的黑檐显得更深一些，山上雪岩里层层冬树挂霜披雪，流瀑已渐柔弱成冰溪，石径斜而孤清，冬山与清宫极为和谐地融为一体。

这一年北齐也发生了许多事，最令人震惊的自然是镇抚司指挥使沈重遇刺，在雨夜里一枪挑死沈重的上杉虎如今还被软禁在府中——朝廷与宫中的态度很清楚，沈重死后立刻被安了无数罪名，家破人亡，沈大小姐忽然消失无踪。

沈重的突然死亡，对锦衣卫来说是极沉重的打击。本就有些弱的北齐特务机构失去一位颇有城府的领军人物，显得更加孱弱，连带着太后说话的声音都低了不少。

几个月来，所有锦衣卫都有些发慌，不知道朝廷会怎么处置。好在前些天朝廷终于发了明旨，长宁侯家的公子、那位鸿胪寺少卿卫华正式接了沈重之后的指挥使一职。

据说太后属意长宁侯出任指挥使，但被皇帝抵着了，如今让长宁侯的儿子来做，也不知道这一对天天吵架的母子是不是终于达成了某种默契与妥协。

今日锦衣卫重新抖擞精神，拿出了当年的凶狠与霸道，开始执行新的任务。一百多名穿着褐色官服的锦衣卫，围住了秀水街。秀水街并不简单，商铺都有着极深的背景，尤其是中间那七间铺子都是南庆皇商，两国目前正处于蜜月期，而且锦衣卫正自风雨飘摇，应该不会来闹事才对。但事态的发展有些出乎预料，掌柜们站了出来，在风雪中搓着手，紧张地看着锦衣卫带走了南庆酒铺的老板。这位老板姓盛名怀仁，正是南庆内库在上京的头目之一。

玻璃店的余掌柜扶着古旧的门板，战抖着声音说道："怎么就敢抓呢？"

伙计轻声说道："说是京南发现了一大批囤货，没有关防文书，连税票都没有，锦衣卫沿着那条线摸到上京，把这位盛老板挖了出来。"

风雪扑面而来，绕身而去，余掌柜面有忧色看着撤走的锦衣卫，心想内库往北面走私来就是长公主的买卖，北齐方面一直默认，享受着低价带来的好处，怎么今天却忽然动了手？

美丽的皇宫之中，年轻的小皇帝窝在暖褥里，一手拿着块点心，一手捧着一卷书专心看着。

新任镇抚司指挥使卫华鼓起勇气打断陛下的走神，说道："一直以来，崔家和信阳方面帮了朝廷不少忙，面子上有些过不去，依太后的吩咐，那些有身份的最后还是放了。"

年轻皇帝没有瞧他，说道："妇……人之仁，既然已经翻脸，还看什么旧日情分？"

他在这里说着太后的不是，卫华自然不敢接话。皇帝目光依然停留在那本书上，继续说道："不过抓不抓人无所谓，货……截下来多少？"

"消息准确，南蛮子又想不到我们会破了旧日的规矩，措手不及，吃了不少的亏。”卫华有些兴奋，又有些不解，道，“这事有些不对，范闲就算要和南庆长公主抢内库，也没理由送这么大份礼给咱们。以他如今在南庆的实力完全可以自己吞了这些货物，而不让这些货流到北边来。”

“送朕一份大礼，自然是有求于朕……据南方来的消息，范闲在我们之前就动了手，南人应该不会怀疑朕在与他联手分赃，只会以为朕是在趁火打劫。只是……”皇帝忽然放下手中的书卷，眯着双眼看着卫华，眼中警告的意味十分清楚，“这件事情，朝中拢共只有五个人知道，我不想因为你的缘故，将消息泄露出去。”

卫华大惊拜于地，发了个毒誓，又说道：“请陛下放心。”他虽然是长宁侯的儿子，但实际上与皇帝更加亲近，这次能够执掌锦衣卫是皇帝给他的一次机会，他当然要紧紧抓住。

“庆国使节还在抗议？”皇帝忽然感兴趣地问道。

卫华苦笑道：“那位林大人天天在鸿胪寺里大吵大闹，为崔家鸣不平，说朝廷不查而办，强行扣押崔氏货物与钱财是胡作非为，大大影响了两国间的邦谊。”

皇帝骂道：“崔家是什么？是庆国最大的走私贩子！朕帮南蛮子管教臣民，他们不来谢朕，还来怨朕，这些南蛮子果然是些不知道礼数的家伙。”

卫华苦笑地想着您帮异国管教商人，可吃到嘴里的货物与银子却不肯吐出去，哪里说得通。

“最麻烦的还是那个王启年。林大人只是在鸿胪寺里闹，这位王大人却天天跑太常寺，要求进宫见陛下，说崔氏乃是庆国著名大商，他们身为庆国官员，一定要维护崔氏的利益。”

皇帝怒极反笑道：“范闲不仅自己有趣，连心腹也是这般胡来……明明是他自家主子想咬死崔家，这么一闹不仅替范闲洗干净了屁股，还顺手污了朕一把。”

对南方那位同行，卫华依然警惕，说道：“如果将这件事情的原委传回南庆，让南庆皇帝知道范闲慷国家之慨，暗通本朝，只怕会雷霆大怒……说不定他再也无法爬起来了。”

夏日里的两国谈判，让他知道范闲这个温文尔雅的书生骨子里是怎样的冷漠狠辣，接任锦衣卫指挥使后自然将对方视作最大的敌人，时刻想着怎么能够让对方倒霉。此时想到这个让范闲再难翻身的毒计，他不由心生亢奋，满脸期望地望向皇帝。

令他失望的是……皇帝依然摇了摇头。

“把目光放长远一些。”皇帝带着嘲笑之意说道，“崔家的这些货本来就在国境之中，朕要夺这些货有什么用？难道朕还瞧得上这些商人的银钱？朝廷以往一直在与那位长公主打交道，双方都得了不少好处，这次与范闲合作，原因难道你不明白？南朝的内库，马上就要姓范了，如果你没有足够的把握将他消灭，那么最好还是对他客气一点。”

卫华辞出后，皇帝放松了许多，伸了个不雅的懒腰，打了个大大的呵欠。一位容颜媚丽，身着华贵宫服的女子掀帘走了出来，看着新任指挥使大人离去的方向，好奇地问道：“在说什么呢？听着好像和范闲有关。”

“理理，一听见范闲你就这么紧张，就不怕朕吃醋？”年轻皇帝一把将她揽了过来，搂入怀中轻薄着，在她的耳边说道，“范闲在南边对信阳动手了，朕……小小地配合他一下。”

司理理咏咏地一笑应道：“他可是咱们的媒人。”

年轻皇帝一想也对，如果不是范闲出了那么个“怪主意”，让苦荷叔祖收理理为徒，以理理的身世身份想要入宫，还确实有些麻烦。

“在看什么呢？”司理理好奇地抢过皇帝手中的书卷。皇帝着急了，反手抢了过来，说道：“范闲专门寄给朕的《石头记》，最新一章……全天下独一无二，可别弄坏了。”

司理理偎在他的身边，轻声说道：“范闲怎么就敢……对自己的丈母娘下手？”

皇帝摇了摇头说道："这厮的胆子竟似比朕还要大不少，南方那座宫里比咱们这边儿要复杂太多，谁知道呢？"

上京古城有条玉泉河，越往上游走，离皇宫越近，也就越安静。今日大雪，河畔岸间隐有冰屑，苦寒无比，在能看到皇宫黑檐的地方竟有一座小园子，也不知道是什么样身份的人才能在这里住着。

一个约莫十三四岁的少年在园子里做苦力。少年面庞微胖，拉着园中石磨，咬牙转着圈，石磨发出吱吱的响声，在这寒冬天气，衣衫竟是被汗水打湿了后背，真是说不出的可怜。转了几圈，少年终于受不了了，将手中的把手一推，回过头怒骂道："又没有豆子，让我推这个空磨干什么！难道你连头驴都买不起！"

海棠朵朵坐在屋檐下，躺在贴着厚褥的躺椅上，看着檐外呼啸而过的雪花出神，听着少年的怒吼，慵懒无比地说道："下雪到哪里去买豆子？至于驴……现在不是有你吗？我前几天就把驴子卖了，你哥哥前些天才来信让我好好管教你，听话噢。"

范思辙真的抓狂了，骂道："你是我什么人？凭什么管教我？"

海棠没有应话，双眼微闭，似要在这风雪的伴奏下入睡。

范思辙知道自己不听话，连饭都没得吃，只得重新握住了石磨的把手，咬牙切齿地说道："长得跟一村姑似的，还想嫁我哥，别想我以后认你这嫂子！"

他终于拉完了五十圈，气喘吁吁地扶着石磨，根本直不起腰，脸上的汗水化作热气蒸腾而起，遇寒气而白，看上去就像整个人都在冒烟。

"擦擦，然后换身干爽衣服，免得冻着了。"海棠递了一沓整整齐齐的衣服给他。

范思辙嚷道："又没个洗澡的地方，浑身汗臭味怎么办？"

海棠笑道："大冬天的，你哥做的那套东西又没运到上京来。"

范思辙忍不住说道："我哥把我赶到北边来……可不是为了让你折

磨我。”

“在皇宫里聊天时范闲曾经说过一句话，我觉得很有道理。”海棠微笑道。

“什么话？”范思辙好奇地问道。

“故天将降大任于是人也，必先苦其心志，劳其筋骨，饿其体肤，空乏其身，行拂乱其所为，所以动心忍性，曾益其所不能。”

其实范闲说孟子这段话的时候，想着的是北海畔的海棠春景。不过范思辙和海棠并不知道那人的龌龊想法，范思辙战着声音说道：“晚上……不会还没饭吃吧？”

海棠微微一笑说道：“晚上不在这儿吃。”

园外有人极其恭敬地接了一句：“二少爷，晚上属下做东。”

范思辙大讶于此人接话如此自然，回头望去竟是王启年！他乡骤遇亲人，想着这些日子里的苦楚，想到马上有可能脱离苦海，他哇哇怪叫着，往篱笆墙外冲了过去。

“吃完饭，还是要回来的。”海棠在后面轻飘飘丢下这句话，穿过漫天风雪，钻进了范思辙的耳朵里，让他无比失望，吼道：“我是来上京挣钱的！不是来当苦力的！”

海棠复又坐回了躺椅上，说道：“一千两银子哪有这么容易变成一万两？我就觉着范闲把你逼得太狠，不要忘了你的银子现在都在我手上。”

篱笆外的王启年对范思辙使了个眼色，示意这位小爷最好别得罪朵朵姑娘，连小范大人在这位姑娘手上都没得着便宜，您这是何苦来着？

范思辙闷哼一声，推开篱门。

王启年对檐下的海棠行了一礼，说道：“海棠姑娘，那我这就去了。”

海棠忽然说道：“王大人真准备这么急着让他接手崔家？”

王启年想不到对方竟连范提司的这个安排都知道，不清楚范闲与海棠之间究竟有多少默契，苦笑着应道：“姑娘这说的什么话？”

“最近那封信您也看了？”海棠微笑着问道。

王启年满脸苦笑地说道："职责所在，海棠姑娘恕罪，还请在信中代小老头儿分说几句，让提司大人别欺负我家闺女。"

海棠笑了起来，心想此人果然有趣。

马车离开了小院，园外安静下来，风雪交杂，呼啸而过，她清明无比的眸子里映着檐外纷纷落下的雪花，还有檐角渐长的凝冰，不由得闪过一丝喜悦与满足。

"老师，您来了。"

此时有一人缓缓踏雪而来，风雪在这一瞬间消失了一般，只听得见那人每一步落在雪上，所发出的沙沙之声。那人没有穿鞋，赤足踩在雪地上，坚定而诚恳，不一时便到了园子前方，轻轻推开篱门，径直走到檐下，伸出手掌在海棠脑袋上轻轻一抚，说道："来看看你。"

这人便是天下四大宗师之一，被世间万民视为神祇的苦荷国师！

如果让范闲看着这一幕，一定会腹诽对方长得如此平常无奇，比竹帅差远了，亦是远远不及叶流云脚踏半舟逐浪去的风采。尤其是他取下笠帽，露出那颗大光头后，更没有一丝超然世外的脱离感，只是个很简单很常见的老人而已。只有那件纯白色的朴衣、赤裸的双足宣示着苦修士的身份，虽然当年从神庙回来之后，他就再也没有进行过一次苦修。

海棠向老师行了一礼，请他入屋，奉茶，如小女生一般。苦荷面容清癯，双唇极薄，双眼陷得极深，眼神更加深远。他看着自己真正的关门弟子，怜爱地说道："为师自西山来。"

海棠吃惊地问道："找到肖恩大人的遗体了？"

苦荷放下手中茶杯，说道："老朋友在绝壁间的一个山洞里。"

海棠神情微异道："西山绝壁？"

苦荷自南方归来后便闭关不出，有些人猜到这位大宗师应该是受伤了，却不知道能让他受伤的人是谁？有人猜是四顾剑，有人猜是叶流云，还有人猜是庆国隐藏最深的那位大宗师。但谁都没有想到，与他两败俱伤的是一位无人知晓其身份的瞎子少年。

苦荷伤好后，第一件事情便是细细查问肖恩回国后的动向，天一道秉承神庙之风，极少干涉政事，但对肖恩的死活，这位外物早难萦怀的大宗师却是十分看重。

西山那处绝壁已经搜索了许多次，山上山下都没有找到肖恩的尸体，这便成了北齐朝野最担心的问题。但对海棠来说，既然狼桃师兄断言肖恩生机全无，她自然会相信。苦荷大宗师对首徒的判断也没有怀疑过。所以北齐人只是在思考一个问题——肖恩的尸体究竟在哪里？

北齐人想不到这个世界上居然有人能像壁虎一样，在西山如镜子一般光滑的绝壁上爬上爬下。直到苦荷亲自前去查探，不知道花了多大的功夫，终于在这大风雪天里于绝壁山洞里发现了肖恩的尸体。海棠这才注意到老师的脚背有一道小小的伤口，关切地问道："那处绝壁怎么下得去？"

苦荷微微一笑叹道："下去有些麻烦，却不是做不到，系根绳子就好了。只是想不到狼桃逼下崖去的那个地方竟然可以轻易逃脱。"

海棠微低着头说道："或许他身上带着钩索之类的东西。"

"钩索也没有借力的地方。"苦荷含笑望着她，"你当然记得西山绝壁的模样。"

海棠叹了口气道："这事情真是想不明白了。不过事情已经过去了好几个月，难道肖恩大人的遗骸没有被山间的苍鹰吃掉？"

苦荷两道如雪般的眉毛微微一飘，温和地说道："那山洞极浅，按理讲，早应有凶禽来助肖先生上天。没想到我沿绳而下，看见的竟是肖先生完好如初的遗骸，他的身旁倒是倒毙着几只死鸟。鸟儿都已经化作了枯骨，偏他的尸体除了有些脱水之外，没有腐烂。"

海棠闻言一怔，旋即明白了，说道："好厉害的毒。"

苦荷轻轻点了点头，很平常地转了话题："说说范闲这个年轻人吧，我对他很好奇。"

海棠心里咯噔一下，知道无法替范闲遮掩什么，轻声说道：“肖恩出京后的那夜，范闲一直待在使团，不过没有人亲眼见过他，我第二日去的时候，他正躺在床上……当初师兄便认为那个与肖恩一起堕崖的黑衣人就是他，而且他确实也是极善用毒的人。”

这个世界上只有肖恩与苦荷两个人接触过神庙。皇帝将肖恩千辛万苦救回北齐，苦荷却要杀他，如今知道范闲可能是肖恩临死前最后见到的人，以苦荷对神庙秘密如此小心的态度……出乎她的意料，苦荷没有继续这个话题，只是意味深长地望着她笑了笑，饮了一口杯中的清茶，说道：“朵朵的茶，越来越好喝了。”

“老师谬赞。”海棠有些不安地回道。

“我想，我知道范闲是谁。”苦荷忽然轻柔地说道。

这句话无头无尾，海棠有些不明所以，怔怔地望着他。

苦荷缓缓站起身来，面上浮出一抹温和的笑容：“这个年轻人来北齐之前，为师出去了一趟，还受了伤，我想你一定很好奇，这个世界上有谁能够伤到我。”

国师苦荷代表着北齐的精神气魄，他受伤的事情一直秘而不发，海棠虽然知道，但不知道详细的过程，顿时提起了注意力。

“是一个瞎子。”苦荷转身望着园外的风雪，悠悠说道，“是一个为师很多年前就见过，而且从来没有忘记过的瞎子。”

海棠大惊，心想这个世界上有人能够伤到老师，已经是惊世骇俗的事情，没料到对方竟然不是位世人皆知的大宗师，却是位……瞎子！

苦荷继续说道：“很奇怪的是，这位实力很恐怖的瞎子……却似乎忘记了一些事情，忘记了很多年前，我曾经和他见过面。”

海棠安静而专注地听着，不敢说一个字。

“这个瞎子已经消失了很多年。”苦荷的脸上笑容再起，“没想到忽然间又出现在这个世间，而且第一个找的人就是为师。说起来，为师这颗早已古井无波的心竟也有些隐隐骄傲。”

海棠越发听不明白。

“这个瞎子曾经教训过四顾剑那个白痴，曾经把叶流云打得弃剑不用，终成一代宗师。”苦荷叹道，“没想到他这次会主动找上我，这和他往年秘不见人的风格完全不一样。”

海棠忽然开口问道：“莫非这个瞎子，就是那位最神秘的大宗师？”

苦荷摇摇头，那双能够洞察一切的眼睛也流露出一丝迷惘：“不是，瞎子他从来不需要这种虚名。至于我们四个人里最神秘的那位……应该还一直在庆国的皇宫里。”

海棠有些不明白，既然没有人见过那位神秘的大宗师，为什么世人笃定有那个人的存在，而且那个人存在于庆国的皇宫里？

“道理很简单。”苦荷笑了起来，“多年前，四顾剑曾经三次入庆国皇宫刺杀庆帝。”

海棠轻声一呼，她才知道原来四顾剑竟做过如此疯狂的事情，以大宗师的境界去当杀手，就算庆国皇帝是天下权力最大的人只怕也很难抵挡。猜到她在想什么，苦荷轻声说道：“知道这件事情的人都和你的想法一样，认为四顾剑有很大的胜算……可惜，在一个月之内他接连失败了三次，没有受伤，也没有找到任何机会。”

“那个瞎子……当时在不在庆国皇宫？”

“那时候瞎子正和叶家的小姐，在庆国的江南，修那座内库。”

“叶家小姐？”海棠更加吃惊，她是如今天下年轻一代里最出名的人物，但知道老师今天说的这些当年秘辛里的每一个名字都是怎样的了不起。

苦荷很自然地将话题转了回来，回身望向海棠说道：“这下你明白了吧？”

海棠睁着明亮的双眼，摇了摇头。

“范闲是谁？”苦荷平静地看着自己的女徒，自问自答，“范闲就是叶家女主人的儿子。”

风雪如诉，小院安静异常，直到很久之后，海棠才从震惊里摆脱出来，却又生出更多不解，心想范闲是……南朝户部尚书的私生子，怎么又和叶家扯上了关系？叶家？当初那个以商制天下的叶家？那个设置监察院，修了内库，延绵遗威直至今世的叶家？

苦荷坐了下来，叹道："肖恩一直被陈萍萍关着，不知道叶家小姐的身份，为师却恰好知道瞎子他是叶家小姐的仆人，这次将为师调出上京自然是要方便范闲做事。"

海棠有些不确定："这般推理勉强了些，也许那位瞎……大师只是不甘山中寂寞，才出山挑战老师，与范闲北上一事并无关系。再说当年的叶家不是被灭了门吗？"

苦荷笑了起来："你想想范闲如今在南朝的官职，再想想他从澹州出来之后，南方朝廷里的异动，事情真相就很明白了。不要说什么灭门的话，当年叶家的掌柜都还活得好好的，南庆朝廷里的有心人为叶家小姐保留一丝血脉，不是什么出奇的事情。"

海棠不知该如何言语，老师说得对，范闲就算是范尚书的私生子，就算他有诗仙之名、高手之实，以他的身份地位也远远不可能企及如今的高度，更不可能左手执监察院，右手掌内库——是啊，监察院与内库，这不正是当年叶家留给这个世界最厉害的遗产？

那位时常与自己通信的温柔年轻男子，竟有这般复杂与可怜的身世？

"你刚才复述了范闲在酒楼上念的那首小辞……"苦荷轻轻拍了一下犹在沉思之中的女徒儿，微笑着说道，"你只从这首小辞里发现对方是《石头记》的作者，但你仔细体会一下，说不定会发现范闲借此小辞还在抒发着一些别的情绪，比如愤怒，比如不甘。"

夏日上京百岁松居之上，范闲与海棠饮酒，酣时曾念一首小辞。

留余庆，留余庆，忽遇恩人；幸娘亲，幸娘亲，积得阴功。劝人生，济困扶穷。休似俺那爱银钱、忘骨肉的狠舅奸兄！正是乘除加减，上有苍穹。

冬日园中的海棠在心中复念着，终于体会到了老师所说的那些情绪，霍然抬起头来，震惊无语。

此时远在南庆苍山中泡温泉的范闲，如果知道这一对师徒竟然如此草率，凭这首小辞就定了自己的出身，一定会气得从温泉里跳出来，裸奔至上京痛骂一番，解释这是老曹写的，只不过恰巧和自家的身世有些相似而已。

没过多久，海棠恢复了平静，说道："这件事情可大可小。"知道了范闲的身世，当然能想到他与南庆皇室之间肯定会有许多问题，怎样利用是个需要仔细斟酌的问题。

"范闲是叶家后人的消息……让全天下人都知道。"苦荷大宗师很温柔地说道。

"那位瞎大师？"海棠有些惘然，不知道怎样才能尽可能地保护范闲的利益。

"虽然瞎子似乎不认识我，但我想他既然刻意出手留下这些线索，或许……正是希望通过为师将这个有趣的消息告诉这世上的人们。"苦荷悠悠下了结论，"他已经不想再等，要催范闲加快步伐了。"

田园风雪后，屋中茶香犹存，在安静的空间里飘着。

海棠轻声地说道："徒儿知道了。"

苦荷没有看她，微笑着说道："范闲信中是不是找你讨天一道的心法？给他。"

给他？很干净利落的两个字，却惊得海棠愕然抬首，不知道老师是在开玩笑，还是患了失心疯——天一道的无上心法是不传之秘，就这样轻松地送给一位南朝权臣？

苦荷轻声道："这是他母亲给我的东西，还给他也是理所应当……更何况对我大齐来说，范闲越强，南朝皇室就越头痛。既能满足为师心愿又于国有益，两全其美，为何不做？”

叶家当年化为云烟，庆国皇室要承担最大的责任。而且叶家产业全部被庆国皇室据为已有，范闲是叶家后人的消息传了出去，庆国皇室一定会在最短的时间内抹杀他，双方必然撕破脸。海棠不知道范闲的另一个身份，有些担心地说道：“如果范闲这一次顶不住，怎么办？”

苦荷摇头道：“颠覆叶家的那些王公在十几年前的京都流血夜中就死干净了，为师真的猜不到后面的事情会发展成什么模样，叶家究竟还有没有仇人依然潜伏在南方的皇宫里呢？或许那个瞎子，也是想借这件事情逼那些人现身吧。”

身为北齐国师，苦荷当然首要考虑的就是北齐的利益、宫中那对母子的江山，范闲会面临怎样的困境并不在他的考虑之中，他微笑着说道：“就算范闲无法迎接即将到来的冲击，有瞎子坚定地站在他的身后，就算他失败了，想死也不是一件容易的事情。”

用天一道的心法换来一个如此强大的敌人，这未免也太冒险了，更何况苦荷的那句话说明了一个很震撼的事实——天一道的心法竟是范闲母亲给他的！

“叶家小姐……究竟是个什么样的人？”海棠震惊地问道。

苦荷微微皱眉，苦思许久之后轻声说道：“最开始的时候我以为她是位不沾红尘的小仙女，可后来才发现并不是这么回事……”

“天脉者？”海棠有些不确定地问道。

“不。”苦荷继续笑着说道，“叶家小姐是一位远远超出所谓天才太多的神奇女子。”

海棠沉默了很长时间，问道：“肖恩大人的遗骸怎么处理？”

苦荷起身说道：“和庄大家在一处。这兄弟二人生前陌路，死后同行，也算不错。”

海棠再次震撼无语，直至今日她才知道原来肖恩与庄墨韩竟是亲兄弟。

“这是老一辈的事情，你们年轻人有自己的世界。心法要亲手交到范闲的手上。”苦荷说完这句话，笠帽一翻，遮住了那颗苍老而光滑的头颅，迈步消失在风雪之中。

第六章 山居笔记

苍山白雪，有雾气蒸腾，数十只美丽的丹顶鹤正撑翅而舞，离地不高便又飘然落下，畏惧地试探着伸出长长的足踩一踩雾气下方——被雪松包围着的那几大泓温泉。

温泉水温有些烫。范闲闭着眼睛，赤裸着上身，泡在温泉里。只见他脖子向后仰着，头放在硬硬湿湿的黑石上，大部分的身体都没在水中，露在外面的肌肤现出一层红润，并不粗壮但十分有力的双臂摊在石头上。两根瘦削的手指稳定地搭在他的右手腕间，费介闭着双眼，眉毛一抖一抖着，缭乱的头发因为沾了泉水，而变得前所未有的顺贴。

被召回京后，费介才知道范闲领着一家大小进苍山过冬，便赶了过来。

“你的身材倒是不错。”费介睁开双眼，眸子里那抹不祥的褐色越来越深，“平日穿着衣服倒看不出来。”

范闲也睁开了眼睛，笑着说道：“三处的师兄弟们早就赞叹过我的身材了。”他顿了顿，接着问道，“老师，有什么法子没有？”

费介从颈后取下白毛巾，在热热的温泉水里打湿后，用力地擦着脸上有些松弛的皮肤，半晌没有说话。范闲叹了一口气，看老师这模样，就知道他对于自己体内真气的大爆炸再消失，没有什么太好的办法。

“给你留的药你不肯吃。何必逞强？吃了顶多也就是真气大损，至少不会爆掉。”

“真气大损和全无真气，对于我来说有什么区别？”

“至少你还有自保之力。”

范闲笑了起来，自信地说道：“保命的方法，我还有很多……您也知道，我从小到大就不是一个靠武技打天下的蛮人，以往凭着自己的小手段就可以和海棠斗上一斗，如今虽然真气全散，但我并不以为，如果碰着什么事情自己就只有束手等死的份儿。”

费介叹道：“真是个小怪物，对于武者而言，真气的重要性不言而喻，你就算有虎卫守着，有六处看着，可也总要流露几分感伤与失望才对。”

“那是多余的情绪。”范闲的脑中浮现出五竹叔幼时的教导，说道，“如果治不好，那我就要接受这种现实，长吁短叹对改变境况没有什么帮助。”

这时候的他并不清楚在遥远的北方，那对高深莫测的师徒很儿戏地认定了自己的身份，并且想借揭破这个身份搅乱庆国的朝廷，将他推到庆国皇室的对立面去。好在两国相距甚远，流言就算飞得再快，目前也没有可能传到庆国境内。叶家后人的身世并不是他此时最大的危险，最头痛的烦恼。他如今只是想恢复体内的真气，治好那些千疮百孔的经脉管壁。

“先养着。”费介沉忖许久之后说道，“我会开个方子，你按方吃药。另外给你小时候留的那些药，也不要扔了，还是有用处的。”

范闲心想自己真气已经散了，还吃那个散功药做什么？其实费介也不知道还有什么用，只是顺口一提，却没料到很久后还真让他用上了。

费介接着说道：“你借口养伤躲到苍山里来，院里却对崔家下了手。京都里早已经闹得沸沸扬扬，北边生生抓了几百号人，吞了上百万两银子的货。你给崔家安的罪名也实在，看来一个大族就要从此颠覆，你小子下手也真够黑的。”

范闲笑着解释道：“都是朝廷需要。”

监察院对信阳方面的宣战来得异常猛烈和突然，出手极为狠辣，遍布天下的暗探早已将崔家往北方走私的线路掐得死死的，言冰云指挥四处悍然出手，竟没给信阳方面任何反应的时间，就控制了绝大部分的人货银钱。这个计划从夏天一直筹划到现在，得到陛下的默许才悄然开始，以有心算无心，长公主吃了极大的一个亏。

“这次你真是将长公主得罪惨了。”费介摇头道，“崔家是长公主的一只手，你将她这只手斩了下来，难道不怕她……”

话没有说完，范闲明白老师的意思，说道：“最初的时候我也有过担心，可后来与二殿下斗了一番之后，我忽然发现有陛下支持，有监察院……世上还有谁能与我抗衡？”

费介知道范闲不是个得意忘形的庸人，安静地听着他接下来说的话。

“我的资源太强大了。”范闲叹着，“不论皇子还是朝中的大臣都已经不是我的对手，院长大人曾经吩咐我将眼光放高一些，我现在才明白，身为监察院提司确实应该要有这种自信。朝廷，归根结底是一个暴力机构，除了军队没有哪个衙门能和监察院相提并论，陛下对军方又一直抓得极牢，这次将叶家赶出京都就是一个明确的信号。而且陛下早在开春的时候就将燕小乙调离了京都，信阳方面拿什么和我较量？”

从澹州至京都不过两年时间，顺应时势变化，在陈萍萍与范建这些当年母亲战友的努力下，在皇帝的默许下，这位年轻的漂亮公子哥儿在极短的时间内就拥有了世人难以想象的权力。这种权力甚至连他自己都没有太过真切的感受，直到在京都里轻而易举地打掉二殿下，他才猛然察觉过往太过低估自己。只要圣眷一日不退，只要宫中那位老太婆还顾忌一下血脉问题，只要陈萍萍像如今这般留在陈园养老，将监察院的所有权力都扔给他去玩，他就能稳稳地站在庆国朝堂上，不需要担心任何问题。

费介问道：“燕小乙在北边，难道这次没有出手？”

“征北营远在沧州之外，营中悍将无数，十万雄兵……”范闲嘲笑道，“却是根本反应不过来，不过崔家几位大老应该逃往了营中，沧州那条线四处没能完全掐死。”

费介望着他笑了起来：“不错，真的不错。”

范闲终于谦虚了一把：“我只是下决心的人，事能做得这么漂亮全亏了言冰云。”

费介笑道：“不过半年，你就能把若海的宝贝儿子拉到自己的阵营中，让他殚精竭虑为你谋划，你……真的不错。”

范闲想到那位沈大小姐这时候应该正在苍山别庄里与婉儿她们打麻将，心想等崔家的事情了结后，是不是应该请小言公子也进山泡温泉？马上他又想到另一件事，望向费介恳请道：“老师，昨天说的事情，还请您好好考虑一下。”

费介皱起了眉头，咳了两声，说道：“一个如花似玉的姑娘，你让她跟着我学医……就算我答应你，尚书大人也不会允许。”

“父亲那里我来说。”范闲求道，“妹妹是真喜欢医术，老师您就费费心吧。”

费介骂道：“我叫费介，又不叫费心。”

范闲开颜一笑，知道老师发脾气，那就是允了。费介眉间忽然闪过一丝忧愁，说道：“可你想过没有，院长和我的年纪都大了，我们总有去的那一天。”

范闲默然片刻，忽然说道：“我想，院长应该将我猜到自己身世的事情告诉了您。”

费介面无表情地点点头：“至少到目前为止，陛下……对你足够好。”

范闲不否认这一点，皇帝能够“大方”地将监察院和内库都交给他，这种连皇子们都难以拥有的权力，放在一般人心中足以弥补所谓的名分问题。但他不是这个世界的人，他要求的其实更简单一些，看问题也会更简单一些——内库与监察院本就是母亲的，不是你庆国皇室的，你给我是应该的，你不给我那是你无耻。

费介不清楚他的想法，叹道：“当年在澹州的时候，你说想当医生或是厨师，其实我很高兴，但也有些小小失望，小姐当年的家业总是需要你来继承才是。如今眼看着你即将继承她的一切，我却又有些隐隐的害怕，不知道你将来会不会后悔。”

范闲明白老师担心的是万一哪天皇帝觉得自己实力太强，对日后的储君造成了威胁，那该如何？他安慰道：“您别担心，至少几年之内我想陛下应该会信任我的忠诚。”

他摸了摸自己胸口处的那道伤疤，疤痕处还有些痒，今日被温泉一泡，显得愈发地红润，有些狰狞。

“不要忘记，她是太后最疼的女儿。”费介警告道，“而且她是一个疯子，正面的战场上不是你的对手，会有些疯狂的手段，就像往年的牛栏街上一样。”

范闲说道：“别院里有婉儿，她自然不会动手。至于京都里面，她要忌惮陛下。她真要出这口气，最好的机会就是趁着我受了伤，又不在皇上眼皮子底下的时候杀了我。”

费介道：“你明白这一点就好。”

范闲笑道：“如今的我，不是那么好杀的。”

嗤的一声，就像是一个书童拿了把刀，细细地裁开一封宣纸。苍山温泉后方一里地，松林中洁白晶莹的雪地上，骤然飘过一道红艳艳的液体，落在地上迅疾染开浸下，颜色再难抹去。

一个刺客捂着咽喉，嗬嗬作声，倒毙在雪地之上，发出一声闷响。监察院六处的剑手缓缓自树后收回那柄寒剑，对着丈许外的高达行了一礼，又消失在雪地之中。

“第七个。”高达沉着脸对属下说道，“待会儿抬到后山去烧了。”

“是。”

最近这些天，潜入苍山意图行刺范提司的刺客越来越多，信阳方面果然有些疯狂，在崔家覆灭之后，选择了最直接的报复手段，只是明显低估了范闲身边的防卫力量。

七名虎卫是陛下遣给范闲的贴身保镖。但在这场行刺与反杀的小型争斗中，真正恐怖的还是监察院六处那些剑手。这些剑手是庆国官方刺客，如今对上信阳方面的刺客，自然是杀得无比熟练，防得滴水不漏，不过三天时间便杀了七个刺客，自身毫无损伤。

范闲受伤之后防卫提高了几个层级，尤其是陈萍萍大怒后，监察院六处羞愧之余做出了反应，直接在范闲的身周布置了十二名剑手——这种规格以往是陛下出游才有的待遇，在陛下惯用虎卫之后，整个天下就只有陈园才会防备得如此严密。

范闲知道这种安排后，吩咐启年小组的人撤了大半，一处的人一个不准跟自己进山，只留下邓子越和苏文茂二人专司联络之职。对于陈萍萍的“震怒”，他是当笑话在看——你个老跛子喊人捅了我一刀，这时候又来骂你的属下没有保护好我，真是无耻之极。

信阳方面的刺客首领，穿着一身白衣，藏在雪中，注视着山间。他虽然早就将性命交给了公主殿下，也不免有些心寒。整整三天了，不要说杀死范闲，信阳刺客们竟是连范闲的面都无法看到！属下的接连无声死亡让这个刺客首领第一次生出了暂退之意。

监察院六处的刺客们太厉害，似乎能嗅到雪山中的每一丝异样气息，能够找到所有潜伏着的危险因素，有这样一批人保护范闲，除非信阳方面调军队上山才能杀死他！

刺客首领决定潜出雪面，回信阳汇报此次失败的详情。

他身体微动，一粒雪钻入了脖子里，微凉，然后极寒。

一支黑色的铁钎，隔着厚厚的雪，准确地刺入了他的脖子。

世上有一样东西乃是万民之神，诸神之魂，鬼魂也要被迫推磨去挣的无上妙物。

范家马车上常常能见到范族徽记，一方一圆正是这样东西的形状。范老爷做着户部尚书，掌管国库，小范大人马上要下江南接手内库，庆国的财富都让这一家子人管着，连带着家族徽记也是这样充满了铜臭味。

钱，那让人爱死又恨死的钱啊！那让人上得天堂入得地狱，在刀山上傻笑，在火海里痴舞的钱啊！

不只百姓们爱钱，朝廷更爱钱，才会设置诸多税种，恨不得将地皮刮下三层。庆国朝廷打从一开国起，就在田产徭役之外对盐铁茶征税。后来由于叶家的突然崛起与消亡，内库就成了朝廷最大的银钱来项，对于内库出产的玻璃制品、烈酒、玩物、船舶，朝廷理所当然地征以重税，而且看管得一向极严，由监察院专司负责。

崔家走私被监察院查处，马上震惊了天下，直到今天庆国子民们才知道原来内库竟然出了这么大的缺口，朝廷竟然在关税方面损失了这么多银子！都察院沉默了，被信阳方面收买的官员沉默了，但依然有心存正道的官员们开始纷纷上书，要求朝廷彻查此事，在奏章上没有人敢提到长公主的名字，但矛头却直指信阳。

人人都知道范提司才是这次行动的幕后主使，这样做方便他来年接手内库，但没人敢说什么。太学学生们已经准备上书，请陛下将内库的辖权交给小范大人——范闲的名声的确比长公主要好太多，其中自然也有当年如雪言纸的功劳。最近这些天，京都的茶铺饭桌里又开始流传另一些小道消息，听说信阳那位已经开始丧心病狂地派刺客，想谋杀小范大人！

监察院八处的工作效率，果然很高。

但也不是所有的人都能完全看明白范闲与长公主之间的冲突。

有许多清高文士一直纳闷世人为何如此爱钱，甚至不惜抛头颅洒热血。比如史阐立，他现在已经是抱月楼的大掌柜，虽然从贫寒的学生变成了一方富贾，却依然不理解这一点。

长公主为什么一直舍不得对内库放手？甚至最近用如此狠辣的手段来对付自己的女婿？她通过崔、明两家往北齐、东夷甚至是海外走私，从内库里挖这么多银子是为了什么？十几年的时间里她所攫取的大量财富，究竟花到哪里去了？

"养兵。"范闲轻声道，"军队都是陛下的，都是朝廷的，燕小乙贵为征北大都督，如果将来想做什么事情，只怕还敌不过陛下的一纸诏书……你也清楚，在咱大庆朝，尤其是在军中，陛下的威望高到什么样的程度。如果想与这种威望抗衡，世上恐怕只有一种东西可以起到一定的作用，那就是钱。大量的钱。燕小乙手下的军官月入之高只怕你听见了都会瞠目结舌。"

史阐立停了正在抄写笔记的右手，苦笑了一声。他这次入山是受太学所托为范闲作传。自从范闲发行了《半闲斋书话》，他在庆国文坛的地位就已经牢不可破，出行北齐又拉回了庄大家的那一车书，更是近乎宗师。太学当然与有荣焉，决定为范闲立个人物传，再由澹泊书局发行天下，争取来年在北方和东夷城多争取一些学生来庆国参加春闱。但范闲受伤后就躲进了苍山，很久没有去太学，连舒大学士都找不到他，只好通过七拐八拐的关系，找到了如今京中范大人唯一的门生史阐立。

史阐立也觉得这件事情大有可为，再加上太学正亲自出面相邀，心想这比在抱月楼当妓院老板要光彩许多，便屁颠屁颠地跑进了苍山。他运气好没有看到雪地里的那些死人，但哪里料到事情的发展却与他想象的不一样。虽然门师被自己苦苦哀求留在了书房里，可是……门师却偏偏不讲自己的人生治学诗道，总在讲朝廷的秘辛，比如监察院是怎么整倒二皇子，长公主为什么不肯放手内库！

这些事情，他哪有这个胆量抄在纸上！就算自己敢抄，给太学那边八百颗脑袋，他们也不敢印出来发行。他看着门师，苦着脸说道："老师，这些事情……总不能入传的。"

对于立传这件事情，范闲本身就觉得很荒谬，心想自己年纪轻轻，难道那些太学里的读书人就准备给自己盖棺定论？看着史阐立为难的模样，他笑骂道："入个屁的传！"

他说了句脏话后又说道："太学是不是闲得没事了？庄大家的那些书他们什么时候能整理出来？澹泊书局等着开印，陛下也催得紧，你又不是不知道，陛下要我三年之内弄完……这些吃白饭的家伙只知道拍我马屁，也不知道做点正事。”

史阐立替太学方面解释道：“庄大家的书已经开始逐批印刷了。”

“便说给我立传这荒唐事吧。我这一生虽然写过几首诗，唱过几句曲子，与庄大家有过两次交谈，但你难道不清楚，我最光彩的、真正能拿得出手的事业……就是这些见不得人的阴秽事。我最骄傲的是这些杀人用毒，不是那些风花雪月，你能写，你敢写？”范闲盯着史阐立的双眼，继续说道，“如果你想为我立传，等将来哪天我死了，或者这个时代的人都死了，而你还挣扎活着，再议不迟。”

这话说得实在，甚至是有些近似于罗梭的自我剖析，只是没有一丝忏悔的味道。

史阐立知道立传的工作是做不成了，但被范闲先前说的那些朝廷秘辛勾起兴趣：“燕小乙大将一味用钱买忠……就算是想造反，我看也没什么用。”他现在如澹州来的思思一般，胆子大了许多，说话也直接了许多。

“陛下对军队抓得紧。”范闲眉头一挑，说道，“长公主她没有什么空子可钻，只有燕小乙这样一个心腹，当然要大笔银子洒出去，能挣一分忠心便是一分。”

“蓄将养兵虽然花费极大，但那是内库啊！十年的时间，难道就只够做这点事情？”

“当然不止。”范闲像老师一样讲解道，“二皇子要收买京官，这需要钱。掌握舆论，这要钱。要结交地方大员，那些一方诸侯也要钱。官字两张口，咱们庆国的这些官员身体又都那么健康，嘴巴张得极大，想喂饱这些人实在是花费极大。”

史阐立皱眉道：“这等于是要造反了。”

“你先前就说过。眼下还只到了夺嫡这一步，如果二殿下真的成功，将来皇权在握，他与自己的小姑姑将送出去这些银子再拿回来，也是简单无比。”范闲想到《鹿鼎记》里韦小宝栽赃吴三桂的桥段，笑道，“当然，做了皇帝后哪里还需要在乎这些小钱，整个天下都是他的。”

史阐立倒吸一口冷气：“老师您接手内库，提前掀了崔家，断了对方的银钱来路，对二殿下夺嫡一事造成极大的损害……难怪信阳如此恼怒，比上次京都风波反应强烈太多。”

范闲冷笑道：“反应？四年前我那位丈母娘就开始反应了。”

他的脑中闪回四年前澹州那栋被烧成焦木的小楼，就是在那个楼中他平生第一次杀人。入京后凭着监察院的力量，他把这件事情查得清清楚楚，那一年柳氏之所以对自己下毒，就是宫里的唆使。就是在那一年，陛下第一次提出范、林两家联姻，也就是提出了日后内库的管辖权转移问题。虽然在陈萍萍的强力反对下这门婚事暂时没有成功，却依然让长公主生出了警惕。她当然不愿意放开自己掌握的庞大财富，才会安排人去杀死范闲。

谁也没有想到，三年后趁着陈萍萍回老家祭祖的空当，范建再提此议，终于得到陛下的允许，范建才会让藤子京千里奔波，匆忙把范闲从澹州接到京都来。

想到当年十三岁的自己浑浑噩噩时，肩上就已经挑了这么重的担子，就已经惹上了这么大的麻烦，如今已是大权在握的范闲，依然有些后怕。

再然后就是牛栏街之事，二皇子设宴相邀，长公主暗中唆使相府二公子组织了一个谋杀之局。算起来，这位丈母娘已经几次三番要杀自己，只是没有成功而已。范闲心想自己这一生所面临的危险，似乎都是由那位美丽得让人忘记她年龄的长公主带来的，而且她没有亲自动过手，只是用些阴谋手段让别人出手——这个有洁癖的女人如今竟然会动用信阳方面的人手来刺杀自己，看来是真的怒了，也是真的慌了。

范闲心想只要你怒了就好，如果还像以前一样心思沉静，自己还真不知如何下手。

牛栏街事件转成谋夺北齐疆土的妙手，还有卖掉言冰云换来北齐朝堂生乱，仅这两桩就可以看出长公主策划阴谋的能力——但他并不畏惧这一点，因为监察院最擅长的也是阴谋，小言公子也是位天才人物。最关键的是，监察院除了阴谋还有力量，而这正是信阳方面最欠缺的。对付阴谋家，简单的刀剑血火向来是最有效的手段。

范闲叹道："长公主真的很了不起。当初满朝文武都以为她是东宫助力，哪有人想到她与二殿下的关系。朝中厌憎她的人，比如我那位已经离开朝廷的岳父下意识里会偏向二殿下，而她代东宫控制的人又随时可以抛出去当恶人。此消彼长，厚积薄发，如果这种局面继续维持个七八年，等陛下年纪大了，说不定二殿下还真可能入主东宫。"

"可惜遇见了老师。"史阐立笑着说道。

范闲并不谦虚，说道："我只是运气好一些，而且你以为陛下和陈院长真不知道这件事情？"

史阐立大惊失色。

"长公主就算再了不起，终究还不是当年这些老家伙们的对手，我不过是被推到前台来的那只手而已，陛下也许只是不想让太后生气。"范闲看着玻璃窗外的雪山，微带怀念地说道，"在这些厉害人物中，其实我最欣赏的反而是早已离开京都的岳父大人。"

史阐立不明白，本以为门师会说最佩服的是范尚书。

范闲说道："我那位岳父世称奸相，却是难得一见的能臣。庆国前些年真是国泰民安，虽有小小不协，终究不碍大局。我最佩服岳父的是，他极能隐忍，极能决断，当初……因为长公主的缘故，四顾剑杀了我二舅哥，岳父立刻同意了我与婉儿的婚事，毫不犹豫站到监察院与父亲这边。不要忘了他与陈院长、父亲在朝中斗了不知多少年。而且手握宰执之权，却毫不恋栈，发现陛下有旁的想法，马上辞官。丢了权势，但毕竟落了个身家平安，家族安宁。"

林若甫辞官后便一直在梧州养老，做一位富家翁，时常与京都有些家书往来。听说最近过得挺不错，身子骨比在京都时还要好些。

范闲感叹说道："岳父大人识人识己，识时识势，实在有太多值得我学习。”

史阐立心中微微一动，联想到目前京中朝阁仍空，只是由门下中书那几位大人协理着政事，小声说道：“老师，您日后终也是要成一朝宰执。”

范闲笑骂道：“别试探我，我没那个兴趣，也没那个能力。治理一国，哪里会真的像煮小鱼儿那么简单？我啊，将来管着监察院是兴趣所在，办理内库，那是陛下旨意，旁的事情是不会做的。”

史阐立笑道：“老师这话有趣，不过单提这两处，也足够羡煞旁人了。”

“告诉你一个消息，你就知道陛下在岳父告老之后，便根本不准备重设宰相一职。”范闲站起身来，拄着拐杖挪到窗边，“文书阁的胡先生已经奉诏起身，往京都来。”

史阐立大惊失色：“哪位胡先生？”

“还有几位？”范闲并未回身，淡淡地说道，“你我尚是顽童之时就力促文学改良的那位胡先生。陛下传他入京，便不会再有吏部尚书颜行书的位置，秦恒也要去做他的京都守备，门下中书就是几位大学士领着，宰相一职再无重设的可能。”

史阐立默然半晌后叹道：“以往只知读书报效朝廷，如今才知朝廷之事果然复杂无比。”

说完这话，仅一会儿工夫他又高兴起来，今天听的这些没有办法入传，对于太学的广告事业也没有丝毫帮助，但数十年后，自己若有机缘将其编入国史中，或者是出一《半闲斋主人山居笔记》，毫无疑问会让自己青史留名，当然，门师必须是历史的胜利者。

想到此事他有些隐隐兴奋，却听着门师笑了起来：“你可知道陈院长比陛下的年纪还小些？”

史阐立大觉惊讶，他曾经远远见过陈萍萍一眼，那位院长大人老态龙钟，眼看着就是要往黄土里去的模样，难道比正值壮年的陛下还要小？

“小一个月。”范闲似笑非笑地说道，“朝政太复杂，操心太多，自然就变成这样，我怀疑将来自己会不会也未老先衰。”

窗外一片凄清雪地，廊柱尽头传来姑娘们打麻将的欢笑声，柔嘉那丫头又死皮赖脸地来了，叶灵儿这个贼大胆神经大条的家伙也从定州赶来了，苍山在冬天里总是这样热闹，与去年相比似乎只少了一位远在北齐的小胖子。

范闲眯着双眼，迎着扑面而来的冷风，沉默不语。邓子越披着雪披来到屋前，正准备敲门，发现窗子开着，走了过去，沉声说道："信阳方面已经退走，院长大人遣了宗追跟了过去。"

那个叫宗追的官员与王启年并称双翼，最擅长追踪，不用担心安全，范闲他看着邓子越手上拿着的纸袋，自然伸出手去。

纸袋里装的是三处的情报以及来往信件。

邓子越的脸色有些奇怪，嘿嘿一笑说道："有一封是从北边来的。"

范闲一愣，马上明白了，笑骂道："一大老爷们儿，别学那些妇道人家长嘴长舌的。"

邓子越将纸袋交到他手上，捂着嘴巴，背转身走了。

范闲将史阐立赶出门去，破开大纸袋外面的第一道火漆，抽出一沓信件，略翻了一下，毫不意外地发现了海棠的来信，先前邓子越那般古怪表现自然是这封信的缘故。

监察院的火漆用的是松香加银朱，没有用灯煤，安全系数更高，信封也是无缝式，不用担心途中有人巧手拆开。先将京都启年小组的消息看了遍，又将三处呈上来的情报看了看，范闲很满意。各处的进展都很顺利，言冰云下手极快，崔家在劫难逃。风声传到江南，连崔家的姻亲明家都开始转移财货，这一招打山震虎看来开始起作用了。

最后他才拿起了海棠的那封信，做事情就应该先公后私。但当他将海棠看似寻常的信看完之后，才后悔自己看得晚了些，哪怕只是这么一小会儿时间。因为信上写的内容太令人震惊！他细长的手指捏着薄薄的信纸，面色凝重，手禁不住抖了起来。

海棠来信的内容很简单，用词造句也并不古意盎然，走的乃是今文一派，范安之的清淡风格，全文抄阅如下。

安之可安？

前封信已经收到，贵国邮路果然方便无比，一个月的行程，居然十天时间就到了。屈指往回数去，你说写信之时京都初雪，在那日上京这里已经下了好几场的雪，而且竟是一直没有停过，天气寒寒的让人好不厌倦。

我这人有一个怪脾气，旁人或许在春秋二时容易犯困。我却是在冬天喜欢犯困。不为别的，只是外面雪大，一应青绿之色全被枯燥的雪白掩盖，没有美景可以娱目，没有树枝可以折下为环，没有小花可以亲近一嗅。园子里虽然有几朵梅，但今年大齐寒胜往常，那几朵腊红骨朵开得惨艳艳的，被冰雪一冻，没有几丝精神，我也动不起心思去赏看。

你曾见过的那头驴已经卖了，不用担心，石磨依然有小家伙在帮着拉，反正没有多少黄豆，一天也只用转个五十圈就好。用卖驴的钱，去置了些竹炭，你说过屋中如果通风不好，容易中毒，所以按你寄来的图纸做了一个烟囱，还别说，屋子里的空气真的好多了。

鸡崽儿们早已经长大了，不过还是怕它们挨冻，所以都养在屋里，味道自然有些不大好闻。不过你也知道，我如今有个下人，所以天天打扫清洗，还算过得去。

王大人倒是来过几次园子，说要邀我吃饭，但你说过他饮不得酒，想了想我便拒了。你当然知道，我是喜爱看人饮酒，尤其是喜爱看人饮醉的。

半年前，在松居酒楼上，你喝醉后哼的那首小令我很喜欢，就是《石头记》上面的那首判词“留余庆”。前些天我将这判词唱给老师听了一遍，老师也很喜欢，说巧姐这孩子身世可怜，其间隐有奇趣，足堪琢磨。那日屋外风雪甚大，寒意侵屋，我与老师对坐饮茶，笑谈君事，也是颇为惬意。不知怎的，便想到数月前与你在上京同游的日子，同是一片清洒自然，感觉极为美好，仿佛眼见你观那轮明月，那座小庙，那道田垄，你从垄内狼狈无比地跑到垄外。

对了，有个消息让我很吃惊，听说肖恩大人的遗骸被人在西山绝壁间发现了，如今虽然已经安葬，但想到你曾经与这位老大人同行赴北，还是告诉你一声，以便你心安。

范闲看到这里的时候，有些怪异的感觉，那位村姑在话语里似乎隐着许多暗语。起初被弟弟当牛做马的可怜生活震着了，失笑无语。紧接着，又被海棠那句话整得惊喜起来，难道对方真的肯将天一道的心法传给自己？一时间，他没有猜到海棠想传递的真实信息，但他又品了品，终于从肖恩尸体被找到、苦荷谈论自己、猜谜语这些话里嗅出了不吉利的感觉。尤其是那句“巧姐这孩子身世可怜，隐有奇趣”！

他神情凝重地将来信重新看了一遍，终于将目光落在了“明月、小庙、田垄”那句上，这句话的出现，实在是有些突兀，和前文后文都不怎么搭。这句话讲的是范闲此生最狼狈的那个镜头，他中了春药之后，一番折腾，提着裤子往那座小庙外面跑，其时蛙声阵阵，田泥湿湿。

这……应该就是海棠要告诉自己的事情。

“从田垄内跑到田外？”范闲皱着眉头，脑中灵光一闪，将“明月、小庙”这两个无用的废词剔开，只看最后那一句。对于范闲来说，这种字谜似乎很简单，从田里跑了出来，那自然是个古字。

不，是叶字！

莲叶的叶，荷叶的叶……叶轻眉的叶！

范闲震惊地联想到信里那些暗语，身世之类，马上明白海棠要告诉自己的究竟是什么。

苦荷知道自己是叶家的后人！

他深吸一口气，揉了揉有些僵硬的双颊，强行让自己平静下来。

海棠既然是暗中通风报信，说明掌握了自己身世的苦荷已经有了将消息放出来的计划，她才会急着透露，让自己早做打算。此时来不及猜想那位大宗师凭何猜到自己与叶家的关系，摆在范闲面前首要的问题是：应该怎样面对接下来的局面！

从时间上判断，北齐方面放出自己是叶家后人的消息，流言插翅而飞，顶多比监察院的情报线路慢上几天，最迟十日之内京都的大街小巷就会开始流传，所有人都会在自己背后张开大嘴，表示他们的震惊。

按道理讲，没人能拿到真凭实据指证范闲是叶家的后人，北齐顶多也就是放些流言。但范闲清楚流言的杀伤力极大，事端一出，人们会因为这个流言刻意而极端地去挖掘自己入京后的种种蹊跷处，从而渐渐相信这个事实。更何况，这本来就是事实。

人心是很奇妙的东西，没有人想到某件事情之前，自然不会无缘无故地将范闲与叶家联系起来，但一旦有人开了这个头，这颗猜疑的种子就会种植于心，逐渐生根发芽，从而将一个流言让天下人人皆知。而对于当年的那些人，宫里的那些人，与自己有利益的冲突的人……自己是叶家后人这个事实，一定会让他们恍然大悟，生出云开月明之感，然后以此向自己发起进攻，或者做别的打算。

他的嘴唇有些发干，回身端起茶壶咕嘟咕嘟灌了两口。这时史阐立过来续了一道茶水，有些烫，将他烫得一哆嗦。一愣之后，他狠狠地将茶壶掷到地上，嘴里骂了几句娘。

砰的一声，瓷茶壶落在地上被摔得粉碎，瓷片四溅。

他不是没有想过自己的身世会被人揭穿，而且关于叶家的这一半，他更是满心企盼有一日当着全天下人的面高声说出来——我是叶轻眉的儿子！

可是，不应该是这样的局面。

在没有任何思想准备和行动准备之前，身世被揭破会给自己带来不可预知的危险和强烈的冲击，今后没有人能预料会发生什么。他非常不喜欢这种被动的感觉，更有些恐惧事态第一次脱离了自己的控制，所以才会感觉到无助的愤怒。

他的脚从碎瓷片上踩过，走到开着的玻璃窗前，看着窗外的寒雪朔风，不知道深呼吸了多少次，才终于平静下来，开始准备面对这次的突发状况。

听到声音的丫头们急匆匆地赶了过来，被他难看的脸色吓了一大跳，吓得不敢进屋去收拾。

范闲挥手示意丫鬟们退下，重新拿起那一沓信件，准备全数毁了。依往常习惯他双掌一合，想将信纸揉成碎粉，不料信纸被揉成了花卷，也没有碎掉。他唇角浮起一丝苦笑，海棠来信给自己的震惊太大，以至于让自己忘了体内真气全无的可怜状况。

绕过回廊，来到庄院里最安静的那个房间前，范闲直接推门而入，虽无真气却有蛮力，门柱咯噔一声脆生生地断了。正在屋内小心地调配着药丸的费介抬起有些疲倦的脸，望着学生咳道："……出什么事了，这么慌张。"

范闲直接说道："先生，大事。"

费介心想，什么事情会让你这个小怪物如此惊慌失措？但等知道具体何事之后，他也惊慌失措起来，搓着满是药粉的双手，杂乱的头发一缕一缕地绞着与自己较劲儿，半晌说不出话。

范闲不由苦笑，心想情急之下来找老师确实不是什么好主意，老师炼毒杀人那是宗师境界，可要说临事决断阴谋对敌，实在不是强项。

"我马上下山。"

"我马上下山。"

师徒二人同时开口，对视一眼便明白了彼此的意思。

费介眯着眼睛，褐色的眼眸里杀意立起："我去陈园，你去找尚书大人。"

是的，当局势演变成这种情况，师徒二人同时想到在京都里的那两位老狐狸。

范闲转身便要吩咐属下安排马车。在他要离开的时候，费介忽然说道：“别怕。”

范闲愕然回首。

费介尖着声音，似笑非笑阴森森地说道：“小家伙别怕，十几年前的事情不会重演，我们师徒二人毒死几万人，再杀出京都去，又有谁能拦住我们？”

第七章　京都流言一则

来不及与庄院里的几位姑娘打招呼，只是与正在绣花的思思说了声，范闲与费介就分乘两辆马车，沿着难行的山间雪路从苍山奔去。一路上车轮碾碎无数寒冰，卷起丝丝寒泥。

侍卫分成了两拨，六处剑手随着下了山，高达这批虎卫却被范闲故意留在了山上。

傍晚时分，费介乘坐的马车，进入了京郊那座比皇室行宫还要华丽清贵的庄园。

守门的老仆人看着他满脸寒意下了马车，不免有些疑惑，不清楚发生了什么事情。

不一会儿工夫，园内灯火大明，费介与轮椅上的陈萍萍沉着脸出了园门。

“入宫。”陈萍萍冷声说道，只是说完这句，他的脸色顿时变得柔和起来，接着又轻声说道，“还当是多大的事情，让你们老少二人如此慌张。”

费介搓着手道：“这不是大事，那什么是大事？”

陈萍萍轻轻抚摩着光滑的轮椅把手，嘲笑道：“你这老家伙天天泡在药里，一时想不明白倒也罢了。范闲却是让老夫大为失望，只要稍一用心，便知此事无碍……罢罢，终究是个小孩子，这事在他心里压得太久，一朝被人揭穿，难免会有些惶恐。”

马车嗒嗒嗒嗒向京都城驶去，不一会儿工夫便入了城门。此时城门尚未关闭，当然就算已经关了城门，陈院长要进京，京都守备秦家也是不敢拦的。马车将要到皇宫的时候，陈萍萍才睁开养神的双眼，淡淡地说道："这不是坏事，是好事。"

费介摇摇头说道："我不管了，我这就去院里让八处的人准备着。"

宫门处传来启钥的声音，陈萍萍拥有不论时辰直入宫中叙事的独权，侧耳听着熟悉的声音，面无表情地说道："消息传到京都后，先让他们压两天，这种表面功夫要做出来让人看看。至于范闲的身世……总有一天要挑开，眼下就是最好的时机。"

范府书房内，庆国户部尚书范建正一边啜着酸浆子，一边看着身前的范闲，唇角露出一丝嘲讽的笑容："也总算看着你着急的模样，为父往常总以为你的心肠是冰雪做的。"

"父亲，这时节了还开什么玩笑，等消息传到京都，究竟该怎么办？"范闲望着父亲，幽幽地说道："这事既然这么多年一直瞒着天下人，想来一定是有人不愿意我出现。"

范建用清澈的目光注视着眼前的范闲，轻声说道："现实是你已经出现了，而且出现得非常漂亮。你的身世不可能一直瞒着，要选择一个时机，为父以为当下……就是最好的时机。"

"最好的时机？"范闲一头雾水，但不知为何见到父亲大人如此镇定，他的心情也轻松起来，再不似在山中那般焦虑。他将腋下的拐杖扔开，坐到了椅子上。

"当心你的伤口。"范建摇了摇头。范闲笑了笑，轻轻揉了一下胸口下方，内里有些隐隐地作痛。不过最近费先生在旁边妙手调养，已经好得差不多了。

"说说吧，你究竟是在害怕什么。"范建轻捋长须，一向严肃的尚书大人此刻终于露出了成竹在胸的潇洒感觉。

范闲一愣，发现自己确实有些惊慌过头。可自己究竟在害怕什么呢？

他想了想说道："这事如果传开，天下议论纷纷，宫中知道我的身世，不知道会怎么处理我？"

"怎么处理？"范建冷笑道，"莫非你以为宫中直到今天还不知道你的身世？"

范闲知道父亲说得对，自己是叶家后人的事情，皇帝当然比谁都清楚，太后那边……看上次冬至羊肉宴上的情形，估摸着也早清楚了，只不过这对母子一直瞒着天下人而已。

"他们想瞒着天下人，如今瞒不住，事情的发展总会有些变化。而且……皇后知道我是叶家的后人，她会怎么想？依父亲所言，叶家与她之间有化不开的仇怨。"

范建冷然说道："皇后那处不需要考虑，她是开国以来最弱的皇后，你需要考虑的是东宫太子会不会被她说动来对付你。"

皇后的家族势力，早在十几年前的京都流血夜里就已经被清除得一干二净，一向不显山露水的范建，在其中起了最大的作用，他当然清楚皇后根本弄不出什么动静，便淡然说道："而太子……他是聪明人，以你目前的地位权力，他只求你能保持平衡就行，哪里还会因为当年的事情来主动撩拨你。"

范闲看着父亲，认真地问道："那长公主呢？"

叶家产业被庆国皇室收入囊中，成为如今的内库。当年用的名义自然很可怕，比如谋逆之类，如今忽然多出来一个叶家遗孤，那还查不查当年的遗罪？

范闲是叶家后人的消息传开后，长公主一定会利用这大做文章，逼迫宫中做出反应。依照皇家的惯常行事手法，范闲不被暗中杀死就是好的了。

当然，范闲身世的另一半也很奇妙，他担心宫里那对母子会对自己下杀手，甚至对方都不会将自己当成需要提防的对象，但问题在于世人并不知晓这个事实！宫中那对母子想瞒着世人，就只能将范闲当作叶家后人来看待，在舆论的压力下让范闲与内库，甚至监察院脱手。对已经结下了无数仇家的范闲来说，失去手中的权力实在是相当的危险。

“长公主？”范建毫无情绪波动地说道，“如果她足够聪明，这次就会袖手旁观，而不会出手。”

“为什么？”

“因为陛下的心思。”

范闲明白了父亲的意思。皇帝与范闲都是喜欢掌握一切的人，很忌讳这种脱离控制的状况发生。知晓此事，想来皇帝的反应与他一样愤怒，第一个念头肯定是找出泄密的人。如果长公主借此事向范闲进攻，皇帝反而会大力维护范闲，并且对长公主更加厌憎。

“你如今是监察院的提司，手中握有足够的权力。由澹州直至京都，不论是为父还是陈院长，我们所做的一切都是替你将脚下的基石打得更牢固一些……如今的你已是一方重石，何须害怕清风拂面？放心吧，那些风已经吹不动你了。自然，这人间也有天界罡风。”接着范建又嘲讽道，“你害怕的不外乎是宫中的态度。但太后与陛下都知晓此事，顶多碍于物议暂时冷你两天。这事怎么发展终究要看陛下的态度。经由悬空庙刺杀一事，陛下深信你的忠诚。如今你伤势未愈，陛下总会记着你的功劳，这个时候身世被揭穿，陛下会尽量替你考虑，不论是皇族利益，皇后太子，还是长公主太后的压力，与你替陛下挡的那一剑就算两相抵销了。宫里这些事情，我不说你也清楚，再过些年头，救驾的情分淡了也就再难利用。揭破身世只能在这几天，早些不行，晚些也不行。”

所以这就是最好的时机。

范闲品着这些话里的寒意，低声道：“我只是担心，这件事情会为家里带来什么麻烦。”

范家收留当年叶家遗孤是皇帝的安排，但闹大了皇帝肯定不会认账，倒霉的只能是范府。

范建唇角欣慰的笑容一现即隐，说道：“傻孩子，如果连你都不会动，怎么会动为父？如果朝廷对我动手，岂不是证实了你是叶家的后人？”

范闲睁大眼睛，说道：“您的意思是，不论外面如何传，我们死都不能认账？”

“当然。”范建含笑说道，“谁能有证据？”

范闲叹息道：“真可惜，本以为既然没有什么影响，我可以借机……”

“借机替叶家翻案？”范建大声笑了起来，“难怪先前紧张如斯，原来是存着大心思。案何必一定要在明面上翻呢？十几年前陛下就已经替叶家翻过一次，如今这些只是余波罢了。”

“叶家后人这件事情，其实还真不能吓着孩儿，只是……”范闲本准备说，担心被长公主及有心人从这件事情里猜出自己是皇家血脉，可话临出唇之时忽然又醒过神来。与皇帝的关系，他同父亲从来没有正面说过，一直以来父子二人都很知时机没有点破，维持着目前和睦的状况。

范建明白儿子想说的是什么，于是淡然道：“那件事情……你还是藏在心里吧。至于别人猜不猜得到，又有什么关系？为……为父明言，陈院长只怕一直满心欢愉地等着这件事情发生。等传言来到京都后，他一定会动用手中权力强力压下传言，从而证实这条传言，然后等着天下人逐渐猜到你的身世，至少要让天下人习惯于你的身世流言。”

范闲默然，知道父亲的推算极有道理。老跛子的做法用屁股想也能想到，强力压制传言才能让庆国百姓相信这个传言，这是极高明的手法，至于自己是皇帝私生子的事情……

“陈萍萍究竟想做什么？”他忽然感到很疲倦，无力地问着父亲。

“我与他的想法从来都不一样，在你的问题上我与他较了很多年的劲。而且我没有信任他的习惯，奇妙的是他似乎同样并不信任我。相反，我和他倒对你这个孩子更信任一些。”范建望了儿子一眼，自嘲笑道，“最终似乎还是他胜了，成功将你拖入这盘乱局之中。我甚至怀疑这件事情是不是他弄出来的，不然北齐人怎么可能知道小叶子是你的母亲？如果真是这样的话，那你就更不用担心，他这时候应该已经入宫开始为你谋划了。”

说完这句话后，书房里安静了很长时间。

又过了一会儿，范闲忽然说道：“对不起，父亲。”

很没有来由的抱歉，不知道是在抱歉什么。是抱歉在前路的选择上，自己终究接手了监察院，从而被迫踏上了争权的道路，没有如父亲一样选择更平安的生活？还是抱歉自己离奇的身世为范家带来了未知的危险？抑或是替母亲向“父亲”表示最诚恳的歉意？或者是……对不起，对不起，我很想成为您真正的儿子，只是母亲没有给我这个机会。

范尚书在猜测是不是陈萍萍利用范闲救驾身负重伤——这最好的时机——揭破他叶家后人的身份。与此同时，陈萍萍在重重深宫之中也在猜是谁忽然间折腾出这么一件事情来。

政治人物并不是很在乎那些名义上的东西，所以这两只老狐狸只求范闲能过得幸福，能手握权力，并不以为范闲一定要名正言顺回归叶家门楣。

“知道这件事情的只有我，范建、范老夫人、陛下、费介。”陈萍萍坐在轮椅上，干涩的声音在御书房里飘荡着，“陛下先前说太后是在春闱后察觉此事，那一共也只有六个人，依臣看来，这六个人都不可能泄露出去。”

皇帝缓缓转过身来，那双往日清亮的眸子今日怒火中烧，如鹰一般锐利狠辣，他喝道：“都不可能泄露出去，那北齐人是怎么知道的！”

春闱后范闲监察院提司的身份曝光，成为年轻官员里最风光的人物，马上又要执掌内库，一般人还猜不到什么。深宫中那位皇太后久经国事，惯见阴秽，政治上的嗅觉实在是敏锐。在她的强力逼问之下，皇帝终于向母亲承认了范闲就是自己的私生子。太后震惊之后还是接受了这个事实，老人家再如何痛恨当年那个“妖女”，对皇家血脉总能容忍几分。

“也许是北齐人猜到的。”陈萍萍自言自语，却不知道猜中了最接近事实的答案。

皇帝冷笑道："苦荷是什么样的人物，用猜测就敢下定论？"

陈萍萍沉默了一会儿，说道："长公主，嫌疑最大。"

这时候如果范闲在旁边听着一定会大声喝彩！这是什么？这就是传说中大巧无工，大音希声，裸奔的构陷啊！太后知道范闲是叶家后人，长公主是太后最疼的女儿。她曾经反手将言冰云卖给北齐，也与北齐大家庄墨韩有过私下交易。她与北齐太后有书信来往，她往北齐的走私线路让北齐君民不知道节省了多少银子，她因为内库移权对范闲恨之入骨，甚至动用了刺客手段。这些都是皇帝十分清楚的事实。只要细细一分析，便会发现长公主拥有知道此事的最大可能，拥有通过北齐方面转手爆料的最佳途径，最关键的是她拥有最大的动机。

陈萍萍的这句话也极讲究，如果他语焉不详指出宫中有人与北齐关系良好，让皇帝自己想到远在信阳的妹妹，皇帝也许会怀疑他的用意。而他直接说出长公主嫌疑最大，便是纯忠的表现，只在乎自己的意见会不会对陛下有用，而不忌讳陛下会不会怀疑自己。

皇帝沉默了下来，说道："看来，云睿并不知道范……不知道安之是我的骨肉。"

如果太后将这件事情也告诉了长公主，那长公主一定不会揭破范闲的身世，因为那样针对的就不再是范闲，而是皇帝。

陈萍萍知道，陛下已经相信长公主就是这个传言的源头。

皇帝说道："等着消息，看云睿会不会来信。"

如果长公主上书宫中，以范闲的身世流言为借口劝说陛下警惕此事，抑或直接劝他杀掉范闲、灭了范家，皇帝就会真的将兄妹之情看淡了。

"接下来如何处理？"陈萍萍咳了两声问道。今夜他进宫匆忙，花白头发没有束得太紧，有些蓬乱，更显老态。

皇帝看了他一眼，苦笑道："朕这一生也算风光，没料犹在壮年却成了真正的孤家寡人，除了你与建哥竟是找不到完全信任的人。"

陈萍萍正要张嘴，皇帝挥手说道：“你可记得当年太后讨伐叶家用的什么名义？”

“谋逆。”

皇帝面无表情地说道：“当年你们两个人也赞成这个提议，毕竟小叶子留下的东西一不能乱，二不能放，只有皇室才有能力收拢、保护这些产业继续运转。”

“不错。”陈萍萍平静地说道，“当初想的是人都已经去了，安什么罪名想必她也不会介意，只是没想到十七年后反而变得有些棘手。”

皇帝一听，冷冷地接道：“有什么好棘手的？朕便将叶家平反了，天下又有谁敢说三道四？”

“不可。”陈萍萍斩钉截铁地说道，“陛下对那孩子存着怜惜之意，但此事万万不可……毕竟，陛下您要考虑一下老人家的感受。”

皇帝知道他说的是太后，点点头道：“看来你心中已有定数了。”

陈萍萍苦笑着应道：“事出突然，陛下又未曾有旨意，所以并未备着方案。”这话的意思很明白，皇帝始终想藏着范闲的身世，监察院当然没有想过这件事情。很快他又话锋一转，“不过并无大碍，信阳方面如果来信，请陛下严加训斥，陛下再叮嘱几位皇子数句，范闲那边让他死不认账，百官纵使疑惑，想必也没有人敢就传言上什么奏章。”

“安之不免尴尬，在朝中如何自处？”

“转年他便要远赴江南公干，恰好可以躲开这场议论。陛下，这事虽然麻烦，但此时爆了出来，时机还算不错。让范闲远离京都，拖上两年，此事自然就淡了。”

“能淡吗？”

“司理理在流晶河上，人们传说她是当年某位亲王的后代，传来传去，除了让那座花舫的生意好了些，也没有什么大的问题。”

皇帝沉思良久，从鼻子里嗯了一声。

“只是要防着那件事情。”陈萍萍看了陛下一眼，带着一丝悲哀之意说道。

“皇后那里，我会让母后出面。”皇帝叹道，“不能给他一个名分，朕已经对不住这个儿子。

十余日后，京都的大街小巷开始了这样一个流传：如今朝中正当红的小范大人，那位监察院提司，竟是当年老叶家的后人！

叶家因谋逆被封已有二十年，没有想到竟然还有后人，而且是小范大人！百姓们震惊之余开始兴奋起来，纷纷交头接耳，不到两天时间，整座京都都听到了这个流言。

联想到范闲进京后宁肯舍了一代文名，也要进监察院，还要接手满是铜臭味的内库，京都民众官员们对于这个流言更是相信了几分。

如果这流言是真的，窝藏朝廷钦犯的范府就要倒霉了。被范闲得罪惨了的文官们兴奋地筹划攻势。出乎所有人的意料，宫里很安静，就像没有听说过这件事。监察院却开始行动起来，开始出现在各个酒楼与茶馆里。午后的一石居，酒客们面面相觑，他们都是有些地位的人，没有料到监察院八处官员竟是毫不讲理，将正在喷唾沫星子的两个文士逮走了！一石居中安静了一会儿，但酒壮文人胆，不一会儿工夫就范闲的身世又开始议论起来。人们越发相信那个流言的真实性，小范大人肯定与当年的叶家有关系！

“叶家当年是谋逆大罪，那个神秘的女主人离世之后，所有家产被收入了内库。”一人忧心忡忡地说道，“如果小范大人真是那位女主人的遗孤……我看这件事情麻烦了。”

“谋逆？那为什么庆余堂的掌柜们还养得如此白胖胖？”一位眉毛极浓的书生嘲讽道，“我看是朝廷趁着孤儿无寡母的时候将人家的家产霸占了，这下好，忽然间叶家多出来了一位继承人，我看朝廷只怕要慌了手脚。”

“慌什么？”

“陛下不是有意思让范提司去兼管内库吗，这内库本就是他家的，这怎么个管法？”

“还内库？”另一个冷哼道，“我看范提司马上就要倒霉还差不多。”

掌柜擦着冷汗凑了过来，说道：“几位爷，声音能不能小点儿？若让监察院的爷们儿听进了耳朵里，我这小店还开不开了？”

一石居掌柜平日里极少出面，几位熟客起身与他打着招呼，掌柜一面四处照应着，一面支着耳朵将这些酒后闲言碎语听进耳中。一石居乃是崔家的产业，最近崔家濒临垮塌，忽然听得大仇家的身世传言，不由暗喜，热眼看着事态的发展。

头前声称是朝廷霸占了叶家产业的那个年轻人，果然是酒后胆大，大笑着说道：“掌柜的你这是怕什么？监察院难道还真能堵了天下悠悠之口？就算他们敢，陛下也不会答应。你看昨日抓回监察院的那几位，今天不是好端端地送了回来？只不过聊几句闲话，又不曾触犯庆律。”

他身旁那人依然是忧色难去：“如果小范大人真是……仕途只怕也就到此为止。”

这话还没有说透，毕竟是在光天化日的酒楼之中，没有谁敢将心中真正的判断说出来，在众人心里，总以为朝廷得知范闲身世后一是要夺其官，二是只怕就要夺其命。

“范府怎么办？”那人接着叹息道，“范尚书这些年打理户部，乃是有名的能臣，难道因为当年的风流债，也要家破人亡？”

传言入京后，除了对范闲身世的猜测，最让京都百姓津津乐道的就是户部尚书范建当年是如何将那位神秘的叶家女主人骗到手，又是如何让对方珠胎暗结的前话——都知道范尚书当年是流晶河上的风流高手，却没想到他居然还有这等本事。

流言传播的过程中，那些大家闺秀、小家碧玉们却是对范尚书产生了别样的感觉。当年叶家犯的是谋逆大罪，其时官阶极低的范建居然能将自己与那个女子生的孩子，硬生生地留了下来，没有让宫里的人发现，甘冒大险养了这么多年，这段故事就足以重新编个话本，极具流行潜质。人们似乎终于明白了，范建为什么会将范闲留在澹州一十六年，不肯让他入京。

于是乎人们不再怨恨年轻的范提司做出这样大忌讳的封言路事情，反而对于这个前途未卜、“生死难知”的年轻官员生出同情，毕竟范闲这两年名声极好，为朝廷挣了太多脸面，百姓士子们在感情上自有倾向，尤其想到他母亲的当年……

“叶家？哪个叶家啊？”酒楼里忽然有一个年轻人傻乎乎地问道，他听了半天却始终不清楚叶家是什么来历。当年的事情已经过去太久，时光如水，让庆国的太多人都快忘了那个金光闪闪的名字。

“叶家都不知道？”年长一些的人轻蔑地笑了起来，心想果然是些胡子没长齐的小子，连当年威名赫赫的叶家都不知道，觉得有必要给对方上一堂课。

“叶家，就是当年的天下第一商。”中年人悠然神往地说道，“就是那个做出玻璃来当银子卖的叶家。”

有人表示反对，认为这个侧重点没有说清楚：“叶家，就是那个做出肥皂、香水的叶家。喔，香水已经停产十来年了，估计你也没福闻过。”

“就是唯一能做出烈酒的叶家。”又有人补充道，“就是当年提供朝廷军械的叶家。”

“知道内库不？知道咱大庆朝每年花的这么多银子打哪来的不？”中年人耻笑道，“就是内库从北齐、东夷，甚至从海上挣来的。而内库是什么？就是当年老叶家的产业！”

那个年轻小伙子瞠目结舌地说：“天啊，居然这么厉害！”

那个胆子最大、直指朝廷阴夺家产的书生摇头冷笑着说道：“叶家如果只是商人，哪里能发展到当年那等规模？如果她仅仅是位商人，又怎么会被……给灭了？”

中年人好奇地问道：“噢，莫非兄台知道什么隐秘？”

“叶家……”书生摇头晃脑地叹息道，“据说与监察院关系匪浅。监察院初设之时，听说一应需要都是由叶家提供。诸位可记得监察院门口那座石碑？”

众人惊呼起来：“难道那段话……那个叫叶轻眉的就是叶家的女主人！”

书生叹道：“难怪小范大人舍了清贵文名，不惜污了己身偏要进监察院做事。噫，小范大人暗为监察院提司，这事一直透着几分古怪，难道陈院长他早就知道了……”

话还没说完，中年人已是惶急无比地端了个酒杯塞到他嘴边，堵住了他接下来的话。书生一愣之后，也是犹自后怕。庆国民风淳朴直朗，百姓士子们不怎么害怕百官，也不怎么害怕小范大人，唯独对那位坐在轮椅上的老人却是惧之如鬼，不敢多谈。

酒楼里终于安静下来，众人开始饮酒食菜。此时，忽听到角落里发出一声惊喜。

众人望去，发现正是先前那个年轻小哥，只见他站起身来，兴奋无比地说道：“我想起来叶家了，我想起来了！叶家，就是做二踢脚的那个叶家！”

众人哈哈一笑，不再理会。

对庆国大多数百姓来说，叶家已经快被遗忘，没有人会刻意在记忆当中保留她的存在。就连这一石居酒楼上侃侃而谈的众人，在两天前也许都不记得叶家给庆国带来的诸多改变。只是传言入京之后，众人谈论太多，才逐渐唤醒了沉睡中的记忆，才开始回忆起叶家出现之后的庆国与叶家出现之前的庆国，有太多太多的不一样……

也许只是哪位现在的官家太太、曾经的官家小姐开始怀念香水的味道，也许只是城门守卒洗澡时记起了肥皂的妙用，也许只是一位军人看着手中的弩箭发呆，也许只是上京城一个商人用绸布仔细擦拭着玻璃马，也许只是一位诗人大灌烈酒生出无穷快意，也许只是那位监察院的老人掀开黑布冷眼看着世间，也许只是一个年轻人记起了孩童时放的第一声爆竹。

总而言之，因为关于范闲身世的传言，因为这样或者那样的原因，人们开始想起叶家。

范闲走出门外，迎着冬天难得的暖阳，伸了一个懒腰，面上浮出清爽的笑容。因为这件事情，他不方便再回苍山，依照父亲的意思，装作什么事情也没有，就这样淡然地注视着一切，迎接着四周的窃窃私语。邓子越走了过来，将今日的院报以及启年小组私下的情报递给他。范闲在阳光下略看了一遍，问道："关于那个传言，百官有没有什么动静？"

邓子越瞧着提司大人平静的容颜，好生佩服。初始听到传言的时候，他和监察院官员，与百姓同样感到震惊和不可思议，但稍一思琢，便发现这传言确实像是真的——如果不是叶家后人，院长大人为什么会如此疼爱提司？范尚书为什么会竭力筹划着让他去接手内库？

"没有什么大动静。都察院在暗中联络，不过上次他们吃了一个大亏，这次有些谨慎。反而是部衙里有些官员开始蠢蠢欲动，但没有真凭实据，他们也不敢写奏章说什么。"

"东宫？"

邓子越摇了摇头说道："与东宫交好的官员还在观望，不过……昨天有几位大臣夫人入宫拜见了皇后，她们回府后，那几位大臣私下也见了面，至于说了些什么没有人知道。"

"皇后？"范闲叹了口气，心想自己还来不及去找对方麻烦，难道对方就要主动找上门来？皇后知道他的身世自然会暴跳如雷，太后又会是什么想法？

含光殿内，皇后满脸泪痕坐在太后床边，凄声道："姑母，你可要为孩儿做主啊。"

太后叹息了一声，说道："怎么做这个主？"

皇后咬牙切齿地说道："我平日瞧着范闲便有些心惊肉跳，如今终于知道原来他是那个妖女的儿子！皇上……皇上他好狠心，居然瞒了我这么久！"

太后安慰道："都已经过去这么久了，还有什么想不开的？那小子你也见过，皇上也不可能给他什么名分，你争来争去，难道能争出个什么所以然？"

殿内一片安静，洪老太监似睡非睡守在门外，所有的太监宫女都离得极远。

皇后泫然欲泣："姑母，难道你忘了孩儿的父亲？那可是您的兄弟啊。虽然皇上他一直不说，但谁猜不到？不就是为了当年杀死那个妖女的举动，他一直记恨在心吗？"

太后的脸一下子沉了下来，从床上坐起，厉声道："住嘴！这宫里你应该叫我母后，而不是姑母！当年的事情你还有脸说，你不知道吃哪门子的飞醋，居然唆使自己的父亲去做那等样的事情，杀人绝户啊……皇上数月前才告诉哀家知道，如果不是范建家里人知机得快，舍了几十条人命，你不只要杀了那女的，还要把……范闲给杀了！"

太后盯着皇后的眼睛说道："不要忘记，范闲是那个女人的儿子，骨子里流的也是皇上的血！是咱们天家的血肉！你想杀死他，也得问问哀家是什么意思！"

皇后心里打了个寒战，涌出无比的惧意，痴呆一般看着太后那张正义凛然的脸，心想当初杀进太平别院，难道不是您老人家默许的吗？怎么这时候却不肯承认了呢？似乎猜到她在想什么，太后面色稍霁，说道："有些事情，不能说的就一定不要说，带进土里去吧。"

皇后看着太后，失魂落魄地说道："原来……堂堂太后也怕自己的儿子。"

太后寒芒一般的目光盯着皇后的脸，一字一句地说道："不是怕，是爱，哀家不舍得再看着皇上如当年一般悲痛欲绝，更不愿意再出一次京都流血夜……皇室血脉本就单薄，王公贵族们更已折损大半，再也禁不起这等折腾了。”

皇后呆坐半晌，忽然神经般地哧哧笑了起来：“禁不起折腾？我那可怜的父亲，您那可怜的兄弟，就这么白白死了？范闲是叶妖女的儿子……朝廷却不给个说法？就这样任由朝野议论着？叶家是什么？叶家的罪名可是谋逆……难道你就不担心皇家的颜面全都丢光？”

听罢皇后的话，太后缓缓地说道：“你累了，去歇息吧，至于范闲……谁说他是叶姑娘的儿子？哀家根本不信，至于这天下愚民百姓们，爱说就说去吧。”

皇后终于绝望了，百凤裙袖内的双手紧紧攥着手帕，起身行了一礼，便往殿外走去。

太后寒冷的声音响了起来：“听说最近有些大臣夫人时常到你宫里坐？马上要到年节，宫里的事情多了起来，你是统领六宫的国母，不要总操心宫外的事情。”

皇后反身再行一礼，唇角带着一丝冷漠的笑意，告辞而去。

“去看着她，这些年她的脾气愈发古怪了。”太后坐在床上，颤抖的手勉强将发上的银丝拢到了一处，吩咐洪老太监，“别让这些事情烦着皇上的心。”

洪老太监应了声是，如鬼魅一般离开。

殿门吱呀一声，得了吩咐的太监宫女们赶紧入殿伺候着太后老人家。宫女拿着梳子的小手缓慢而小心地在那片银发上移动着。太后忽然冷哼了一声。梳头宫女惊得手一抖，扯落了几丝银发，吓得魂飞胆丧，想也未想就跪了下去，连连磕头不敢言语。

“起来吧。”太后闭着眼，“哀家不是那等不能容人的老怪物。”

皇帝来请她压制皇后，是因为在京都流血夜后，相关的人都死得差不多了，只有皇后才知道当年叶家妖女与皇帝之间的关系，也只有皇后能猜到范闲的真实身世。如果任由皇后乱来，不知道那几个皇子吓死之后再醒转回来，会接着做出什么事情。一想到叶家，太后的太阳穴处就一鼓一鼓地跳动，一道辛辣的痛楚开始染开——她一直认为那个叶家妖女是会缠绕着庆国皇室无数年的一道魔咒，没有想到果然如此，她居然给皇帝留了个孩子！

当她从皇帝的嘴里得知真相之后，一想到范闲的母亲姓叶，头便开始火辣辣地痛，所以范闲数次入宫，她都避而不见，因为她不能保证自己能够表现出一位太后应有的慈祥。但在如何处理范闲的问题上，她与皇后的想法却有着天差地别。对于皇后来说，范闲首先是叶家女子、生死仇敌的儿子，但在太后看来，就算那个叶家女子再有千般不是、万般罪过，败坏朝纲……但她生的儿子毕竟是天家的血脉，是自己的亲孙子。

深夜，确认洪老太监已经回到了含光殿，脸色苍白的皇后轻咬嘴唇，向贴身宫女使了个眼色，不一会儿工夫，最近表现沉稳的东宫太子来到她的身前，行礼问安。

不知道皇后说了些什么，只听着压低了的声音越来越急，太子却是一直在摇着头。母子相对无言半晌，太子轻声安慰道："就算范闲是叶家后人，又能如何？不过一商贾罢了。"

"商贾？你以为那个女人是寻常商人？她是颗妖星！"

皇后盯着太子冷笑着说道："范闲，是你父亲的儿子。"

深夜皇宫中，一片凶险与安宁。太子震惊道："母亲，您在胡说些什么？"

皇后脸色苍白地说道："范闲，是你父皇与叶家妖女生出来的孽种。"

"这怎么可能？"想到自己居然有一个弟弟自幼流落在民间，太子很是莫名其妙，而且这个弟弟还时常在京中能见到，名声比自己还要大，手中的权力似乎也不小，他下意识地傻笑道："原来本宫还有这么一位弟弟。"

皇后像看痴呆儿一样地看着自己的儿子。太子微感窘迫，压低声音说道："那又如何？本宫与他交情向来不错，更何况他出身不正，总是不能入宫，对我又构不成威胁。"

"对殿下您构不成威胁？你不要忘记，他的母亲之死与你这可怜的母后脱不了关系，难道你以为他会眼睁睁地看着你坐上皇位？就算他有这等度量不来报仇，难道他就不怕你登基之后，再来对付他？就算为了自保，他也不可能让你登基！"

皇后冷笑了两声，寒冷的声音像是催命符般在安静的宫殿里飘着。

"乾儿你要做好准备。当然这么紧要的消息你千万不能随处去说，最紧要不能让宫里你那几个兄弟知道范闲的身世，不然万一老大老二他们几个……"

太子沉默了很长时间，低声说道："难怪外面一直传范闲是叶家后人，父皇却始终没有拿出处治的法子，原来……另有隐情。不过母后，如果父皇依然如以往一般宠着他，他又有范家和陈院长撑腰，孩儿也不好轻易动他。"

皇后的丹凤眼里透着冰寒的味道："如今自然不能动他，这宫里没人肯帮咱们，你先虚与委蛇着，但可千万别信这个野路子弟弟会对你存什么好心思。熬着吧，打今天起，你就老老实实地熬着，什么多余的事情也别做……春闱案后你说得对，什么都不如你父皇的喜爱来得要紧，只要皇上信你，范闲他也不敢动什么。咱们熬到将来……总会有法子的。"

太子默然，对母后的想法有些不以为然。

天亮了。

说范府叶家八卦的人们在继续，监视百官动向的监察院一处在警惕，范府满门在惶恐之余假装镇定。皇帝在头痛，太后也在头痛，范尚书提早来到户部衙门，面色如昨，谈笑风生，并无异样。陈萍萍没有回陈园，留在了监察院，用有些浑浊的双眼注视着京都发生的一切。

街上传来唰唰的扫地声，范闲照着费先生的方子在按时服药，手里拿着那本《无名功诀》发呆。上卷他早就练完了，下卷却是一直没有寻到法子，尤其是眼下真气全散，经脉千疮百孔，他不敢依着下卷的叙述强行调动真气。关于身世，他的心态已经平稳下来，天要下雨，娘没嫁人，未婚生子，由她去吧，反正这事轮不到自己来负责。如果宫里对母亲的忌惮真的如此强烈，连自己这个穿越福康安都不肯容，大不了就是一场厮杀罢了。皇命临头时，若自己指使不动监察院、启年小组，又真气全无，到了最危险的地步，就别怪自己听从老师的意思，违背老妈的意思，用毒药破开一条血路！用重狙崩他几个宗师！

到了现在这时刻，他反而平静了下来，开始逐渐感受到当年那个叫叶轻眉的小女生，带着瞎子叔和那个箱子与整个天下为敌的味道，有点小小紧张，有点小小兴奋。

当然，能不发展到这一步最好，毕竟还要考虑范府，考虑父亲妹妹妻子这些人的安全，还要考虑许多人的生死，图穷匕见只是最后一招，保持当前稳定才是最迫切的需要。

接连两日都没有人来范府拜访，就算与范家关系最亲近的人也不会在这种风口浪尖上来打探消息。令人奇怪的是靖王也没有来，据启年小组暗中回报的消息，这位花农王爷不知因何感慨，丢了花锄，弃了粪桶，只在府上倚栏饮酒，老泪纵横。

与范闲交好的官员，包括辛其物、任少安在内都在小心地观看，等着宫里的决定。

没人敢在这时候做出任何表态。

宫中。

宁才人穿着极合身的衣衫，在冬日暖阳之中绕着那棵枯干大树走着圈。这是她许多年来的习惯，这位当年的东夷女俘、如今的宫中贵人，始终是闲不下来。不知道绕了多久，在一旁等着的大皇子终于忍不住了，问道："母亲，究竟有什么事情？"

皇子自有府邸，大皇子要入宫拜见母亲，中间的规矩流程也有些复杂。

今日宁才人用了些手段，跳过许多障碍，直接将自己的亲生儿子召进宫来，却是一直在绕树。大皇子知道母亲肯定有要紧事要交代，只是……他在心里想着，难道和最近那个传闻有关？

“听说了吧？范闲的身世。”宁才人停了下来，自腕间抽出一方素帕擦掉额上的汗珠。

大皇子心想果然是此事，递了一杯温茶到她的手上，应道：“事出突然，又无实据，看父皇和太后祖母的意思，是断不会信这些小人造谣的，孩儿也不信。”

宁才人冷笑道：“我看这天底下人都开始信了！院长大人这次也不知是怎么回事，竟然会大力压制传言，难道不知道这样反而会让别人相信这件事？这让范闲怎么办？”

她忽然有些走神，半晌之后才叹道：“原来……她还有个儿子啊。”

大皇子清楚母亲说的她自然是那位当年于庆国大放光芒，最后却惨淡收场的叶家女主人，猜忖着母亲的意思，试探着问道：“您的意思是？”

宁才人双眉一挑，凛然道：“我们东夷人最是恩怨分明！范闲身世被揭，不论陛下还念不念叶家当年的功劳，东宫里那位……肯定是容不得他，你给我听好了！”

大皇子在外人面前是位骁勇善战的名将，但在宁才人面前就像顺服无比的小猫，只见他双脚一并，像个小兵般立于母亲身前，沉声道：“请母亲训下。”

“若事有不协……”宁才人眉间流露出一丝悍意，“不管你用什么法子也要保住范闲的性命！”

大皇子想也未想便应了下来，对母亲的意思他从没有违逆过，只是有些不解。他知道母亲当年在京都流血夜里演过某种角色，却不明白为什么母亲对范闲如此回护，竟是命自己要紧时可以动用手下兵马……这和造反也没什么差别了。

“没有陈院长救命，当年我根本不可能从北边山水间跟着陛下回来。”

宁才人面无表情地说着当年发生的事情，“你知道这件事情，但你不知道的是，我活着回到京都，迎接我的却是宫中的一道白绫，因为一个东夷城女俘没资格站在陛下身旁……当时没人知道我怀着你，如果不是叶姑娘发话，你我如今早已是两条游魂。当年她出事的时候你还小，我没有任何力量……但如今不同，你既然有了些力量，就一定要保住范闲的性命。”

大皇子听完这段往事，沉默了很长时间，平静地说道：“如果父皇不能容范闲，我虽掌着禁军，只怕也起不到太大作用……也罢，大不了还对方这条命。”

庭院里一片安静，冬日的阳光疏疏淡淡地洒了下来，照在这一对直率纯真、快意恩仇的另类皇族母子身上。

“你马上就要成亲，我怎忍心让你冒险。陛下的态度你不用考虑，只是盯着东宫那边。”

大皇子心情疏朗，却不愚鲁，很快便明白过来，震惊地说道：“如果只是叶家后人，父皇断不肯留下范闲，而看这几天的动向……只有一个可能！”

宁才人似笑非笑地说道：“终于猜出来了？娘也是这般想的，陛下不追究当年所谓的谋逆之事，甚至太后老祖宗都保持沉默，那只有一个解释，范闲不仅是叶家姑娘的儿子，也是……他自己的儿子。换句话说，范闲就是世人从来不知道的一位皇子，是你的兄弟。”

大皇子双拳紧握，有些难以接受这个事实，半晌后迟疑地说道：“难道范闲真是父皇的儿子？那范尚书呢？……如果这些都是真的，为什么父皇当年要将范闲送到澹州？”

宁才人冷笑道：“当年？当年的事情谁能完全清楚？”

大皇子沉声道：“如果母亲都能猜到范闲的真正身世，宫外或许早就已经传开了。”

“猜到就猜到吧。”宁才人掸了掸身上的灰尘，英气十足地说道，“说不定这是陈院长在替皇上分忧解难，大概陛下也不知道该怎样安排自己这个儿子。”

皇上会怎样处置范闲，这是最近这些天京都官员百姓们最关心的问题。如果传言是假，宫中也应该通过某种方式，比如封赏、口头慰勉之类的来消除影响。监察院的反应、范府的安静似乎都在证实传言是真的，然而宫中一直没有派人来抓他！

这就让事情变得相当有趣了。

陛下保持着沉默，宫里保持着沉默，朝官们保持着聪明的平静，都察院御史们也只敢小心翼翼地上了几封奏章，简略讲述一下京中流言，但陛下留中不发，官员也无可奈何。

直到一位愚蠢的官员跳了出来，这场风波才终于结束。

这位官员姓毛名阅良，是六科给事中，负责审阅奏章，辩驳矫正出言不当者。此人本性粗直，一心向往圣人圆满之治，最见不得任何于朝廷颜面有损之事，完全忽略了同僚们的沉默，当朝进言，请陛下下旨训斥这等不实传言，还范提司大人一个清白名声。

皇帝道了句：“清者自清，浊者自浊，愚民好事，众卿何须混杂其中，失了体面分寸。”

毛阅良却是不依不饶，硬说流言对范提司官声有损，若流言为假，则应朝廷明文驳斥；若流言为真，则应依庆律追究范提司隐瞒朝廷、私入朝堂之罪，范府勾结贼人、心存不轨之罪。即便流言荒诞不可信，陛下为了朝廷颜面考虑，也应让两位范大人自辩一二，而且小范大人已经不适合再继续担任监察院提司一职，至于内库……

这番话还没有说完，陛下大怒离座，吩咐侍卫将毛阅良叉了出去，痛打了二十廷杖。如果不是太后出面求情，只怕这位傻到极点的六科给事中竟是要被活活打死！

没有人知道这位六科给事中身后的信阳背景，也没有人知道，陛下最后的怒意来自太后出面保人。

皇帝最忌惮的就是自己的母亲、妹妹与儿子们联合起来，他冷漠乃至强蛮地做出反应，生生保留住了范闲的一应官职与爵位。但庆国官民们不知道宫里的问题，联想到上次都察院弹劾范闲，也被打了一顿廷杖，人们重新注意到，范闲这些年获得的圣眷竟连几位皇子都比不上！再联想到陛下对于这件事情的含糊态度，人们开始我猜，我猜，我猜猜猜。

人类的想象力有时极其贫乏，有时却又无比丰富，范闲身世传言开始不受控制地滑向某些人最不喜欢看到的方向，而这背后有没有那位坐着轮椅老人的阴暗身影，那就不得而知了。

总之在第一个爆炸性的消息传遍京都之后不久，第二个爆炸性的消息又开始在京都的大街小巷中流传，只不过百姓官员们谈起这个消息来更加神秘，更小心翼翼，更亢奋无比。

“请问您知道吗？小范大人，是咱大庆朝皇帝……的私生子。”

“那是，完全是一个模子刻出来的嘛。”

“您见过陛下龙颜？”

“这个……猜的。不过老实说，小范大人天纵奇才，文武双全，诗才惊艳天下，声名无远弗届，如此人物也真只有咱们英明神武的皇帝陛下才能生得出来。”

“那是那是。”

“不过，范尚书就这个，这个……”

“唉，尚书大人可怜，也怪范老爷的名儿没取好。”

信阳离宫之中，长公主画着柳眉，带着自嘲的微笑。这位自命算无遗策的女子在这接连两番的流言之后，终于知道自己犯了致命的错误，皇帝哥哥一定开始怀疑她了，而那个叫范闲的小东西……她轻轻抿了一下唇纸，淡淡地说道：“袁先生，本宫没有听你的意见，错了。”

“小范大人身世之奇实在出人意料，头一拨传言便足以震惊天下，谁也没有想到还会有第二拨。”如今与黄毅一般成为信阳方面首席谋士的袁宏道说道，“当初属下劝公主暂且隐忍，便是觉得范闲是叶家后人的消息来得有些古怪，没料到事情发生得太突然，风头转得太快，我们一时应对失措，实非战之罪，乃天意也。”

长公主失去了崔家，察觉出女婿的能力，恼怒之余再难保持当初居高临下的冷静，所以当第一个传言出现后，她未假思索，不顾袁宏道的反对，决定利用此事将范闲拉下马来。只是信阳京都两地联系不便，她想借着太后与那个看似愚蠢的六科给事中先逼着皇帝将范闲的职位夺了，没料到马上便收到了第二个消息，范闲是陛下的私生子。

换作别人或许还会猜测这个传言的真假，她却是听到的第一时间就信了，开始嘲笑自己的愚蠢，怎么连这么简单的事情都没有看明白，白白浪费一个棋子，用了母后的情分，最失败的是触了皇帝陛下的逆鳞，平白无故地让范闲就这样安稳地站住了脚。

“叶轻眉……”她忽然感觉有些头疼，像呻吟一般自言自语地说道，“我这一生难道永远都及不上你？甚至连你的儿子都可以这么轻易地打败我？”

第八章 小楼静看父与子

京都入夜。

五竹蒙着那块黑布，出现在范府后方的一条小巷中。

巷子尽头是一个面铺，面铺上油灯如豆，在寒风中瑟缩着。一个穿着寻常布衣的汉子坐在铺外的长凳上，面容平静到了一种怪异的程度，像是天生就没有什么表情，还有那一双冷漠无情的双眼，似乎能够看透世间的一切。

五竹微微低头，任由夜间寒风吹拂着眼上的黑布，那只稳定而恐怖的右手缓缓握住了腰侧的铁钎把手，一步，一步，向着那边踏了过去。

那汉子的衣服单薄，是粗布所做，土黄色，半截袖，正是京都南边河码头上苦力们的打扮，并无出奇处。他没有一丝动容，只是随着五竹的踏步声，从长凳上缓缓站了起来。

他一挥手，刀锋呼啸着横劈了出去——直刀落在那个垂垂老矣、佝着身子正在挑着面条的店老板颈上，面铺老板的颈处嗤的一响，鲜血一溅，分毫不差地尽数倾入面锅中！脑袋就像是秋日树头沉甸甸的果实脱离枝头，摔入面汤之中，啪的一声，荡起几道滚烫而血腥的汤水。

毫无先兆，毫无理由，老板便身首异处，苍老的头颅上下浮动，面汤被染成昏红之色。在那盏冬夜里随时会熄灭的油灯映照下，画面说不出的可怕与诡异。

五竹站在布衣汉子身前三丈，黑布外面的半边脸没有表情，根本不在意对方刚在自己的面前杀死了一个无辜的面摊老板，声音单调而毫无节奏感地说道："你从南方来。"

布衣汉子收回直刀，冷漠地注视着五竹，用单薄的语气说道："例行巡查。找你回去。"

五竹说道："你来杀范闲。"

布衣汉子说道："你故意放出的消息。"

"我在南方没有找到你，只好用这个方法逼你现身。"五竹看着他就像看着一个死人，"你知道范闲是她的后人，当然会赶来京都杀他。"

布衣汉子的眉毛有些奇怪地动了动，似乎是想表示一种诧异与不理解，但他的表情显得生硬，所以看上去有些滑稽。说话时那两抹眉毛就像是两只小虫子一样仍在扭动着。

从五竹与这个布衣汉子的对话中，可以明显看出两个人彼此都认识。而且五竹知道对方一旦知晓范闲是叶轻眉的儿子后，会不惜一切入京杀人，所以专门等在范府之外。

如此看来，最近京中的这场风波，也许只是五竹暗中点醒苦荷，从遥远北齐来揭破范闲的身世，还能不留半丝痕迹。如果瞎子叔有构织这样一个完美计划的能力，那么他做这一切的唯一目的，就是为了吸引这个布衣汉子来到京都。

布衣汉子究竟是什么人？

数月之前的庆国南方海岸线上出现了一个寻找瞎子的没有名字的人，当他的问题没有得到答案，会杀死所有曾经看见过他的人，没有理由，不问原因。后来他知道了更多的事情，于是将散乱的头发结成最寻常的发髻，将赤着的双足套入家居必备的草鞋，选择了一把庆国武人常配的直刀，同时换上了最不易引人察觉的粗质布衣。

这就是范闲与言冰云一直没有忘记的那个连环杀手，不管是刑部还是监察院都没能抓到此人。当初言冰云向范闲借虎卫，为的也是这个案子。

五竹往前踏了一步，离面摊更近了一分，微低着头说道："我去南方找你，没有找到。"

布衣汉子回了一句令人费解的话："我在南方找你，也没有找到。"

五竹的脚是赤裸着的，布衣汉子的脚上穿着草鞋。五竹的头发被紧紧地束在脑后，一动不动，布衣汉子的头发束成发髻，略高一些。两个人衣着面貌不同，但能够区分二人的似乎只有这样两个特点，都是无情的杀人机器，都是潜藏在黑夜之中的猎人。明明在互相找寻，却很在乎谁先找到谁，因为这看上去并没什么差别，但就像是猎人与伤虎之间的殊死搏斗，谁掌握了先机，谁才能够继续留在这个世界上。

"有人告诉你，我在南方。"五竹说道。

布衣汉子没有回答他的说话，直接说道："不能留下痕迹。"

五竹说道："她已经留下太多痕迹。你回神庙，我不杀你。"

布衣汉子似乎觉得五竹的话相当费解，与自己信奉的道理有极大的冲突，那双冷漠而冰雪一般透亮的双眼里闪过一丝怪异的神情。沉默片刻后，他依然说道："你跟我回。"

五竹的声音更有生气："我忘了一些事情，等我想起来。"

两人的对话有一种很奇怪的节奏，如果多加注意，就会发现连番对话中二人一个疑问句都没用，只是用非常肯定的语气在述说着什么。这与逻辑判断能力及自信有关，大概也只有这两个人才能以如此跳跃的思维进行着常人难以理喻的异常艰涩难懂的对话。

两个人的嘴唇忽然动了动，没有发出声音，似是在进行最后的无声谈判。

谈判破裂，五竹往面摊的方向又踏了一步，距离已经由三丈变成了两丈。布衣面无表情，一步未退，只是盯着五竹握在铁钎上的那只手，似乎等着那只苍白的手开出花来。

降低了音调的噗哧声从炉子里发出。煮着人头的面汤带着血红腥浓的泡沫漫过了锅顶，沿着锅沿淌入了炉中，与那些火红的炭块一触，噗噗作响，升腾起了一股刺鼻的烟味。

五竹动了，眼上的黑布瞬间化作一道黑丝，手中的铁钎并未生出一朵花，却像一根尖锐的经冬竹尖一般，直刺布衣汉子的胸口！

奇怪的是，他今日没有选择咽喉处落钎。

他动的同时，那个拿着直刀的布衣汉子也动了，反应与速度近乎一模一样。

两丈的距离，不过是一眨眼的时间就消失无踪，五竹与布衣汉子撞击在了一起。速度太快，甚至超出了人类眼睛所能观察到的极限，前一刻还相隔两丈而站，下一刻便已经对面而立！

这么快的速度，不论是未受伤的范闲或是六处那个影子刺客，甚至是海棠肯定都反应不及，只有束手等死的份儿——如此境界，人间除了那四位大宗师再没有人能这样触碰。

流光一撞，没有绽出耀眼的烟火，瞬间化作死一般的沉默。

刀尖，从五竹的右肋处冒了出来，森然恐怖，刀上嘀嘀嗒嗒往地上滴着什么。

一把铁钎，准确无比地从布衣汉子的中腹处贯穿了出去，没有一丝偏差。

五竹先动，而且速度似乎比对手快了那么一丝，所以当两个人对冲之时，他的左腿膝盖犹有余力地蹲了一下，只是快了那么一丝，却是最致命的一丝。他保持着半蹲的姿势，手中的铁钎微微撩上，如同举火焚天一般，刺穿了对方的腹部。

小巷后方隐隐传来人声，极其轻微，落在五竹与布衣汉子的耳里。

就像是锯子在割木头，两个人沉默着分开，手中的兵器缓缓从对方的身体里拔了出来，这个时候，布衣汉子腹中才发出咔嚓一声，似是什么东西破了。

受到如此重创，布衣汉子的脸上依然没有任何表情，就连痛楚都没有半分，只是像个婴儿一样注视着自己腹部的那个伤口，似乎在思考为什么自己会比五竹慢了那么一点。

五竹一招制敌，却也身受重伤，依然和对方一样面无表情，只是露在黑布之外的唇角多出了一丝比较有尘世气息的疏离意味。

他知道对方已经不能再生存在这个世界上了。而自己之所以能够比对方更快一点，因为今天是自己用范闲的身世引诱对方来此，所以自己做的准备更充分，没有穿鞋，没有束发髻。

莫染红尘意，庙里这话确实有几分道理。

夜雪再作，几个人影倏的一下越过园墙，悄无声息落在小巷中。甫一落地，几人抽出身后背负着的长刀，排成狙杀的阵形，警惕地望着四周，这正是负责保护范闲安全的虎卫。

确认安全，高达收刀回鞘，在稀稀落落的雪花里走到面摊前，看着炉上那锅面汤，看着面汤里的人头，皱了皱眉。紧接着，他的目光落在人头与尸首的分断处上，只是看了一眼，便不由生出极度的寒意与恐惧——好快的刀！

高达感觉到颈处一阵冰凉，似是有雪花钻进了衣裳。

雪渐渐大了，渐渐冰凉了犹有温度的面汤血水，也冰凉了巷中诸人的心神。老板已死，炉已冷，血已干，这个世界上再也没有谁看见过这条雪夜小巷之中，曾经有两位寂寂无名，不在宗师之列，却有宗师之实的绝顶高手在这里厮杀过。

监察院值晚班的官员正在打盹儿，风雪夜中的那幢建筑显得更加冷肃，忽然一阵风掠过，将他惊醒。官员赶紧用力拍拍自己脸颊，令自己醒过来。最近这些天因为范提司的事情院长一直没回陈园，坐镇院中，如果让院长知道自己先前睡着了，可没有什么好果子吃。

陈萍萍半靠在轮椅上打瞌睡，这些年他的身体不是很好，屋中火炉生得极旺，他在睡梦中依然下意识地用那双枯瘦的手拉扯着膝上的羊毛毯，盖在自己的胸腹上。

门开了，又被关上。

陈萍萍醒了过来，眨了眨有些浑浊无力的双眼，看着那块黑布轻声问道："你怎么来了？"然后他才注意到五竹左胸口的那道恐怖的伤口，十分发警惕地问道："怎么回事？"

世间能够伤到五竹的，只可能是那几位大宗师之中的人，陈萍萍再如何自信，也不愿意在当前的局面下，听到这样一个坏消息。

五竹没有回答他，直接说了三句话。

"让影子回来。"

"伤我的人知道我在南方。"

"范闲死，庆国亡。"

他知道老跛子能听懂这三句话，转身离开了监察院。

陈萍萍坐在轮椅上，陷入长久的沉默之中。

五竹的三句话虽然简单，却有着很重要的信息。

第一句就是让影子回来，表示他的伤十分严重，没办法继续留在范闲身边，让陈萍萍提前履行承诺，召影子回来保护范闲的安全。不过那个伤到五竹的人应该已经死了，不然以五竹的性格，为了范闲的生死自己伤得再重也不会离开京都。

肯定不是那几位大宗师，不然五竹不会刻意隐瞒对方的身份。陈萍萍微微一颤，隐约猜到了真相——很多年前五竹背着范闲离开京都的那个夜晚，他们就曾经考虑过如何才能让范闲逃离那种不知名的危险。只是……神庙怎么会知道五竹在南方？

陈萍萍皱着眉头开始梳理这一切。范闲入京两年，他不止一次询问过五竹的下落，范闲一直很小心地撒着谎，说五竹在南边找叶流云玩。知道这个假消息的人除了陈萍萍就只有皇帝。五竹的第二句话就是在点醒陈萍萍。那么第三句话的威胁就是很理所当然的了。

"陛下。"陈萍萍眼角的皱纹微微抽动，"您还真是总让为臣意外，佩服佩服。”

虽然不清楚皇帝陛下与虚无缥缈的神庙是怎么联系上的，但他是真的很想让五竹消失。看来一代帝王真的很难忍受自己私生子的身边拥有一位大宗师级别的人物。

一位大宗师，如果发起疯来，足以动摇朝廷统治。就算无法单人匹马杀入皇宫屠尽皇族，但他完全可以单剑行于天涯，将各郡路中的官员杀得个干干净净，还不用担心会被军队困住。他也可以潜于京都十年不出，一出拔剑，吓得皇帝永世不敢出宫，旨意无法出城。试问这样的情况下，没人敢做官，皇帝不敢露面，朝廷除了分崩离析还能有什么结局？

所以当年苦荷可以一个人震慑住北方所有想造反的王公贵族官员们。所以四顾剑可以单剑护持东夷城这么多年，还能让那些夹于大国间的小诸侯国继续存在。所以看似散漫，实则有大智慧的叶流云，只要继续在天涯海角继续那不知尽头的旅行，庆国就会厚待叶家，哪怕是一代帝王想要撤换一下京都防卫，也要被迫使出自己放火这种可耻的阴招。

当然，叶流云也清楚皇室的忌讳，所以这么多年也没有回过京都。

如果天下征战起，陛下可以用叶家威胁叶流云，可以用北齐万民的生命去劝说苦荷，可以用东夷城的存亡去提醒四顾剑，双方可以达成某种平衡的协议。而五竹和这三位大宗师都不同，他没有家族，没有国度子民需要守护，他的所作所为只是为了范闲一个人，所以他拥有更大的自由度，更不可能被皇帝要挟或者利用，甚至连讨价还价的余地都没有。

如果范闲有个三长两短，五竹一发疯，天下就会跟着发疯。

于是只要五竹在一天，皇帝就必须爱惜范闲，像以往这些年一样扮演那位不得已而心有愧疚的父亲、胸怀雄心却满腹悲哀的皇帝。

皇帝内心深处可能真的很欣赏范闲这个儿子，但他归根结底是位皇帝，他不能容许范闲的身边有一个大宗师当仆人，就算不是利用这次神庙来人，终有一天也会想办法除去五竹。

陈萍萍清楚这只是一方面的原因，另一方面在于寡人有心疾。

神庙不干世事，庙里的人几百年也不见得现世一次，如果能让五竹与庙中人同归于尽，永远藏住范闲与叶家的关系，将当年所有都埋入故纸堆中，对于皇帝而言或许是最美妙的结局。

只是皇帝没想到，范闲的身世这么快被人捅了出来。他想用神庙这把刀杀死五竹，却被五竹利用范闲的身世，成功诱杀了那位神庙来客。

陈萍萍不知道五竹动的手脚，只是冷笑地想着，陛下明知道神庙来人，在范闲身世曝光后，却没有提醒过自己或是范闲。他推着轮椅来到壁炉前，有些贪婪地将手伸近了一些，一面取暖一面打着呵欠，用含糊不清的言语咕哝道："你就是会享受，居然搞出个壁炉来。你什么都是极好的，就是这件事做得有些糊涂，姑娘家家的……"

黎明时分，京都那个叫"外三里"的僻静处一片黑暗，隐约能见一座圆形建筑的影子，全是黑木结构，那是座庙宇。雪花纷纷落下，让那座庙宇染上了一层超脱世俗的脱尘之意。

这就是传言中庆国唯一可以与神庙沟通的地方，皇家祭天的庙宇——庆庙。

庙门吱呀一声被推开了，很久没有出现在京都的庆庙大祭祀走了出来，沉默而悲伤地从雪地里抬起那具尸体，踉跄着走进了庙中，那尸体上穿着一件人间常见的布衣。

已是寒冬，树木早僵，只有些禁冻的竹梅还在伸展。清晨的范府响起急促的呼吸。

范闲穿着单衣，正绕着花园跑步，伤势初愈不免有些吃力，气喘得有些粗。值班的两个虎卫与几个六处剑手正警惕地守在花园的各个角落，务必保证提司大人晨练的安全。

邓子越和高达二人露出奇怪的表情，不明白大人为什么天天早上要跑这么久。范闲也没有解释，每日两次修炼是他极小时候就养成的习惯，如今受伤不能修炼真气，就只有在锻炼身体机能方面下些苦功夫，隐性刻苦本就是他最好的品质之一。

下人丫鬟们却没有望一眼，这些日子大家早已习以为常，自顾自地蹲在下人房的石阶前刷牙，喷着泡沫聊天——都是内库里上好的东西，也只有范家才舍得买来给下人丫鬟用。

十圈终于跑完，范闲站在书房外的屋檐下，大口喘着粗气，双手叉着腰，头向下低着，看着就像是第四节的姚明一般狼狈，挥了挥手，示意旁边端着铜盆的丫鬟等会儿。

家里女子还在苍山，前宅另派了位丫鬟来服侍他，这个梳着两个环辫的丫头，好奇地看了一眼满脸汗水的少爷，觉得好生奇怪，少爷这等人物为什么非要这么苦着自己呢？她将铜盆搁到长凳上，替范闲披了一件外衣，用尾指尖在盆里一弹，试了试水温，轻声禀道："少爷，依您的吩咐，水很烫，再搁阵就凉了。"

范闲点点头，伸手到铜盆里拾起毛巾，也不怎么拧，低着身子将毛巾覆在了脸上，十分用力地擦拭了起来。水珠子从毛巾与他的脸颊间滴了下来，当当作响。

洗完脸后，他的脸被烫得有些发红，精神也好了许多。他将毛巾扔回盆里，看了眼身边的两人，略一沉忖后说道："今日要进宫，子越你去一处看看这几天有什么院务压着。"

邓子越应了一声便去了。范闲又看了高达一眼，问道："怎么个情况？"

京都风声定后，知道宫里不打算从肉体上消灭自己，范闲不再忌讳，从苍山上召了四个虎卫下来，高达把前夜府外小巷中的命案又做了一次禀报。

范闲觉得应该是五竹叔又杀了个信阳方面的刺客，便不再在意，想着总有一日自己得寻个僻静的宅子，再让五竹叔切几盘凉拌萝卜丝儿，自己再喝几盅小酒，回味一下当初在澹州的幸福时光。此时红日已出，晨寒稍去，他看着初升旭日，满园清淡冬景，心头倒是疏朗自在，浑然不知最亲近的五竹叔已经飘然远去养伤，而自己曾经面临过怎样的危险。

进入书房，他的神情变得黯淡了些，坐在椅上，查看了一下身体的状况，发现没有太多改善，经络依旧千疮百孔，散于腑脏间的真气暂时蛰伏，没有伤害到内脏。在这种状况下，他不敢强行调动真气，但如果等着经络自动复原，谁知道要等到什么时候？

从苍山回府后，范闲一直表现得十分低调，对于外界的议论与争斗没有理会，在陈萍萍范建费介这些老一辈人看来，年轻人或许是被接连而来的事情给吓住了，而且那种层次的政治斗争也确实不是如今的他所能够掌控。

只有他自己清楚，之所以显得心志松散，任由父辈们安排，最大的原因还是身体状况。五竹叔说过，这个世界上没有谁能够真正信任，于是他也只信任自己。在他看来，谁的恩宠，谁的照顾恋旧，都不如自己的力量令人放心，就算身边有虎卫、有监察院、有启年小组，可是最后能依靠的还是只有自己。问题在于外间的人都以为他的伤渐好了，他自己却清楚远不是这么回事——所以他必须沉默，必须像个乌龟一样缩进壳里，姿态难看，胜在安全。

书房外传来敲门声，范闲嗯了一声。推门而入的是藤大家媳妇，手里端着一个托盘，上面放着两碗汤药和几小钵药丸，透着浓浓的药草气息。

范闲的药如今都是藤大家媳妇经手，在这种重要环节上他能完全信任的人不多。

藤大家媳妇将托盘放到桌上，又赶紧去旁边倒了几杯温茶，像排兵一样排在了桌子上，生怕范闲吞药时来不及倒水。

范闲一手拿着药碗，一手抓了把药丸，就像吃糖丸喝糖水一般，面不改色地往嘴里送去。只是药太多，他这般豪迈，虽是风卷残云的吃法，也花了好一阵子，才清空了托盘上所有的药。

“苦了少爷了。”藤大家媳妇面带怜惜之色，咂巴咂巴嘴，似乎吃药的是自己。除了怜惜，妇人也极佩服少爷，天天这么多药灌着，这哪里是人过的日子！可是少爷居然还能面不改色，甘之若饴。那位监察院的费大人也是的，不就是个刀伤，用得着开这么多药？

范闲笑了笑，说道：“省了一顿早饭钱。”

说笑两句，藤大家媳妇离了书房，范闲坐在书桌后开始发呆。老师的医术自然不必多提，对于固经培络确实有极大好处，不过天天拿药当饭吃终究不是个办法。

想到海棠来信里说苦荷决意将天一道功法传给自己，他自嘲地笑了起来，看来对方是准备将自己养成南庆的一头猛虎——这种手段南庆人也做过，比如长公主与自己都希望上杉虎能够继续维持他的勇猛，让北齐朝廷始终处在紧张不安的状态之中。

南下传功的定是海棠，一念及此，他竟开始期盼那一天。

今天范府的早饭气氛有些怪异。

前宅的人毕竟不是天天服侍在范闲身边，那些模样俊俏的小丫鬟总喜欢偷窥着少爷的“美色”，反正他被人看习惯了，不在乎这个。今日却没有多少丫鬟敢看他。她们沉默地站在桌后服侍着，偶尔看一眼，眼神里满是敬畏。

皇权如天，这个思想早已深植天下庶民士子的心中。如今都在传范闲是皇帝与叶家女主人的私生子，于是所有人看范闲的目光都不一样了，天家血脉啊……只是在这个传闻之中，范建的角色不免有些尴尬，所以范府的下人丫鬟们再好奇也不可能表露出来，只在深夜的房间里、温暖的被窝里窃窃私语一阵。

范闲察觉到异样，清美的笑容却没有散过，走到桌旁，规规矩矩、恭敬无比地向端坐于上的父亲大人行晨礼请安。范建很自然地点了点头，身边的柳氏面色却有些怪异，强行掩了过去，笑容还是有些不自然。她家中背景深厚，当然知道传言真伪，早被震惊得不行，尤其是想到自己还曾经要害对方，更是畏惧，觉得自己受这一礼十分不当，想避开又怕老爷生气。

察觉到她的异样，范建的唇角浮起淡淡嘲讽意味，说道：“今日要入宫，注意一下行止。”

范闲笑了起来：“又不是头一回去，没什么好注意的，还不是和从前一样。”

“还不是和从前一样”，这句话的意思很简单，又很不简单。柳氏仍在琢磨着的时候，那厢父子二人已经含笑对视，彼此了然于胸。

正吃着饭，忽听着隐隐传来人声，范建皱眉道：“何人在喧哗？”范闲递了毛巾过去，让柳氏替父亲擦掉胡须上沾着的粥粒。他知道父亲自从脱离流晶河那段生活后走的便是肃正之道，此时见父亲微怒的模样，忍不住笑了起来：“能有什么事，您安心吃饭吧。”

有下人急匆匆到宅门口说了声，丫鬟又进堂来说了，范闲再顾不得才劝父亲安心吃饭，停了筷子愣愣地看着房门口，不知道待会儿自己该说些什么。少奶奶林婉儿、小姐范若若，领着思思、四祺两个大丫鬟及一干随从侍女，坐着马车从苍山回到了京都，已经到了府门！

他回头望向父亲愕然地说道：“父亲，咱们不是瞒着山上的吗？”

婉儿与若若清晨便到了京都，想必是连夜回来，留在山上的虎卫与监察院官员都没来得及给自己送信……自然是因为姑娘家们知道了传言，心忧范闲，当然要赶着回来。

范建已经恢复平静，自柳氏手中接过毛巾擦了两下，又低下头去喝粥，稍后又慢条斯理地说道：“叶灵儿那丫头和柔嘉郡主都在山上，这事能瞒几天？你们年轻人有话要说，去后宅吧，待会儿让小厨房再给你们重新做，从山上这冷地方下来，重新弄些热的。”

后宅里一片安静，范闲与婉儿、若若坐在房中，像三尊泥菩萨。不知道应该由谁先开口。毕竟这事有些复杂，如果让范闲解释，恐怕要说出一长篇来。若让姑娘们来问，却又不知道那传言究竟是怎么回事，胡乱发问会不会让他心里不痛快。

最终还是婉儿试探着问道：“京中的传言平息了没？”

“传言这种事情哪能一时半会儿就消停……你们两个也是的，多大点儿事，值得这么急忙下山，连夜行路，万一摔了我怎么好过？”范闲这时候教训妻子妹妹一套一套的，却忘了自己当初听到传言下山的时候，完全像只丧家之犬，被范建与陈萍萍这两个长辈好生嘲笑了一番。他看着欲言又止的妹妹和一脸无奈的妻子，微笑着说道：“我要进宫，等晚上回来再说吧……不过有句话在前，我范闲始终就是范闲，这个保证是可以给的。”

他出门准备入宫，却被思思神秘兮兮地牵着衣袖来到花园里僻静处，开口问道：“少爷，听叶小姐说，您……的母亲是叶家那位女主人？”

她与范闲一起长大，情分自不必说，关键是被范闲熏陶得极其胆大，没什么忌讳。林婉儿和若若都问不出口的事情，她却是不在乎。

范闲大笑着说道：“还是思思最痛快。”然后他压低声音，也神秘兮兮地回道，“是啊。”

思思比范闲还要大上两岁，却始终是这般柔中带愣的性子，犹不满足那颗八卦的心，继续问道：“那……您真的是……陛下的儿子？”

范闲正色道：“这事你得问我妈。”

马车碾过新街口的青石路面，发出吱吱的声音。冬日深寒，路上已有凝冰，四轮马车也不敢走得太快，车夫苏文茂小心翼翼地挥着鞭子，穿着套靴的监察院六处剑手随马车前行，警惕地望着四周。启年小组成员散开，乔装成寻常百姓，隐藏在街上旁观的人群里。

车上有范家的徽记，方圆相交，流金黑边。车中坐着范闲与高达，还有两个虎卫坐在他们对面。范闲听着窗外的动静，感慨道：“阵仗排得太大，太显眼了。”

高达拾起厚帘一角，往街上望了一眼，沉稳地说道："山中忽然来了刺客，谁知道京中究竟安不安全，陛下震怒，严令属下等一定要保证大人您的安全。"

行人发现了范家的马车，猜到车中坐的是谁，投来异样目光，纷纷猜测起来，不知道今天的京都是不是又给人们提供一个更具震撼性的消息。

皇宫似远极近。车到了宫前广场外围便停了下来，悬空庙事后，禁军戒备严了许多。范闲下了马车，接过苏文茂递过来的大氅披上，又接过一只拐杖夹在了腋下。

高达知道范闲的外伤早已好了，不免有些诧异地看了他一眼。范闲没有理会他的目光，领着众人往那座凉沁沁而又雄伟无比的红黄宫城处走去。还没有到宫门，禁军侍卫们便抢着接过来，沉默却周到地替他挡着风，将他迎入宫门。这种待遇向来只有那些年老体弱的大臣们才能享用，即便皇子们也得不到这般厚待，范闲不由得有些莫名。

他不知道这是大皇子的交代。大皇子没明说，但淡淡的表态足以让禁军将领清楚，传言没有伤害到范闲的地位，他与大殿下之间的关系更是早已恢复。

在宫门负责接引的是范闲初次入宫见着的侯公公，二人早已极为熟悉。侯公公谄媚道："范少爷，得亏奴才今天起得早，哪里料到您竟这么早来了。"

范闲笑骂了两句，疑惑地问道："上月你说去了奚官局，前几次进宫，也是老姚在应着，怎么今天又是你出来？"侯公公早已升为奚官局令，掌管宫中用药死丧，实在是个要紧处，正是宫里的红人儿，按理讲怎么也轮不着他在宫外迎着范闲。

侯公公笑道："老姚出宫办事去了，陛下让奴才今天过来替一天。"

范闲点点头，随着他往宫里走去，一路行过大坪宫殿花园，有一搭没一搭地说着话。

“这些日子里，见惯了旁人那等目光，还是老侯你够意思，待本官如往常一样。”

“瞧您这话说的，范少爷日后只有愈发飞黄腾达的光景，小的当然要仔细侍候。”

范闲确实是心有所感，所有人知道自己与皇室的关系后，神态都有些不自然，反而是宫里的太监们没有什么太大反应。他不清楚，太监们在皇子之间一向保持中立，不敢乱投主子，他们不比大臣，一旦投错主子，将来另一方登基之后就只有死去的份儿。所以他们对皇子是尊敬中带着疏远，而且日常伺候着皇帝，除了太子也不怎么太过害怕其余三位皇子。范闲是不是皇子，对太监们来说并不重要，他本身的官位才是太监们巴结讨好的原因。

行过几座熟悉的宫殿，到了御书房前，侯公公小心翼翼地在门外说了声，转身对范闲使了个眼色，便退到了一旁。门开后，范闲拄拐而入，站在高高书柜前，将拐杖放到一边，对着软榻上正在看奏折的皇帝，行了个大礼。

皇帝头也不抬，嗯了一声，又说道：“自己找个地方坐，待朕看完这些再说。”

御书房里哪能自己找座？拿着拂尘守在一旁的洪竹机灵无比，听出陛下的意思，赶紧去后面搬了个绣墩出来。范闲感激地一笑，心里却想着这小孩的青春痘怎么还是这么旺盛？

皇帝低着头似乎没有看到这一幕，看着奏折的眼中却闪过一丝笑意。

御书房里一片安静，门内门外的太监们不敢发出半点声音。这不是范闲第一次与皇帝单独相处，但有了那个传言，再次单独相处难免有些紧张，胸口莫名有些发痒，忍不住咳了两声，咳声在御书房内回荡，清楚无比，将他自己吓了一跳。

皇帝抬头看了他一眼，没有说什么，微低着头，继续批阅奏折。范闲从他清癯的脸上找到了几抹熟悉的影子，准确来说，是和自己相似的地方，这大概就是所谓血缘的关系吧？

皇帝批阅奏章的时间极久，书桌上的折子极多，他的眉毛时而愤怒地皱起，时而开心地舒展，时而沉默黯然，时而情绪激昂。庆国疆土广阔，统有七路二十六郡，州县不计其数，以京都为枢而治天下，相当困难，单是每日各处发来的公文奏章便是多如雪花。如果是垂拱而治的皇帝，或许会将权力下发给内阁，自己天天游山玩水，而皇帝显然不甘心做个昏庸之主，对权力丝毫不放，不惜将宰相林若甫赶出朝廷，只设门下中书……

"这简直是自虐。"范闲看着眼前这幕，心想当皇帝果然不是什么有趣的事情，相较而言，如靖王一般种种花倒是个不错的选择。

日头渐渐移至中天，阳光隔着层层寒云洒下来，被冻得失去了所有热度。皇帝终于结束了上午的御批，合上最后一封奏章，伸了个懒腰。

太监们鱼贯而入，毛巾、清心茶、小点心、醒香，开始往皇帝的身上肚子里施展。范闲注意到毛巾在这冬天里没有冒一丝冷气，眉头一皱，问道："陛下……这是冷的？"

皇帝嗯了一声，取过毛巾用力往脸上擦着，含糊不清地说道："冰寒入骨，可以醒神。"

范闲想了想，最后还是说道："陛下，用热毛巾试试，对身体有好处。"

皇帝的神情微微一变，然后笑了笑，说道："热毛巾太暖和舒服，朕怕会睡着了。"

范闲也笑了起来："用烫的，越烫越好。"他忽然险些噎住了一般，一边咳一边急着挥手说道，"当然，小心别烫伤了。"

皇帝露出一抹意味深长的笑容，说道："不错，表现得还算比较镇定。"

范闲哑然无语。皇帝的目光移到范闲身后的那只拐杖上，不禁在心里叹息道："和他妈一样犟……想故意让朕看出他在卖乖，想让朕训斥他，坚定他的心，莫非以为朕看不明白？"

这般想着，皇帝越发记起当年某人的好来，也越发觉着范闲是个没什么非分之想的……好儿子。他起身往御书房外走去，示意范闲跟着自己。范闲赶紧去拿那只拐杖。

“早知道你伤好得差不多了，在朕跟前扮什么可怜？”

虽是点破，却没有天子怒容。范闲恰到好处地微微一愣，似是没想到皇帝居然……没有训斥自己，紧接着便是呵呵一笑，将拐杖扔到了一旁，随皇帝走了出去。

与所谓“父皇”的第一次心理交锋，范闲胜。

沿着宫檐往西北方向走去，殿宇渐稀，将含光殿、太极殿那些宏大建筑甩到了身后。宫女太监低头让道，皇帝与范闲身后就只有洪竹这个小太监。渐渐地连宫女太监都很少出现，冬园寂清无比，假山上偶有残雪，早无鸟声，亦无虫鸣，只是幽幽地安静。

范闲明白这是要去哪里，自然沉默，皇帝心情也有些异样，没有说什么。直到连冷宫都已经消失不见，殿宇已显破落之态时，皇帝才停住了脚步。只见前方有座清幽的小院，院落不大，里面只有两层木楼，楼宇有些破旧，应是许多年没有修缮过。

随着皇帝拾阶而入，范闲开始紧张起来，不由得深吸了一口气。

小楼外面破旧，楼内却是干净无比，纤尘未染，应该是常年有人打扫。

上了二楼，皇帝终于叹了口气，走上露台，看着对面的园子长久沉默不语。露台对着的皇宫一角，已是皇城最偏僻安静的地方，园中花草无人打理，自顾自狂野地生长着，然后被秋风寒露狂雪一欺，颓然倾倒于地，看上去就像无数被杀死的尸体，黄白惨淡。

远方隐隐可见华阳门的角楼。

范闲沉默地站在皇帝的身后，余光将堂内扫了一遍，没有看到自己意想当中的那张画像。

小太监洪竹像变戏法一样，不知从小楼哪处整出来开水，泡好了茶，恭恭敬敬地放在几上，便下了楼，不敢在旁侍候。

“先前让你在御书房中候着，”皇帝看着栏外，双手坚定有力地握着栏杆，语气没有波动，“是要告诉你，君有君之道。”

范闲依然沉默。

“身为一国之君，朕……必须要考虑社稷，必须要考虑天下子民。”皇帝望着极远的地方，“皇帝，不是一个好做的职业……这是你母亲当年说过的话。所以有时候朕必须舍弃一些东西，甚至是一些颇为珍重的东西。将你放在澹州十六年，你不要怨朕。”

这一天范闲已经等了很久，也做好了准备，但骤闻此语依然止不住一道寒意沿着脖颈往头顶杀去，沉默半晌之后，他清声应道：“臣……不知陛下此言何意。”

范闲的反应似乎早在皇帝的预料之中，他自嘲地一笑，并未回头，语气却更加柔和：“包括你那几个兄弟在内，这天下万民，就算对朕有怨怼之意，也没人敢当着朕的面表露出来……安之，你果然有几分你母亲的遗风。”

范闲硬着脖子，倔强地一言不发。

“不解朕此言何意？”皇帝转身看着他缓声道，“朕的意思是你是朕的……亲生儿子。”

范闲忽然笑了起来。

失笑，哑然之笑，笑中有说不出的辛酸悲愤之意。

很久后他才敛了笑容，一时间有些惘然，竟忘了自入宫那一步开始，自己是在按计划表演，还是已然代入了皇帝私生子的角色难以出戏。

他对着皇帝深深行了一揖，依然不肯说什么。

皇帝在心里叹息着，可见是被范闲表现出来的情绪瞒了过去，幽幽地说道：“京都传言，朕本可不认，但朕终是要认，因为安之你……终是朕的骨肉。”

皇帝看着这个漂亮的年轻孩子脸上的坚毅与倔狠神色，怜惜之色一现即隐，没有要求范闲一定要回答什么，自顾自地说道：“下月你就十八岁了。”

范闲欲言又止，半晌后才淡淡地说道："臣……不知道自己是哪天生的。"

这句话便扎进了皇帝的心里，让这位心思冷酷的帝王终是生出了些许歉疚，略一斟酌后说道："正月十八。"

范闲微微一愣，叹道："等到十八，才知自己生于十八。"

皇帝越看这孩子越是喜欢，说道："在乡野之地能将你教成这种懂事孩子，想来在澹州时姆妈一定相当辛苦，找天朕也去澹州看看老人家……安之，老人家身体最近如何？"

范闲沉默了一会儿，说道："奶奶身体极好，臣……我时常与澹州通信。"

皇帝听着他终于不再自称臣子，心头一暖，欣慰一笑，开始询问范闲小时候的生活。有了由头，范闲似乎也适应了全新的"君臣关系"，开始讲述自己幼时的日子。

在这么一段顺口溜，是对他们此时状态的最好诠释：

范闲是皇帝的儿子。起初皇帝并不知道范闲知道范闲是皇帝的儿子，如今皇帝知道范闲猜到范闲是皇帝的儿子。起初范闲想让皇帝不知道自己知道，如今他想让皇帝猜到自己刚知道但不想知道。所以皇帝不知道范闲，范闲知道皇帝。皇帝当范闲是儿子，范闲不当自己是他儿子。

这是一个心思的问题，这也是一个心理上的问题。从踏入宫门第一步起，范闲就是在利用这一点，一步步地退让，也是一步步地进攻。

这对各怀鬼胎的"父子"隔几而坐，饮茶闲聊，范闲表情平和下来，与皇帝的对话也不再仅仅是拘于君臣之间的奏对，有了些宫外的闲话，在澹州这些年的生活，家长里短之类。

于是，皇帝开始陶醉于这种氛围之中，而这，正是范闲所需要的。

一国之君，事务繁多，不可能停留太久，也不知道是哪里出了事，太极殿的太监头子冒着风险来到楼外，苦兮兮地在楼下通报了许多次，终于成功地将皇帝请下楼来。

看着皇帝的身后站着范提司，太监头子暗自叫苦，难怪宫里怎么都找不到皇上，原来……人家两父子在玩流泪相认的戏码，自己前来打扰惹得天子不悦，不知道会挨多少板子。

皇帝的脸色确实不好，生下来的儿子当中，他最欣赏的当然就是范闲，范闲入京都后给他乃至整个庆国挣了太多的光彩，而且知性识理，实堪大用。最关键的，单看悬空庙上救老三，如今又是死不肯相认这两件事情，就可以看出这孩子散漫容貌之下全是一颗忠厚之心。如今终于可以与范闲相认，虽然范闲一直没有开口，但那种氛围已经足够令人满足，这时候被人打扰，自然不会愉快。他望着范闲说道："你也见了，先前也说了，一国之君总有太多的不得已。你自己多想想，不要有太多的怨意。"

以皇帝之尊，就算是自己的亲生儿子，也不必如此放低姿态，这句话里除了没有表示歉意，已经表达了足够的内容。范闲也不敢再装下去，深深一揖，似有所动。

皇帝忽然想起了远在信阳的妹妹，又是一阵头痛，叹道："最近京里不安静，有太多事不能放在台面上来说。陈萍萍担心你在朝中尴尬，建议让你提前下江南，你意下如何？"

范闲不敢有任何意见，只是恰到好处地在眼中闪过一丝黯淡，低声说道："臣遵旨。"转而他又忽然温和一笑地说道，"只是江南那边从来没去过，请陛下提点下臣，有何需要注意。"

皇帝道："朕只要一个干干净净、能年年为朝廷挣银子的内库，怎么做你应该清楚。"

这说的自然是监察院查缉崔家、打击内库走私之事。在皇帝的眼中，范闲不遗余力打击信阳及二皇子，当然是因为当初的那封奏章，这是在为朝廷做事，很是值得嘉赏。

范闲沉默片刻，说道："自今往后，臣仍愿做陛下的一位孤臣。"

皇帝很满意范闲的表态。

"只是江南路远，臣虽司监察之权，但毕竟不通商事，诸般事务若独由院中牵头，怕是查不清楚……陛下，臣……”他当着皇帝的面一咬牙说道，“臣想借庆余堂一用。”

皇帝一听，有些诧异地问道：“庆余堂的掌柜们自然熟悉内库事务，不过朝廷规矩，他们不得出京……”他忽然觉得在范闲面前说这话有些不厚道，“你当面向朕要人，不怕朕疑你？”

范闲直接说道：“溥天之下莫非王土，臣既当面提出，自然相信陛下深信臣之忠诚。”

皇帝看了他一眼，心想当年的叶家根深叶茂，几可动摇国体，他实在有些忌惮当年之事重演，范闲是她的亲生儿子，对于此事只怕会有些许不甘。但他转念一想，范闲既然敢冒忌讳说这话，也算是坦诚，便说道：“四年前朕即决意让你长大后执掌内库，便是存着……那个念头，这本是朕所愿，何来疑？”

范闲略显感动，皇帝却微微一嘲说道：“不过你也休得瞒朕，内库之事纵算繁复又哪里需要庆余堂那些老伙计。朕看你就是想将他们捞出京去才是。”

范闲也不辩解，道：“不敢欺瞒陛下，臣确有此念。从知道身世的第一日便有这个念头，去年还去庆余堂看过，那些掌柜常年拘于京中，实在是有些苦，放出京去还可为朝廷效力。”

去年他曾经去过庆余堂，知道这事总有一天会被有心人抓住，干脆在皇帝面前说了出来。

皇帝有些意外于他的坦诚，沉默半晌后点了点头。范闲大喜过望。皇帝笑骂道：“你也不能全带走了，各府全是庆余堂在打理生意，若你全数带走，靖王第一个就饶不过你。”

范闲嘿嘿一笑。

皇帝忽然说道：“楼上偏厢有幅画……你待会儿去看一下。”

范闲知道那幅画像在宫中，不解地问道：“什么画？”

“那是你母亲留在这个世界上唯一的画像……”皇帝可能是想到往事，

眼神柔和起来，“你没见过她，待会儿好好看看……说起来，你与她可真不怎么像。”

范闲微微一怔，又听着皇帝叹道：“虽是一般的清美无俦，偏生心性大异。她就像个男子一般不让须眉，不然也不会有那么个名字，而且当年她最厌憎所谓的诗词歌赋，只好实务。”

想到面前这个儿子是世间诗名最盛之人，皇帝更觉有趣，大声笑了起来，说道：“她作的诗词虽然亦有吞吐风云之势，却只是契合了她的性情，和你的差别太大……太大。”

洪竹看着楼外那太监催促的焦急眼神，耳听着陛下与小范大人开心谈话，哪里敢上前打扰。

范闲好奇地问道：“母亲大人……她作的诗词，陛下曾经听过？”

“只有一首。”皇帝悠然回忆当年，清声吟诵道，“北国风光，千里冰封，万里雪飘。望宫城内外，惟余莽莽；大河上下，顿失滔滔。山舞银蛇，原驰蜡象，欲与天公试比高……”

魏皇汉武？唐宗宋祖？范闲的脸色十分精彩，精彩到了快要抽筋的程度。皇帝不赞同地看了他一眼，呵斥道：“难道你以为这词不好？”

“……自然是气势十足，只是臣不知这汉武、唐宗、宋祖又是何处的人物。”范闲心想母亲你要改就认真些改，什么西蛮大汗……真是败给你了。

皇帝解释道：“据传乃是万古之前三位一代雄主。”

范闲这才知道母亲的推脱功夫与自己很相似，如同北齐上京与庄墨韩那夜交谈般，但凡解释不清的就全推到万古之前、偶在史册上见过，史册在哪儿？对不住，上茅厕撕来用了。

太监再三请，皇帝终于离开了小楼。

小楼只剩下了洪竹以及范闲，看着皇帝消失在挂霜寒枝之后，范闲终于忍不住爆发了，捧着肚子大声地笑了起来，笑声响彻小楼，说不出的快活。

洪竹傻了，心想范提司莫不是因为今儿的事受了大刺激，是不是应该请御医来看看？

范闲摆手说道："没事，我自上去，你在楼下等着我。"

往楼上走着的过程之中，他还是想笑，那个叫作叶轻眉的女子还真是个妙人，千首万首好诗词不抄，偏要抄这首，估摸着当年也是被范建、皇帝这群人给逼急了……

或许这首正好契合她当时的心情？想着这些旧事，他的笑容渐渐敛去，恢复了往日里的平静，将先前皇帝的真情实感悉数抛诸脑后，不再复忆。

来到偏厢外，顺手端起那杯冷茶，范闲平静地站在了那张画像之前。

画中是一位黄衫女子，背景乃是滔滔大河。女子站在河畔的一方青石之上，身上裙裾随河风轻摇，面向大河的方向。河中浊浪排空，拍石而化泥沙。对岸远方隐隐可见如蚂蚁一般大小的民伕们，正在搬运着石头还是什么，或许那些人是在修筑河堤。

这幅画的画工极其精妙，笔触细腻，风格却是大气磅礴，以精细而至宏大，无论是河对岸那沉重的场景，还是近处青黄相杂的山石，都被描述得十分到位。尤其是那条被缚于两岸黄山之间的大河，更是波涛汹涌，浪花翻白，气势逼人，似乎能够感到一股凛冽的河风从画上渗了出来，吹在观者的脸上，稍站得近些，更似能听见河水拍打两岸的激昂之声……

但所有的这一切都不是这幅画的重点，任何看到这幅画的人，都会在第一时间内被那位站在此岸的黄衫女子吸引住，再没有多余的心思去看别处的风景人物。

黄衫女子只露了一个侧面，晶莹若玉的耳垂旁几缕青丝，正在轻轻飘动，檀唇微抿，不知道在思考什么。最吸引目光的却是她的眉毛，那眉清美如剑，不似柔弱女子，也没有多出几分男儿豪情，只是一味清明疏朗，让人说不出的喜爱。

范闲盯着画中女子侧脸中将能瞧见的方寸眼眸。

那眸子里的神情看似平静，却蕴藏着更多的情绪。

他想起西山绝壁洞中，肖恩给自己描述过的母亲，对，就是这种眼神！柔软，悲悯，充满了对生命的热爱与依恋，对美好事物的向往，对苦难的同情，还有改变这一切的自信。

范闲缓缓走上前，抬头看着墙上这幅画，久久没有移开目光，似是想将女子的容貌牢牢地镌刻在心上。冷茶在手，旧画当头，浑没留意小楼外阳光偏移，风云缓动。

不知过了多久，他手中的茶依然未饮，嘴唇有些发干，忽然偏了偏头，看着画中的黄衫女子轻声说道："您做得不错，可惜……没有照顾好自己。"

他顿了顿，似乎有些紧张，想组织起比较合适的言语对画中女子讲。

"我做得当然不如您，但请您放心，我一定会将自己照顾好。暂时将您留在这里，想来他也不会让我拿走，过些日子，我会常常来看您。"

不知道过些日子，又是要过多久。

他忽然说道："俱往矣……俱往矣。数风流人物，让我来搞。"

说完这句话后，他起身离开了偏厢房。

房中一片安静。

房门忽然吱呀一声，被人急匆匆地推开。范闲去而复返，重新站在厢房之中，直直看着画中那个女子，突兀地开口问道："理科？女博士？"

画中的姑娘自然不能回答自己儿子在很多年后提出的问题，只是沉默。范闲心头无由地一酸，旋即呵呵一笑掩了眼中湿意，诚心诚意躬下身子，说道："谢谢。"

然后他真的离开。画中的黄衫女子没有转过身来，只是看着对河的那幕幕场景，沉默着，背对着身后那扇不知道多久以后才会重新打开的门。

走出门外，范闲将手中那杯冷茶放下。啞当一声，茶杯无比准确地搁在另一只茶杯之上，两杯相叠，并无多少残茶溢出。这似乎只是一个很寻常随意的小动作。

他与洪竹说了几句，二人便离了小楼。送范闲离开皇宫之后，洪竹绕过太极殿，穿过石弯门，去御书房复命。他一路上与宫女开着玩笑，与小太监们说闹几句，说不出的快活。那些太监宫女有些讶异，心想洪竹小公公自在陛下身边后，身份地位上去了，连带着心性也沉稳了几分，今天出了什么事让他乐成了这样？

御书房不远，洪竹醒过神来，知道自己表现得有些过头，从道旁山石中抓了两捧雪往脸上狠命擦了擦，生生将发热的脸冰凉下去，才放下心来。他轻咳两声，学起了太监祖宗洪老公公的做派，死沉着一张脸，推开了御书房的门。

皇帝正与舒大学士在争论什么。舒大学士也真是胆子大，当着皇帝的面也是寸步不让，隐约听着是什么河道、挪款、户部之类的事。洪竹竖着耳朵候在一旁，大气也不敢出，心里却清楚舒大学士和陛下顶牛是为了何事。

冬天是疏浚河道的良时，门下中书省早在两个月前就拟好了章程，只等户部筹好银两，便组织各地州县，广征民伕治理河道。没料到户部最后硬是拿不出来银子。于是范尚书便成了众矢之的，如果不是陛下一力保着，他只怕要自请辞官才是。

正值盛世，国库却拿不出银子！门下中书问户部，户部一问三不知，只说是宫中调用了。但宫中用项一向是从内库出……难道内库如今已经颓败到如此境地？内库牵连着长公主、皇族的颜面，最近监察院又在查崔氏，大臣们也不好当面询问皇帝，才有了舒大学士入宫之行，看来这君臣二人的交流并不怎么平和。皇帝隐约说到范闲、江南几个模模糊糊的词语。

舒大学士的脸色好了些，似很相信范闲下江南之后，能够将庆国的财政问题解决了，但他还是忍不住说道：“怕时间来不及。明年若再发大水怎么办？江南事杂，范提司纵使才干过人，要想理清只怕也要一年时间。就算明年上天眷顾，可后年呢？”

皇帝说道：“范闲过几天就动身了，应该来得及。”

舒芜应了一声，便笑眯眯地退出了御书房。君臣二人都是老成持重之辈，怎么可能因为范闲这么个小年轻去江南，就真的停止了担心？舒学士争的根本不是明面上的这些东西。他身为朝中文官之首，需要陛下的一个表态，内库那边到底怎么办，更关键的是在那两个传言相继出来之后，朝廷或者说宫城之中，对范闲到底是准备怎么处置？

皇家玩神秘主义，对很多事情秘而不宣，朝廷官员却受不了这个，总要求个准信。皇帝既然明说了范闲离开京都的日期，一来宣布内库治理一定会很强硬地开始，二来就是通过舒芜告诉朝中的官员们，范闲的身份之类的问题不要再提。不管他是谋逆叶家的余孽，还是皇帝的私生子，反正他人都离开了京都，你们就别瞎猜了，让事情淡了！

“洪竹啊。”皇帝忽然从沉思之中醒了过来，问道，“先前他有什么反应？”

洪竹低声应道：“范提司目中隐有泪光，面露解脱之色……只是曾在楼中大笑三声。”

皇帝沉默片刻后道：“如此也好，放开后才好无牵挂地替朝廷做事。”

洪竹不敢接话，却被皇上接下来的话吓得不轻。

“下月起，你去皇后身边侍候着吧。”皇帝摩挲着掌心的一块静心玉随意说道。

如同一道惊雷落在心中！嘭的一声，洪竹直挺挺地跪了下来，趴在地上哭道：“陛下，奴才……奴才不知道做错了什么，请陛下打死奴才，也别赶奴才走啊。”

皇帝看着他皱眉说道：“出息！让你去那边宫里做首领太监，这是朕的提拔！不堪大用！”

洪竹知道自己犯了错，依然哭号道：“奴才才不做什么首领太监，奴才就想在您身边。”

“噢。”皇帝似笑非笑看着身前的小太监，“在朕身边有什么好处？”

“好处”二字可以当作玩笑，也可以当作一把杀头的刀，洪竹愣愣地从地面抬起头来，流着泪的脸上染着些灰尘，吃吃地说道：“……在皇上身边伺候……奴才……脸上光彩。”

“光彩？”皇帝挑眉道。

洪竹点头如捣蒜，抽泣地说道：“奴才该死……奴才不该贪图……”

“你收了多少银子？”皇帝看着小太监那满脸灰尘、满脸清泪的模样甚是可笑，竟是哈哈笑了起来。

洪竹听着笑声心头稍定，讷讷地回道：“奴才在御书房两个月，一共收了四百两银子。”

皇帝忽然将脸一沉，冷冷地说道：“是吗？那胶州的八百亩地是谁给你买的？你哥哥的官又是谁给你走的门路？你好大的胆子！在朕身边不足百日，就做出这样的手笔来！”

洪竹面色惨淡，万念俱灰：“奴才知罪，奴才知罪。”他甚至都不敢求皇帝饶自己一命。

“是谁？”皇帝转过身去，踢掉靴子，坐在榻上又开始批改奏章。

洪竹脸色青一块，白一块，知道终究是瞒不过去了，一咬牙说道：“是……范提司。”

皇帝嗯了一声表示疑问。

洪竹手脚并用爬到皇帝脚下，哭道：“陛下，您尽可杀了奴才，但天可鉴……天可鉴，奴才对陛下忠心耿耿，绝没有与提司大人暗中……提司大人是个好人，这事是奴才求他办的，您饶了他吧。”

皇帝有些诧异：“你居然替他求情？这孩子的人缘比我想的要好很多啊。”

他看着小太监那张大花脸，笑骂道：“滚出去吧，此事范闲早就奏过朕了。如果不是朕喜欢你有些小机灵，他早就一刀将你宰咯，你居然还替他求情。”

“啊？”洪竹的脸色震惊之中夹着尴尬与窘迫，半晌没有回过神来。

“还不滚？”

“是，陛下。”洪竹哭丧着脸，心里却是高兴得不得了，也不起身，就这样爬出了御书房，至于要被赶到皇后宫里去当首领太监，他哪里还会在乎。

出了御书房，跑到偏厢里，洪竹才感觉到背后的冷汗是如此的冰凉。他胡乱擦掉脸上的泪痕、汗迹与灰尘，将手下人全赶了出去，心有余悸地想着：“小范大人说得对，这世上本就没有能瞒过陛下的事情。陛下允你贪你就能贪，所以不如干脆把事情都做在明面上。”

猜到陛下不在乎小太监贪钱，是小范大人聪慧过人。而小范大人用这件事情瞒过最要命的那件事情才是关键，日后与小范大人走得近些，陛下也不会生疑了。想到那件事情，洪竹的眼睛就眯了起来，说不出的感激。只是若被调离御书房，他不知道还能不能帮到小范大人。

离宫的马车中，范闲闭着眼养神，高达与两个虎卫被他支到了车下，车中是苏文茂。他也不能判断启年小组中有没有宫里的眼线，自己是撞着王启年，又由王启年去拣了这么些不得志的监察院官员到身边。自己最信任的是这批人，自己要做事也只有相信他们。

“颍州的事情有没有尾巴？”

苏文茂没有赶车，听了听车外的动静，轻声说道：“大人放心，颍州知州下狱后就病死了，没有走院里的路子，用的是您的药，仵作查不出来。”

“如果确认安全，知州的家人就不要动，这件事情到此为止，你应该知道怎么做。”

苏文茂知道提司大人是叮嘱自己保密，大人让自己去做这样的事情，说明自己终于成为了大人的心腹。只是暗杀一个大知州、正四品的官员，将来不出事则罢，一旦出事，整个监察院都要倒霉——更何况那位知州并无派系，是位纯然的天子门生。

猜到他在想什么，范闲冷笑道:“那个知州草菅人命，霸占乡民家产，更与盗匪同路，屠村灭族，本官只取他一条人命，已算便宜了他。”

苏文茂担心地说道 :“话虽如此，但毕竟没有拿着实据，山贼硬是不肯指证那个知州。”

“废话。”范闲低声呵斥道，“如果能拿着证据，我何苦用这种手段。”

苏文茂苦着脸说道 :“终究还是太冒险，至不济大人写折子上中书，甚至跳过门下中书直接面禀陛下，虽无实据，陛下瞧在大人的面子上也会将那个知州拿了。”

范闲没有解释什么，因为他对付离京都甚远的那个知州，是因为自己要卖小太监洪竹一个人情，一个天大的人情，一个洪竹将来想起就必须要还的人情。

洪竹是颍州人，原姓陈。被范闲弄死的那个知州当年还是知县的时候，因为某处山产强行夺走了陈族家业。偏生陈家里出了两个秀才，自然不依，翻山越岭、跨府过州地打官司，更是声称要将这官司打到京都去。那个知县惊恐之下，狠下杀手，半夜里勾结山贼，竟将陈氏大族给灭了门!

那一夜不知道死了多少人。洪竹与自己的哥哥当时还是小孩子，在山上玩耍忘了回家，命大侥幸逃脱。兄弟二人也算聪明，连夜翻山，一路乞讨到了山东路，再不敢去衙门告状，只是艰苦万分地在人间挣扎活着。终有一日，兄弟二人熬不下去了，陈小弟，也就是如今的洪竹便练了神功，裆中带血投到宫中。

入宫后，陈小弟畏畏缩缩做人，被年长的太监欺负，被该死的老宫女掐屁股，屈辱之下更生恐惧，连自己的姓氏都不敢说。

凑巧有一日，陈小弟挑水路过含光殿偏道，遇着洪老太监在屋外睡觉养神，老太监身上只穿着许多年前的旧衣，没有穿宫衣。陈小弟没认出对方的身份，看着那老太监躺在破竹椅上，脸边还有几只乌蝇飞着，觉着对方实在可怜。同是天涯沦落人，陈小弟有些热心肠，寻思左右无事，便回屋拿了把破蒲扇开始为洪太监打扇赶蝇。

洪老太监醒来后，没有如话本里写的那般，传小太监无上神功，让他在宫里横着走，四处吃香喝辣的。不过一扇之恩。洪老太监知道小太监没有姓氏，便赠了他一个字——洪。

又因为当时老太监正躺在竹椅之上，就随口让他叫竹，这便是当红太监洪竹姓名的来历。

那天后，洪老太监再没有管过洪竹死活，话都没有再说过一句，洪竹到御书房后寻着法子想巴结对方，老太监也都不再理会。但小太监毕竟有了名字。洪姓在宫中就代表着不一般，洪老太监也没有说话，渐渐开始有人传说，他是洪老太监新收的干孙子，于是再也没有人敢欺负他，相反还要巴结着他，有什么轻松体面的活儿求着让他去做。

洪竹人机灵，经历童年惨事，心性也极沉稳，有这么多机会，加上老戴失势、宫中人事几番轮转，竟是福气天至，直接进了御书房在陛下身边做事，这便是所谓机缘了。

见得多了，知道皇宫也就是这么一回事，知州不是什么大官，洪竹心里复仇的火焰便开始燃烧了起来。只是他年纪小，根本不知该如何着手，直接对陛下陈述自己的冤情？他可没那个胆子。恰在此时，上天送了一个人到他身前。

马车颠了一下，范闲悠悠醒来，打了个呵欠，精神有些委顿。洪竹的事情是被他套出来的，后续的手段也根本没有让洪竹知晓，只是默默做成了这件事情，今天才告诉了对方。

他清楚，以皇帝对那个小太监的信任程度，不过三年对方就会拥有相当的影响力，到时候说句话，有的是大臣来帮他，所以自己一定要抢在三年前便做了，而且做得干净利落，不要挟，不示恩，不留后患。这才是给人情的上等手段。

死的知州是颍州知州，洪竹记册在胶州，两地相隔极远，当年灭门之案太久，早就没有人记得了，范闲不担心有人会猜到洪竹与这件事情的关系，这点他什么人都没有告诉。

日后陛下就算查到颍州知州之死是监察院动的手，范闲也能找到一竹筐的理由——只要和身边的人无关，和宫中要害无涉，区区一个知州的性命在皇帝眼中总不及自己儿子金贵的。

他掀开车帘，眯眼看着身后极远的皇城角楼，祝福小太监同学能够在里面飞黄腾达。

第九章 夜泊颍州

马车在监察院门口停下，范闲直接往里走。这是“流言之乱”后他第一次来院里，发现监察院官员们的目光都很炽热。这很正常。其实很多低级监察院官员并不知道叶轻眉是谁，但天天看着石碑上那几行金光闪闪的话，那个名字，日子久了总会生出一些家人般的亲切感。

而在陈萍萍有意无意的纵容宣传下，八大处的头目、宗追那些老家伙们开始宣扬当年叶家是怎样的一个家族，叶家为监察院曾经做过什么，最后将这个理论的高度提高到了——没有叶家，就没有监察院。

叶家因谋逆罪名倒台，最开始听着上司们的如此说法，监察院官员们心下不免惴惴，但后来发现宫里似乎并不忌讳这个，而范提司的另一个身份也大为有趣，于是众人开始对当年生出真正的好奇。几番洗脑下来，监察院官员对于叶家的态度自然大为不同，想着提司大人就是石碑上那个名字的亲生儿子，对他除了一如往常的尊敬，更多了几分真正的亲热。

难怪陈院长会让这位看似文弱的公子哥将来接掌监察院。

庆国人不论官民，其实都讲究一个理所当然，如今范闲逐渐显示出足够实力与智慧，又有了叶家后人的身份，对他全权掌握监察院会起到相当大的帮助。但他今天没有时间去收拢人心，匆匆走到了方正建筑里那一大片坪子上。

冬雪已残，春风尚远，高树凄索无衣，浅池冰冻如镜，里面的鱼儿只怕早就死了。陈萍萍围着厚厚的毛皮，坐在轮椅上，倾听着身边那如泣如诉、婉转千折百回的歌声，双目微闭，右手轻轻在轮椅的把手上敲打着节拍，哒哒哒哒。

这幕场景很容易让范闲联想到某一个世界里，也有些垂垂老矣的男人喜欢坐在破旧的藤椅上，午后的阳光溜进了弄堂，古老的留声机里正在放着老上海的唱片，姚莉或是白虹那软绵绵却又弹润着的歌声，就这样与点点阳光厮缠着……问题是陈萍萍并不是黎锦光，他听的也不是留声机，老人家的层次要比一般人高很多。

范闲同情地看着在枯树下唱着小曲的桑文姑娘，姑娘的脸被冻得有些发红，声音却没有怎么抖，不知道是最近在寒冷的天气里唱习惯了，还是歌艺确实惊人。他挥手示意桑文停下，说道："我请桑姑娘入院，可不是让她来给你唱曲子的。"

陈萍萍睁开双眼，笑着说道："分工不同，但都是服务朝廷，桑姑娘如果能让我心情愉快，多活两年，比跟在你身边那要强得多。"

范闲知道陈萍萍说的是什么意思，沉默片刻后拍了拍老人满是皱纹、有些发干的手背，轻声说道："桑文我要带走，抱月楼还要往江南发展。"

"春天她再走吧。"陈萍萍道，"和三殿下一路，也好有个照应。"

范闲大感恼火，心想自己怎么忘了老三那码子事情。桑文福了一福，便和苏文茂二人远远离开，留给老少二位说话的空间。隔得远了，听不见陈萍萍与范闲在说些什么，只看着范闲半蹲于地，脸色越来越沉重，而陈萍萍又笑了起来，轻轻地拍了拍范闲的头顶，似乎在安慰他。

没多久对话便结束了，范闲走到桑文身前问道："最近过得可好？"

桑文被他救出抱月楼，又直接调进监察院，算是他信得过的人。桑文温婉一笑，微胖的脸颊看着十分喜气，那张略有些大的嘴也不刺眼，和声说道："天天也没有旁的事情，就是给老大人唱些小曲。"

范闲说道："你过几个月再去江南，这段日子在院长身边……让他开心一些。”

交代完，他便出了监察院，略等了片刻，苏文茂上了车，搓了搓有些发红的手，禀道：“三处那里调了宫门存档，姚公公去了京郊，这事情没有保密，宫里也没有下令院中销档。”

“老姚去京郊做什么？”范闲问道。

苏文茂将手掌横在咽喉处，比了个割喉的手势：“上次悬空庙刺客中的小太监……养父母在京郊一个村子里，姚公公去处理这件事情，带着侍卫走的。”

范闲沉默半晌后说道：“那个小太监就没有考虑过后果，刺杀圣人，不论能不能得手，村子里的亲人只怕都要死得干干净净。”

苏文茂看着大人的脸色有些不豫，没想明白是为什么。行刺乃谋逆大罪，这次宫中已经控制了范围，没有株连小太监的九族已经算是仁政。

“大人仁善，只是这等事情不能松口。只是死几十个人而已。”苏文茂说道，“说句大逆不道的话，杀父之仇，不共戴天，那小太监自然应该被千刀万剐，挫骨扬灰，但他这样做倒也不会有人觉得如何。”

庆国由皇帝起讲究以孝治天下，律法里更有亲亲相隐的条款。范闲却是不喜欢，心想到那小太监为报亲父之仇便舍了养父母辛苦之恩，将养父母陷入死地还觉得理所应当。

这是何等样的狗屎逻辑。

二十八里坡到了。

皇帝定的离京之期太近，让范闲有些措手不及，许多离京前必须安排的事情便得在这几日之内搞定，所以格外忙碌。马车沿着长街往里，街畔那些被清漆刷得明亮无比的店铺门板似乎在欢迎范闲的到来。车至庆余堂前，苏文茂还没有来得及递拜帖，便听得吱吱几声响，院子许久未开的中门就这样毫无顾忌地打开，迎接某人的来临。

庆余堂十七位掌柜今日不在自己的小屋里，也没有在各处王府公宅中算账，而是齐整无比地站在门口迎接。见着范闲从车中下来，他们齐齐半跪于地，行了大礼。

范闲赶紧请掌柜们起身，看了眼排在第七的那位熟人，点了点头。

叶大掌柜年近半百，眉眼柔顺，知道门外不是说话的地儿，也不清楚这位小爷怎么敢光天化日下就来了，将手一伸，请范闲入堂落座，另有下人去招呼旁的人。只是高达三人摇了摇头，死忠于陛下的严令，与范闲寸步不离。

范闲落座之后，吩咐高达三人在门外守着。

厅内已无外人，十七位掌柜看着他有些紧张，更多的是激动。都说小范大人……是小姐的亲生儿子，如果是真的，他今日前来定是有要紧事情说。只是范闲没有自承身份，掌柜们也没有去抱大腿大哭的勇气。

好在范闲稍一沉吟之后，便说道："安之今日来是为了一年半前的那事情。"

叶大掌柜没料到小范大人开口说的是这个，微微一怔，望着对方。

范闲道："当年我曾有心让弟弟思辙拜入大掌柜门下，只是大掌柜贵人事忙，一直忘了通知我二弟提着腊肉上门。如今我那不成才的弟弟不知道流落何方，这事自然不用再提。但是大掌柜，当初说的另一件事情，您可别说也忘了。"

叶大如何能忘？

当日范闲暗中点破日后要执掌内库，来寻庆余堂帮助，许了自己这些人出京。范闲的提议，让整座庆余堂都相当兴奋，如果能够离开京都重新接手小姐留下来的产业，他们当然高兴。只是慑于皇威，也不知道范闲到底有没有能力说动宫中，最关键的是他们不知道范闲的目的、存着什么念头，所以不敢回应。谁知道时势变化竟是如此奇妙，范闲突然崛起，成为最当红的年轻权臣，执掌内库成了铁板钉钉之事……如今又说他是小姐的儿子！

如果这件事情是真的，那么范闲收拢庆余堂的原因就非常明显了。

叶大掌柜神情凝重地说道："我们这些人自然是极愿意的……只是不知道宫里究竟允不允？"

范闲微笑点头。

厅中嗡的一声炸开，老成持重的十七位掌柜震惊无语，喜悦无穷，叶家覆灭后他们就被软禁在京，不能离开，闻得这般好消息哪里还能自持？

范闲看着这些四五十岁的掌柜们如孩童般天真的笑容，也露出了笑容。这些人因为母亲的缘故，正值青春年华便身陷京都，如今自己能为他们做些事情最好不过。

"自然不能全去。家眷要留在京里。"掌柜们一怔，又听着他笑着继续说道，"去江南后轮着来吧，就当度假，诸位看如何？"

众人这才知道他是在说玩笑话，不由大笑起来。

许久之后，笑声终于平复了下去，堂间却无由生出些淡淡的别样情绪。

范闲又叮嘱了几句谨思圣恩、为朝廷出力之类的废话，自然是说给门外的虎卫听的。

掌柜们没有听，只是有些失神地看着他的脸，想找到一些熟悉的影子。范闲今日虽未言明，但做的事情已经说明了太多，所有人都相信了对方真的是叶家后人。忽然间，以叶大掌柜为首，其余十六位掌柜分成两列站在他的身后，对着范闲再次齐整无比地跪了下去。

"谨遵少爷吩咐。"

新年纳余庆，嘉节号长春。一年一度的新春佳节毫无疑问、并不延迟、很没有新意地来了。

今年冬天范闲很早便离开了苍山，加上后来那些事情吓得婉儿和若若也都跑回了京都。人到得齐，只差了范老二一个，所以范府好生热闹了一番。府门前的红纸屑厚厚地铺了一层，就像是大喜地毯，空气中弥漫着烟火的味道，有些熏鼻，有些微甜，大厨房小厨房里的大鱼大肉，更是让主子下人们都觉得这生活不要太幸福，得亏少爷抓的消滞之药十分管用。

三十晚上，宫里赐了几大盘菜，还有些小玩意儿。范闲没怎么在意，只是在房间里与妻子、妹妹谈话，不等两位姑娘从震惊与困惑中醒来，便领着二人去了前宅。

年饭吃完，一家人打了几圈麻将，范闲站在婉儿身后抱膀子，时不时出些馊主意，成功输给两位长辈不少银子，又刻意拣前世的经典笑话说了几个，终于缓解了一些桌上的怪异情绪。

第二日大年初一，守夜后的人们挣扎着醒来，到前堂行年礼。

范闲一点没有马虎，实实在在地双膝及地、在众人怪异的眼光里，平静如常向父亲大人叩了三个响头，砰砰砰三声响，额头与地面亲密接触着。

范老爷捋须轻笑，说不出的安慰。

姑娘、妇人们去揉汤圆玩了，年初一的前宅里就只剩了些爷们儿，范闲走到父亲身后，轻轻给他揉着双肩。流言传开后，破了心头魔障，父子二人之间反而要比以往亲近更多。

范建享受着儿子的服侍，闭目问道："思辙在那边怎么样？"

范闲恭敬地回答道："还成，王启年是个机灵人。"

"你在北齐熟人多，这点我是放心的。"范建忽然摇了摇头，有些莫名其妙地说道，"说来也怪，我看安之你对北人倒是不错，可别忘了我们两国之间有死仇不可化解。利用一下无妨，但不可以全盘信任，尤其是不能将最后的希望寄托在他们身上。"

范闲不知道父亲是不是猜到了什么，笑着解释了几句。

范建关心地问道："费老给你治伤，如今怎样了？"

范闲不想让父亲担心，没有说实情，应道："再调养两个月，应该就不用担心。"

"还要两个月？"范建皱眉道，"江南不比京都，山高河深皇帝远，你身体又不如以往，万事都要小心，切不可再如这两年般事事争先，一旦动手就非要置对方于死地。但凡能容人之时暂且容他，不急在一时。”

范闲听出父亲话语中的担忧，也知道是在提醒自己。在京中争斗，他下手向来极狠，即便面对长公主与二皇子也没有退却过。只是去了江南，面对那些封疆大吏、江南世家，从权位上看似没有人能撼动自己，但没了父亲与陈萍萍这两座大山在身后，做事应该要更圆融些。

范建提醒范闲，应该注意一下年后便会入阁的胡学士。范闲不明白父亲专门提到那位文学大家是什么意思，却将那个人名牢牢地记在了心中。

“看来陛下是真准备将监察院交给你，日后你在院中，他总要在朝中找一位声名地位都能与你相对应的文官，这是为将来准备。”

胡学士当年领一世文风之变时，不过是位二十出头的年轻人，如今大约四十多岁，文名之盛，在范闲出世前实是风头无二。只是这位仁兄近年来官运颇为不顺，在七路中颠沛流离，位高而无实权，今番入京便执门下中书，总算是得了重用。

范闲心想自己又不打算过多干涉朝政，更不会去撩动那位胡学士，想来他也不会主动来招惹自己。父子二人又闲话了几句，范闲想着今天族中还要祭祖，试探着问了一声。范建摇了摇头，心想孩子有这份心已是极难得，但他能表露心迹，自己却不能让他的名字录入族谱，毕竟要顾忌宫中那位的脸面。范闲也只是试一下看看有没有可能，见父亲反应便知道自己是在痴心妄想，心里便觉得有些不舒服。

上午的太阳，暖洋洋地照在范家花园里，范尚书、柳氏、若若去了范族祠堂，连带着管事嬷嬷、丫鬟也去了一大批，前宅后宅只剩下了不多的人，格外安静。

“我知道你想去。”婉儿坐在他身边轻声安慰道。

范闲正在看澹泊书局印出来的第一批《庄氏评论集》，书名是他取的，字也是他题的，据七叶说销量极好，回笼资金远比想象的快，尤其是北齐朝一次订了一万本，让他的荷包再次鼓了起来。听着妻子的话，他随意将书放到一边，嗯了一声："怎么？担心我想不开？"

婉儿笑道："你怎么就不担心我想不开？"

范闲将她搂入怀中，贴着她微凉的脸蛋儿，关心地问道："最近身体怎么样？"

婉儿误会了他的意思，略现愁容说道："还没有动静。"

范闲哈哈笑了起来，说道："谁关心那没出世的女儿？我只是问你的身体状况如何，费先生给我治病用的是治牛的法子，如今我有些怀疑他的水准了。"

"身体没有什么问题。"婉儿想了一想，好奇地问道，"为什么是女儿？"

"女儿好，不用立于朝堂之上天天干仗。"范闲的思维与这个世上的人当然有极大差别。

林婉儿拉开了与范闲的距离，指着自己的心口处嘻嘻笑着说道："姑娘家也不好，嫁个相公还不知道相公究竟是谁……这里不好受。"

范闲不客气地摸了过去，正色道："我来看看问题严不严重。"

笑闹一番却没能将那事全数抛开，婉儿幽幽地说道："谁能想到，你竟是……我的表哥。"

"不好吗？"范闲笑着说道，"林妹妹，叫声闲哥哥来听听。"

婉儿啐了一口："呸！你又不是宝玉。"

范闲一想也对，自己比贾宝玉漂亮多了。他忽然起身出了屋，回来时身上套着件下人都不会穿的破烂衣裳。林婉儿看他这身小乞丐般的打扮，噗哧一声笑了出来。范闲瞪着双眼，张着大嘴，憨喜无比地说道："表妹……啊嘿嘿，啊嘿嘿……俺终于等着你了！"

林婉儿一愣，心想相公怎么忽然发疯，难道喊自己表妹这样很好玩？她迟疑地问道："表妹？"

范闲傻呵呵笑道："唉，我是你表哥，洪七啊……"

林婉儿听着相公操着一口胶州口音说胡话，半天不知道应该怎么接话。范闲看着她的反应也自心灰意冷，低头像个战败的士兵一般出门将衣裳换了回来。

“相公，你先前……是做什么呢？”

“东成西就模仿秀。”

“模仿秀？”

“秀……SHOW 也，便是南边人常说的骚……别问了，就当我发骚吧。”

范闲作秀的水准很高，重生到这个世界以后，他便开始扮演天真小孩、诗仙、情圣，表演本来就是他的强项，不然他也不能在宫里、小楼里用至情至性的表演骗过深不可测的皇帝陛下。

但人总是需要休息的，所以他在最亲近的人面前不想遮掩太多。

婉儿逐渐接受了现实，相公成了表哥只是有亲上加亲的美妙罗曼感。对若若来说，哥哥忽然变成毫无血缘关系的人，就有些想不通了，这些天她一直有意无意地躲着范闲。

“若若只是没有转过弯来。”婉儿安慰道。

“我不一样是她哥？这事实总是改变不了的。”范闲说道，“等我走后，若那边能安定下来，我就接你过去，妹妹估摸着也要离京了。”

林婉儿攀着他的肩头说道：“听说江南水好，生出来的人物都像画中似的。”

范闲笑道：“不如看我。”

林婉儿捏拳往范闲身上捶去。

范闲哈哈笑着，捉住了她的一对小拳头，正色道：“长公主回京，你总要去看看。”

林婉儿百感交集，柔肠纠结，不知该如何处理这关系。范闲安慰道：“我知道这很难，但你总要学会将一张纸撕成两半，互不交界，各有各事。”

婉儿强打精神，替他操心起内库的事情：“你就算将庆余堂的掌柜们全带去，只怕也不能在短时间内将内库掌住，毕竟母亲经营多年，江南的地方大员大多要看她脸色。而且你带叶家的老人下江南，很容易引起民间朝堂上的议论……”

范闲说道：“我明白，不过此事必须要做。掌柜们这些年都在为各王府公宅打理生意，我也不能完全明白他们到底是怎么想的，能不能信我……只是内库里的那些事物，如果没有他们还真是没辙。朝廷这些年将他们盯得紧，就是因为他们了解内库的制造环节，断不能容许他们脑中的知识流传到北齐或是东夷城去……只是内库也离不开他们，才保住了性命。”

林婉儿沉默一阵，轻声说道：“别看这些掌柜们似乎在京中行动自由，其实身边都长年累月跟着人，一旦有泄密迹象，身边的人就会马上将他们扑杀。”

范闲道：“我能猜到，只是不知道那些人是哪方面的，我在院里查过，监察院只负责外围，负责灭口的人却没有查到。”

“是宫里的人。”林婉儿担心地说道，“估计也会跟着你一起下江南。”

“不操心这些事了。内库还没有搞定，但其实朝中局势已定，你那位石头皇兄没什么机会了。皇子之争在几年之内不会再次浮出水面，我想陛下最感激我这一点，虽然他没有说。”

林婉儿认真地说道：“别将事情想得太简单。陛下究竟怎么想的谁能知道？他是血火中爬起来的君王，最大的特点就是自信，极其自信，根本不相信世上有谁能动摇他的位置，所以皇权之争给他带来的只是心烦……我估计他可不在乎太子哥哥的名分，将来谁接位还要看他怎么想，看以后这些年几位皇兄的表现。甚至连这些都不是他关心的重点。舅舅身体好，年岁也不大，也许根本没有想过传位，他的心思还是放在天下。”

范闲的太阳穴跳动了两下，说道：“陛下……难道还准备打仗？”

林婉儿是位姑娘家，也不喜战火之事，不无担忧地说：“安静了十几年已是怪事，如今西胡不敢东来，南越将定，陛下只等着你将内库收拢，民生渐安，国库充足，只怕便会再次发兵。”

“看范围。”范闲沉默了一会儿说道：“如果还是去年那种小打小闹，就不需要太操心。”

林婉儿笑道：“这事自然是皇上和枢密院操心，就算监察院参与战事也是三处的事。”

范闲笑了笑没有解释，如果皇帝真要开始第二次世界大战，自己总要做些什么。

林婉儿不知道他在想大逆不道的事情，说道：“按理讲，太子哥哥理应接位，但你也知道陛下不喜欢皇后，这事就存着变数，除了大皇兄人人都有机会，哪怕老三不过八九岁。陛下让你带着老三下江南，本就有些诡异，相公不得不察。”

范闲安静而专心地听着妻子的话，知道自己马上离京，婉儿担心，才会破例讲这么多。

“太后喜欢太子与二皇子，似乎没什么分别。老人家最不喜欢大皇兄，也不喜欢老三。”林婉儿将宫里的秘密说了出来，“皇后虽说没有什么实权，但她与母亲向来交好。”

范闲不解地问道：“为什么不喜欢老三？”

林婉儿向窗外看了一眼，说道：“大约是因为老爷的关系。”

所谓老爷的关系，其实是柳氏的缘故，宜贵嫔与范家关系密切，便难入太后的眼。

“依你看，我这次下江南应该如何做？”范闲认真问道。

林婉儿直接说道：“严管老三，保持距离，不能让太后以为你在刻意灌输他什么。另外就是查案要快，拖得时间久了，你的日子就不大好过。母亲在朝中不止二皇子与都察院。”

范闲一怔。

林婉儿犹豫了一会儿，轻声说道：“或许所有人都以为，她与东宫交好是为了隐藏二皇兄，但你一定要提防着，也许太子哥哥，终有一日又会倒向她那边。”

初一，祭祖。

初二，一大堆京中官员拥上门来拜年。

初三，范府全家逃跑，躲到靖王爷府上聚会，范闲与世子弘成十分尴尬地见面叙旧。

初四，任少安与辛其物联席请范闲欢宴一日，以为送别。

初五，言氏父子上范府，言若海辞官之后颇好围棋，与尚书大人手谈直至天黑。范闲与言冰云在小书房里密谈直至天黑。

初六，访陈园。

初七，京都万人出游，鸡不啼，狗不咬，十八岁的大姑娘满街跑，范闲带着老婆、妹妹、柔嘉、叶灵儿四大小姐横行京中，好生快活。

初八，午，国公府有请。昏，范氏大族聚会，范闲成为席上焦点。

……

正月十五，范闲离京，一行人来到了京都南方的船码头上。这条河名为渭河，流晶河是其支流。渭河往南数百里便汇入大江，沿江直下便能到繁华更胜京都的江南。

范闲与陛下商议好，对外只是说回澹州看望祖母，然后才下江南，一来一回，在外人算来他至少要三月才会到苏州，没有人知道他的真实行程。

今天离京，范闲没让任何人送，包括院里相熟的官员、朝中的官员，没料到太学学生竟提前知道了消息，跑到了码头。

去年春闱时范闲花了大量银钱安排了无数穷苦学生，又揭弊案为天下读书人张目，至于什么殿前诗话、庄大家赠书之类的事由，让他在读书人心中名声极佳，地位极高。就算进了监察院，也没有惹来太多非议。至于他的身世……说来奇妙，读书人往往自命清高，但当他们知道小范大人居然拥有如此来历，心中没有半点抵触，反而生出与有荣焉的感觉，官又如何？商又如何？咱们读书人的头儿也是位皇子啊！

码头上下人声鼎沸，好不热闹，范闲连饮三杯水酒才算回了诸位生员殷殷厚情，场景甚是热闹光彩，想来不多时便会传遍朝野上下。

好不容易劝走众人，范闲握着婉儿的双手，细细叮嘱了无数句，说春暖便派人来接，才止了婉儿的眼泪珠子，她看着远方离去的士子们，笑着问道："你通知的？"

范闲的厚脸皮也微红了一下，解释道："满足一下他们的美好愿望。"

他扭头望去，只见妹妹不肯上前，在人群后偷偷饮泣，不知怎的心头怒火上升，扒开送行之人，来到了若若的面前，喝道："哭什么哭？"

范若若没料到兄长来到身前，赶紧拭掉眼角泪痕，说道："没……没什么。"

十几年了，哥哥从来没有这般凶过自己，今天却这么凶……到底不是亲哥哥，对自己果然不如从前温柔了。想到此节，本是淡雅如菊的洒脱女子，眼泪夺眶而出，却又倔强地咬着下唇，竟生出几分说不出的悲壮感来。

范闲看着妹妹这般模样，气极反笑，一时间竟不知该如何是好。得亏婉儿过来搂着若若低声安慰多句，又说范闲离京心情不好才会如此凶，若若才渐渐平静下来。

范闲见不得妹妹刻意躲着自己，这十几天憋得厉害，在心底叹了口气，放柔声音说道："我凶你理所应当，我是你哥，你是我妹，我若不凶你，你才应该伤心。"

若若也是冰雪聪明之人，自然明白所谓亲疏，若兄长不将自己当亲妹，又怎么会当着这么多人的面来凶自己？姑娘家想通了个中缘由，这才眉梢露出喜意，对着范闲理直气壮地说道："那……那……那妹妹见哥哥远行，伤心自也难免，你凶什么凶？"

范闲知道妹妹心结已解，笑出声来。

"少爷，再不走就要误时辰了！"思思站在船头喊道。

范闲下江南总要带几个贴心的随从，思思从澹州便跟着他，当然是首选，她一出范府，便回到了澹州时的辰光，整个人都明亮起来。

婉儿看着她高声喊着，不由笑道："相公真是宠坏了这丫头。"

范闲笑了两声，在妹妹耳旁轻声叮嘱了几句马上就要传入京都的要紧事，又惊世震俗地当众将婉儿抱入怀中，狠狠亲了两口，这才一挥衣袖，登上了河畔的那艘大船。

小范大人今日离京，酒馆茶肆与深宅大院都在议论着这件事情。被软禁在王府中的二皇子听着属下的回报，叹道："这厮终于走了。"

下属说道："亏他走得快，不然一定要扒了他的皮，为殿下泄恨。"

二皇子正蹲在椅子上舀冻奶羹吃，闻言自嘲一笑，幽幽地说道："难怪一直有人说本王与范提司长得像，原来还有这故事……像归像，我却不是他的对手，这点你们要清楚。"

他跳下椅子看着院外自由的天空，面上现出甜美的笑容："这厮终于走了……感觉真好，就像是谁将我背后的毒蛇拿走了一般。"

京都外三百里地，一支车队正缓缓向西行进。长公主不知道自己的女婿选择在这一天逃离了京都，对自己伸出的议和之手居然是避之不接。

外三里那座庄严的庆庙内，一个极为荒凉的场坝中间堆得高高的干柴正在熊熊燃烧着，火势极旺，烧得里面的东西发出噼噼啪啪的响声。

皇帝背负着双手，冷冷地望着柴火垛，望着里面正在逐渐化作黑烟的那具躯壳。他的身后，庆国大祭祀保持着苦修士的镇静，眼神里却满是恐惧。

庆庙外，小太监洪竹正与侍卫们有一搭没一搭地说话，他明天就要被调到皇后宫中任首领太监，今天应该是最后一次服侍陛下。

数日后的渭河上，范闲立于船头，峭寒的河风扑面而来，却吹不进他身上名贵的裘服。

人已出京，情报依然不断传来，长公主派了许多前哨入京，而且让老嬷子带了许多信阳特产入府，名义上自然是给婉儿的，看来丈母娘在利用无功、刺杀徒劳后，终于承认了他的力量，开始婉转地修复母女间的关系。这是末节，不在陈萍萍所教导的天下眼光之内。真正令范闲感兴趣的是庆国大祭祀在多年之后回国，却因为在南方苦修耗尽了精血，老病而死的消息，同时知道洪竹被调往皇后宫中任首领太监，他有些失望又有些高兴。

史阐立用手遮着眼睛，挡住凌厉的河风，来到他身边请示道："老师，先前船上校总说，依眼下的速度，明日便能过颍州，再过些天就进入江南路的地界了。"

一行人在离京不远处的监察院秘密船坞里换了船，如今坐的是由水师舟船改装的民船。

迎着河风隐约可以看到江南的如画湖山，范闲微笑着说道："虽说江南的美女正在等着你去关怀，但不要太着急。"

这话让史阐立有些窘迫，抱月楼的生意要扩展到江南，他和桑文都要去。桑文能拖到三月，他却不敢拖，想到当年同福客栈里那几位好友，如今都在江南任官，自己却要变成天下知名的妓院老板，心里着实不大好过。

船上还有一人与他境遇相似，被自己的父亲严令出宫，不必再等到春暖花开时。三皇子畏缩地掀开厚厚的船帘，望着范闲说道："司业大人，吃饭了。"

范闲有资格教育皇子，便是因为他还有个太学司业的身份，他回头望着那个八九岁大的孩子，笑容中含着冷意说道："那殿下的作业做完了吗？"

颍州地处大江之北，在山川环抱之中，往东是江南富庶之地，西北是京都要地，州治距庆国最繁华的两处都不远，又恰在渭河与大江交汇处，依理讲应是商贾云集，一片繁忙才是。

如今的颍州城却有些破落，不是景物如何黯淡，宅屋如何老旧，而是街上民众面色沉闷，浑无生气，摊贩们也打不起精神来，煎饼、果子……都像是放凉了，搁蔫了。

就连城外的码头也不怎么热闹，河道上下的船舶大多去了下游码头停泊，舍弃了此处，码头上只是零落停了几艘船，其中一艘八成新的大船便格外显眼。

颍州变成这模样，一怪天，去年大江发了洪水，冲垮了上游的堤坝，黄浪直灌原野，不知淹死了多少人，冲坏了多少房屋。幸亏天冷没有发生大的疫情，但这般伤筋动骨的折腾，也让整个颍州显得死气沉沉。二怪官，颍州知州是天子门生，却没有沾上圣天子的半点福分，整日就只知道在州城里作威作福，巴结上峰，欺压商贾百姓，莫说治理河道，就连一般的治安都维持不了，甚至还有传说知州大人与山中贼人有些瓜葛。有如此州牧，自然民生凋零，商旅潜行，正经商人躲还来不及，谁还敢留在城中。三怪贼，颍州人民风彪悍，自古便有扛起锄头对抗官府的光荣传统，如今摊上这么个官，变成贼人的穷苦百姓自然越来越多。

不过今年以来局面有了很多变化，首先是那位颍州知州被监察院四处驻州城巡查司请去喝茶，颍州百姓以为知州终于要垮台了，孰料知州却被监察院送了回来。而正当人们失望地以为颍州依然要这般败落下去时，知州却死了！

朝廷查了许久才确认知州的死亡和阴谋无关，只是病死。

颍州城的百姓点燃了无数串鞭炮，自然没有敢说是为了庆祝瘟神的死去。

另一个变化就是，山贼也老实了许多，最大山寨在一天之内被血洗，山贼们四分五裂，据说江南来了一位江湖中的大人物，正在尝试着收服他们。

颍州的民众没有开心多久，只当自己提前过了个小年。

知州死了，明年朝廷又会派一位知州；山贼垮了，马上就又会多出一大批山贼。老百姓的日子还是那么困苦，并不会发生什么质的变化。

码头旁的一间库房里，十几个苦力围在一起商议着什么，就算生意再清淡，大白天闲聊终究不是苦力们应有的态度，狞狠的神情表露了他们的真实身份。

被围在正中间的是个女人，年龄约莫二十上下，五官端正，算不上什么美女，眉眼间有那么一抹狠劲儿，她一开口，四周的汉子们都乖乖地住了嘴，看来是个首领。

“查清楚了，是收茶的商人，从京都过来的。”

“关姐，他们船上有护卫。”一个苦力提醒道。

被称作关姐的人，乃是颍州附近出了名的山贼头领，她来颍州的时间不长，却已经集合了一大批有力的贼首，都在传说她的身后有大背景。

关姐冷笑道：“不过是些商人，有什么要紧的？再说了，你们也去踩过点，那后厢房的箱子究竟有多沉，不用我说吧？”

提到箱子，苦力们的眼神变得炽热起来。江湖行走，正牌山贼看着车轮扬尘来判断车中货物的重量与价值。颍州附近的山贼实际上是水盗，最擅长的就是从船舶吃水深度，判断船上究竟装的是什么。昨日码头上忽然停了一艘大船，船身约莫八成新，看那船横板上青藓浓淡，常年混迹码头上的人都知道这船大约许久没有下水了。如今颍州已经很少见着这种大船，对山贼们来说这便是一只难得的大肥羊，趁着对方下船置办肉食青菜清水，早有人将船上的事情打听得清清楚楚。

山贼们纳闷的是，既然是收茶的商人，怎会在船后压了那么重的货，以至这艘船的吃水明显和普通船只大不一样。一个当眼线的炊妇上船后，终于找到了答案——船后把守森严之处有个箱子，看船板承力情况和淡淡刮痕，基本可以判断出那个箱子里装满了银子！

“没人会带这么多银子下江南收茶。”关姐有些疑虑，只是公子要收服颍州山贼，总要做几单大买卖，让这些贼人嗅些香味。而且开春后公子要做的事情也急需银子，不然自己怎会如此匆忙地四处下手。

有个山贼说道："吃水深，船上又没带货……说不定是底舱压着河石，三嫂子没有看清楚。"

关姐摇头说道："又不是海船，要压舱石做什么？我只是觉着奇怪，那艘大船上的商人为什么要带这么多现银。"

"现银才好。"一个山贼怪笑道，"抢了银票还不敢去取。"

这话顿时得到了响应，众人都笑了起来，笑声中贪意十足。关姐皱眉道："问题是现在还有哪个商家会带现银？难道他们就不担心安全问题？"

山贼们看着关姐，心想首领做事狠厉，挑目标极准，趁着知州无人带着兄弟们做了几件大案，只是有时候过于小心了，这问题该去问那个笨茶商，问兄弟们做什么？

关姐喊过负责打探消息的三嫂子。三嫂子面黑精瘦，讨好地说道："您放心，统共也就十几个护卫，外带一个丫鬟，一个小孩儿，主家是个弱不禁风的年轻小伙子，生得漂亮，却一点都不懂得遮掩。想来是京中哪位富家不成才的二世祖，被长辈们赶到江南去磨炼一番。"

带着丫鬟，想来难耐晚上寂寞。关姐稍放下心来，若那茶商真是有心之人，也不至于还带着个女人，或许真是个没用的二世祖，以为亮晃晃的银子比银票砸起来要舒服些。

那十几个护卫并不在她的眼内，手底下这十几名兄弟都是手上有好几条人命的悍匪，相信晚上那些护卫只有死亡或者跳江这两条路可以选择。

山贼们忽然淫笑起来，说道："关姐，夜里事成了……把那丫鬟赏我们吧。"

关姐露出鄙夷之色："瞧你们这点儿出息！只要银子到手，别的事情，自然随你们。手脚干净些，别留活口，事后将船拉到二虎滩烧了。"

颍州城外的夜很安静，对岸山岭间的月儿冷冷地照耀着奔腾不息的大江，似将河水的咆哮声也平复下去许多。码头上孤零零停泊着几条船，子时已过，船上灯火早熄，行商们早已入睡。

十几个黑影悄无声息地摸到了岸边，潜入河中，泅到最大的那条船后，取出钩索一类的东西，有的竟是空手沿着纤绳往船上爬去，就像猿猴一般，身手利落。

片刻工夫，夜袭的山贼们已经摸上了大船，消失在黑暗之中。

关姐叼着寒刀，借着船舱阴影掩护往后方摸去，那一满箱银子就在那里。

黑暗里隐隐传来噗哧的声音，接着有人摔倒在甲板上，发出轻响。关姐皱眉心想，这些小兔崽子下手也不知道仔细些，万一同时惊动了护卫，虽然不惧，总是麻烦。

来到厢房外，她有些意外地没有发现护卫。夜船上又传来了几声闷哼，关姐心头一定，手指头钩住门板，刀尖用力开了厢门，下一刻便在黑暗中摸到了一个箱子。

借着窗外的淡淡月光，关姐看清楚箱子的大小，不由得倒吸一口凉气。三嫂子没说清楚，只说看箱子大小估摸得有上千两……她难以置信地想着，得多少银子才能装满这么大个箱子！

她忽然有些后怕，敢随身携带这么多银两的人，就算是二世祖，只怕也是京都最有钱的二世祖，事情一旦败露，只怕自己身后的公子也承受不起。

不能把事情做绝，那个二世祖不能杀！这是关姐心里涌起的第一个想法，但她马上想到木已成舟，由不得犹豫，而且这么多银子足以做太多事情，便咬牙打开了箱子。

一片银光，顿时洒满了整座船舱！

关姐目瞪口呆地望着面前的箱子。她在刀口上混生活，见惯了带血的银子，今夜依然被箱中码得整整齐齐的银锭给晃了眼、迷了心，眼中流露出贪婪之意。但她马上警觉过来，就算月光再明亮，银子再漂亮，也不可能散发出如此诱人的光芒！

她霍然回头，只见一个沉着脸的中年人，一手拿着灯，一手提着一把长得出奇的朴刀，正冷冷地看着自己。

高达按照范闲的吩咐，给足她欣赏银子的时间，然后很迟钝地一刀劈了下去。

关姐举刀。

那迟钝的一记长刀，却像无可阻拦的洪水瞬间冲垮了这个大江女匪的防守与心防，让她心胆俱丧的同时，眼睁睁看着自己的左手被斩了下来，鲜血伴着剧痛喷涌而出！

中舱点亮了灯，被拖进屋来的关姐头发凌乱，心情也是大乱。所有山贼早被轻而易举地缴械击昏，被捆成粽子一般，扔在甲板上，几个穿着黑衣值夜的六处剑手，像什么事情也没有发生，沉默地守在四方。

关姐抬头隔着发丝，看着太师椅上那个满脸倦容的英俊年轻人，心里打了个寒战。船上住的究竟是什么人？竟然能用这么多高手来充当护卫，先前使刀的那人竟俨然一代刀法大家！

“关妩媚？”椅上的年轻人随意地问道。

他自然就是范闲，停船颍州本是要处理洪竹那事的一些后续，没料到竟惹了些不长眼的小毛贼。不过他一眼便看出面前这女子便是监察院通缉的某个女贼，不由乐了起来，心想自己正不知道江南之事怎么打开口子，这便送上门来了一个。

听着对方轻轻松松喊出自己的名字，女匪关姐悚然一惊，右手死死扼着断手处的伤口，盯着范闲狠狠地说道：“今天栽在阁下手里，却不知阁下尊姓大名。”

范闲坐在椅子上，掏了掏耳朵，像没有感受到对方怨毒的目光，说道：“我是主，你是贼，你有什么资格来问我的来历？”

关妩媚脸色苍白，知道自己今天是撞到铁板上了，咬牙道：“还请划出道来。”

“划什么道？”范闲伸手蘸了冷茶涂在眉心，冷冷地问道，“阴道阳道，人道鬼道？”

关妩媚见他如此淡定，心更冷了一分，不顾断手剧痛喝道：“你可知我是谁？”

范闲的笑容淡了，轻声道：“关妩媚，江北路鄂州人，父关河山，母夏氏，自幼生活窘迫，卖入妓楼，后辗转成为鄂州一主簿妾室，不堪主母之辱，愤而杀人，下狱，离奇逃脱，其后为某山寨压寨夫人，再后山寨灭，再后……你便到了颍州一带。”

关妩媚震惊无比，竟连断手之痛都忘了。这个年轻人怎么把自己的底细摸得如此清楚，难道是专门设局来诱捕自己？她嘶哑着声音问道：“你究竟是谁？怎么知道得如此清楚？”

范闲回道：“我记性比较好，不过这资料不算清楚，因为你不是什么重要人物。”

关妩媚是江上出名的悍匪，今天毫无还手之力被擒，对方还对自己表示不屑一顾，这让她感到了屈辱。但她不得不承认，对方好像是真没将她放在眼中。

“既然知道我是谁，就应该猜到本姑娘身后有人……除非你将我们全杀了，不然你休想善了此事。”关妩媚脸色苍白地威胁道。

范闲说道：“姑娘说的，正是我想做的。”

残酷的现实打破了她的幻想。关妩媚觉得背后生出无穷寒意，霍然转首。

嗤嗤嗤嗤，无数声利刃割破喉咙管的声音响起，十分难听，就像是一石居后面的大厨房正在同时屠杀着无数老母鸡。跟关妩媚上船来的十几个山贼被护卫们一剑割喉，确认毙命后，扔入了江中，出手简单而专业，竟连血都没有流在甲板上，哗哗江水片刻便恢复了平静，将那些尸体与血水尽数纳入宽容的水流之中。

连杀十数人，眼睛都不眨一下，下手好狠辣！关妩媚终于恐惧起来，瘫跪在地上战着声音说道："不要杀我……请给我家首领一个面子……"

"你家首领？"

关妩媚想到公子的实力，升起些许希望。

"看公子属下行事大有武风，想必也是同道中人，我家首领乃是江南水寨之主，手下舰船百艘，能人无数。先生若想来江南谋大事，定能与我家首领一见如故，相谈甚欢。"

"你说的是明七爷？那位从来没有入过家门的明家七公子，听说生母多年前就死了，明老爷子去世后，接掌家族生意的明大少爷四处派人追杀这位让他们家门蒙羞的私生子，实则是因为明老爷子遗嘱给这位七公子的好处太多。明七公子无处可躲，所以干脆投了黑道，隐姓改名，戒急用忍，暗下杀手，五六年来，终于让他混成了江南水寨首领夏栖飞……"

范闲真的有些失望，觉得江南的这些大人物与自己的想象差得太远，"居然让自己的属下四处抢银子，手法太过下作，难道他最近差银子用？"

江南向来富庶，内库更是造就了无数富翁，但除了那些盐商海商之外，最出名的两大家族就是崔氏与明家，这两家世代姻亲，又攀上了长公主这条路子，不知发了多大的财。

崔氏负责内库往北方的走私，而据监察院的调查，明家应该是负责内库往东夷城的走私，以及海外的生意。范闲下江南收内库，如今崔氏已倒，首要的便是要将明家震住，离京前当然做足了功课，与小言公子彻夜长谈早已定好方略。

他慢条斯理地说着，跪着的关妩媚听着却真快被吓死了。自家公子自从被赶离明家之后，这些年一直试图夺回产业，真实身份却是最隐秘的事情。江南水寨里的大头目们完全不知道，明家也被蒙在鼓里，甚至暗中与江南水寨还有些见不得光的生意来往。除了自己因为与明七公子有一层不为外人所知的亲戚关系从而知道这个秘密外，根本没有人知道如今的江南水寨大头领夏栖飞的真正身世，哪里料到对面这个年轻公子竟是一语道破！

范闲忽然想到一件事情，笑了起来："想明白了。崔家垮了明家虽然心痛，但更开心于能接过崔家的份额，明七公子也不想错过这个机会。三月内库要重新挂标书，江南水寨要洗白，自己要报仇，这都需要钱，难怪他会急成这等难看的模样。"

关妩媚惊恐地看着范闲，心想这个看似柔弱的年轻人究竟是何方神圣，怎么能知道这么多事情？内库是朝廷机密不说，而且他片刻间就猜到了公子爷的意图！

"这吃相不大好看。"范闲摇了摇头。

江南水寨大头领夏栖飞就是逃出明家的七公子，这当然是世间最隐秘的事情，只不过哪里瞒得住刻意调查了两年的监察院。来江南前，他对这位明七公子有几分好奇，毕竟对方的身世与自己有些相像，此时却发现对方的手段不怎么高明，不免有些失望。

此时，关妩媚已确定对方是京都某个大势力的代理人，才会有如此多的高手护卫，知道如此多的机密，她声音微颤着说道："大人为何不把我也杀了？"

范闲说道："我要与你家公子谈生意，将他表妹杀了，怕他太有血性反误了自己性命。"

关妩媚有些麻木了，对方能查到公子的真正身份，自然能够查到自己和公子的关系，只是对方说……生意？她希望重生，忍痛说道："这位大人，我家首领就在下游。"

她以为对方会放了自己，不料那位年轻公子根本没有这个意思，不由得绝望地说道："大家都在江湖上行走，我十几名手下都死了，难道还不能平息您的怒气？"

范闲微笑着说道："杀人不是为了平息怒火，只是处理事务的手法，我不会放你离开这艘船，免得姑娘一时口快漏了本人身份，给江南带来不必要的麻烦。"

关妩媚没有听明白他的话，说道："江湖事江湖了，你究竟想做什么？"

“姑娘误会了，我可不是江湖人。”范闲走到窗前，看着江对岸的明月，平静地说道，“而且我不认为这个世界上会有真正的江湖存在。”

关妩媚越发觉得此人深不可测，看着他的背影问道：“你……究竟是谁？”

范闲站在窗边道：“我是个坐吃等死没用的二世祖，可能是庆国最大的那个。”

想到自己这行人在上船之前的猜测，关妩媚险些喷血。

范闲最后说道：“你是贼，而我是个大贼，你既然上了我的贼船，就别想下去了。当然，你家那位七公子过两天也会上我的贼船，而且这辈子都别想再下去。”

关妩媚终于明白对方根本不是想与七公子做生意，而是想收服公子为已用！她恨恨地说：“痴心妄想！就凭你……只配给我家公子擦靴子！”

第十章 我拿什么供奉你

水手们提起大桶河水冲洗血迹，清洁完毕，夜风再起，众人又去睡了，船上恢复平静，就像没有发生这个小插曲。

“去睡吧，后半夜有人轮值。”

按规矩，贴身护卫向来是两班倒，范闲硬给改成了三班倒。虽说每班的人少了，但他相信那个世界里资本家剥削工人分成三班一定有道理，可能与效率与忠诚有关？

沿着通道往里走到最后，范闲停了脚步，看了眼史阐立的房间，这书生果然睡得踏实，苏文茂却早就醒来，满脸倦容地守在门口。

范闲对门口的虎卫说了几句，轻轻推门而入，走到床边坐下。船儿轻轻一摇，他将床上的被子向上拉了拉，遮住三皇子的肩膀，河上风寒，要是冻坏了可不好。

三皇子眼睑微动。范闲无声笑了起来，知道他在装睡。八九岁的小孩子竟比史阐立还要容易惊醒，只怕心里压力极大。想到此节，他在心底幽幽地叹了一声，帝王家确实容易养出一些怪胎，这小家伙有时可恨，也未必不是可怜。

鉴于范闲是私下江南，渭河中段，那个冒牌的提司大人已上了官道。庆余堂掌柜不在南行船上，而是与往澹州去的探亲队伍同行。沿途有黑骑保护，又有那些掌柜，想来所有人都以为此时范闲在那个车队之中，没有人想到他已经来到了渭河与大江的交汇处。

走水路，黑骑无法提供支援，但范闲不担心安全，有七名虎卫还有六处的剑手，如此多的高手刺客集于一舟之上，只要不是大宗师亲至，世上哪有人能碰自己一根手指。

他拍了拍三皇子的背，船上最金贵的人物就是这位皇子。有这样一个护身符在身边，日后就算自己要动特权调动府州的军队，也能随时找到极好的理由。

门外传来轻声回报，知道关妩媚被押入了下层的简易牢舍中，范闲放松下来，揉着有些发胀的太阳穴，回到卧房，便看着思思倚在床边犯困。只见她单手撑颔，整个身子随着船舶的轻轻摇晃东倒西歪。

范闲呵呵一笑，知道对方要等自己先休息才肯睡。他也不敢发出太大声响，便蹑手蹑脚地走了过去，一只手穿过思思的腋下，一只手抱着她的腿弯，将其抱到床上。

思思穿着一件绛青半旧大袄，圆圆滚滚的一大堆，就像抱着一只大毛熊似的。

他不想扰她的清梦，但她还是睁眼醒了，强自坐起来，说道："我给少爷铺被子。"

范闲笑骂道："先前就睡了一觉，还铺什么铺？都困糊涂的人，还不赶紧睡去。"

思思笑道："被褥又凉了，少爷小时候最不喜欢钻冷铺盖，不都是让我先暖着吗？"

范闲不由得想起前些年二人在澹州老宅里的日子。这两年他忙于争权夺利，成婚出使，有意无意间与思思生分了一些，但她还是如此贴心，于是心头一暖，笑道："今儿要给我暖床吗？"

这话就有些轻薄了，但府中都知道思思是终有一天要开脸入房的大丫鬟，她自己也早做好了心理准备。一听这话，有些害羞，没有如往日般清爽地回几句，将袄子一脱便缩进了被褥里，只剩了一头乌黑的青丝露在雪白的被头外，引人遐想。

范闲怔了怔，也脱了衣服钻进了被窝。二人在澹州自幼一同长大，没少在一张床上躺，在一床被里厮混，除了最后那关头，任何亲昵事都已做遍。灯光未熄，他双手环至她的身前握着她微凉的手，胸贴着她的背，听着她的呼吸声，将她抱得更紧了些。

“我二十了，少爷。”

思思轻轻咬着下嘴唇说道，话语里带着几分委屈与幽怨。

范闲没有说什么，嗅着思思头上传来的淡淡清香，感受着怀中的弹润身子，非常简单地便让心神回到了当年澹州时的情境之中，整个人觉得无比轻松，无比安逸。

半夜睡不着觉，舱外的河风在唱歌，他调笑道：“二十怎么了，急了？”

思思被这句话真弄急了，从被窝里坐了起来，咬着唇边的一绺头发，气得一言不发。

范闲赶紧转了话题：“说起来咱们已经好久没这样了。”在澹州时，比他大两岁的思思都是睡在一边，但他早就养成了起床后去她那边厮混一阵的不良纨绔习气。

“少爷大了自然不能老和下人一处厮混。”思思将脑袋埋在被子里，瓮声瓮气地回道。

“这要厮混许久的。”范闲也没哄她，只是温柔地说着，“像我这种烧煳了的卷子，也只有你才不嫌弃。”

思思噗哧一声笑了出来：“少爷若是烧煳了的卷子，这天下的姑娘还怎么活？”

主仆二人同时沉默，都想到这段话是《石头记》里王熙凤的自贬，便想起在澹州的时候，每个夜晚一人抄书一人侍候着的画面。那些日子里，范闲用极娟秀的小楷“抄”《石头记》时，思思便在一旁磨墨、拨灯、点香、准备夜宵，二人完美地实践了“红袖添香夜抄书”这句话，说起来，思思才是这个世界上范闲的第一个读者。

范闲忽然说道："既然笑了就甭再哭，听少爷给你讲个禽兽不如的笑话。"

思思睁着眼睛等着他开口，等听完那个著名的笑话后，忍不住埋在他怀里笑了起来，说道："原来少爷是说自己这些年禽兽不如啊。"

"如今想来，自然有这个问题。"范闲很老实地承认了错误，"最关键的是我不知道你究竟是怎么想的，当然我承认这话也有些无耻的虚伪。"

"怎么想的？"思思很迷惑。

范闲没有再说什么。思思忽然间明白少爷说的是什么意思，吃惊之余平添了些许感动，虽然少爷的想法确实太过荒唐糊涂，竟似准备看自己的想法，不过……还是有些温暖啊。

"少爷，还记得小时候……你打周管家那次吗？"

"当然记得。那家伙，居然敢给你使脸色，看我不打得他满脸桃花开。"

思思鼓足勇气看着他的脸，半天却没有说出话来，自己毕竟是个丫鬟，怎么能说那些情情爱爱的话呢？那一日范闲打得周管家满脸桃花开，思思姑娘心里的桃花也在那时节开了。

其时范闲才十三岁，思思不过十五。

范闲不知道大丫鬟此时心里在想什么，说道："当时那一巴掌还真狠。"

思思缩在他怀里，笑道："少爷手劲儿真大。"

"手劲儿大？"范闲嘿嘿一笑，左手在被褥里已是落了下去，恰恰打在思思的臀上，姑娘入睡只穿着件亵裤，单薄得很，手掌与臀面一触，发出啪的一声脆响。

回忆总是美好的，调情总是愉悦的，主仆二人就这般拥着，半晌没有言语，只是夜深人静、褥有暖香，空气开始暖昧和温暖起来。

第二日一大清早范闲就起来了，没有让思思帮自己梳头穿衣，姑娘有些不方便，只好躺在床上继续休息。端了碗粥和几个玉米馍、咸菜入屋，服侍姑娘用早饭。

范闲做完了男人该做的事情，走出舱门，来到船头，眼望着浩荡江面，迎着寒冷冬风，觉着浑身上下神清气爽，转身望向后方，发现只有一片江面。凌晨雾退后，大船便离开了颍州，其时船上大多数人还都在睡觉。那个码头早已消失在了群山身后，再也看不到了。

三皇子与邓子越两人走出了舱门。

“见过殿下。”

范闲很规矩地向三皇子行礼请安，一点不因在京都之外便有所散漫。

三皇子面相稚美，有些不安地受了这礼，没有挪动身子。

范闲行完礼后，很自觉地马上直起身子，稳稳地站在三皇子的面前，一言不发。

三皇子委屈无比地抱着小拳头，对着范闲躬身行了一个大礼：“学生见过司业大人。”

在这古怪的仪式之后，师生二人便开始了船上的一天生活。如今这艘船上除了一向跟着范闲的那批下属，还多了几位宫廷的教习嬷嬷、两个小太监，都是宫里调来专门服侍皇子的。不过范闲哪里在乎这个，硬生生将这些人留在了下层，不允他们上来。

范闲这边除了六处剑手负责暗杀安全，还调了二处和四处的两位官员随行，二处官员负责保持情报通畅，四处官员负责居中联络沿岸各地的监察院巡查司官员。

范闲是三处出身，如今执掌一处，如此一来等于这艘船上已经有大半个监察院的构置，虽然人数不多，分工配合起来却是非常顺畅。

船上生活颇无聊，从京都出来的这些人们，刚开始几天还有兴趣赏赏江景，但渐渐也看得厌了，加上河风凛冽，除了有职在身的，其余人都窝在房里休息。

范闲和三皇子站在船头，看着迎面而来的峡谷风景，轻声说着些什么。苏文茂看着提司大人和那位皇子，心里却在想着另一件事情：为什么船上非要装那么一大箱子银锭？

交代完事情，让三皇子站在船头学杰克，范闲走了回来。苏文茂看了一眼船头，不安地说道：“大人，把殿下冻病了可不好交代。”

“锻炼心志。”范闲这一路上对三皇子并不温柔，距离也保持得非常清楚，这不仅出乎船中众人意料，想来三皇子也觉得有些古怪。

“大人，那箱银子……”

“看好就行，既然那妇人已经看到了，就不要让别的人再接触。”

范闲伸了个懒腰，想着自己坐着大船，带着一箱白银，携美下江南，还真有几分二世祖的做派。只可惜天时不是很好，不然晒晒太阳浴，喝点冰冻的果汁，就更潇洒了。

“关妩媚被咱们关着，怎么才能让江南水寨的那位夏当家知道？下午船到阳州，需不需要将这消息放出去？”

“我还不想让他猜到我是谁，这些狠人发现自己摸不清对方底细，会变得谨小慎微一些，我要看的就是他到底愿意为此付出多少代价。”

“那……”

“不是还有位三嫂子被你们留在颍州吗？她自然会想办法通知夏栖飞。”

这一天，整个庆国最恐慌的人就是范闲说的三嫂子。

颍州码头上的那艘大船已经开走了。三嫂子像个傻子似的站在码头边上，手里提着一袋子还没有熏好的腊肉，根本没有理会偶尔来问价的人。她是山贼放在颍州城里的眼线，平日里负责打探消息，昨天那艘船上的银箱子就是她摸清楚的。

船消失了不是件大事，按照关姐这批山贼的行事风格，杀人劫货后就会连夜将船开走，到下游冲滩然后烧船灭迹。她今天早上看见船没有了，以为已经成功，但没想到在码头等了半天竟是没有任何回音！关姐没有回来，二哥没有回来，所有的人都没有回来！

就和那艘船一样，所有的山贼都消失无踪，再也没有出现过，一直到了暮时，码头还是死一般的安静。直到这个时候，三嫂子才终于确认出事了。

她双唇哆嗦着，不敢相信这个事实，就算船上护卫强大，昨夜也应该听到厮杀声，官府也应该有反应才是。怎么可能一点风声都没有——难道那艘船是鬼船？

她换了装束，将头发包住，将家中余财藏好，花大价钱雇了一辆马车，连夜沿着难行的山路往下游走去。她过阳州而不停，继续往东，一直走到江南路的一个大郡。

整整两天的时间，她在途中只饮了些清水，一点食物都没有吃。

也许是深陷的眼窝，让那位师爷相信了她说的话，领着她进了后花园。

戒备森严的后花园中，江南水寨那位年不过三十的大头目，江湖上赫赫有名的夏栖飞，听着三嫂子的话，缓缓睁开双眼，寒声道："只要那船还在水上，就把它拦下来。"

船，自然永远都在水上。

夏栖飞统领着江南水道英豪，舰船无数，这句话里透着强烈的自信与愤怒。

入冬水枯，两岸修葺河堤的民工像蚂蚁一样辛苦地搬运着石头与沙土，上面的银子一直没有拨下来，所有人都有些无精打采，不知是谁望向早已看腻的江面，忽然发了一声喊。

江上骤然多出许多条船上下巡弋，冬季航运不如其余三季，很少有这么热闹的时候。那些船只或大或小，形状各异，速度也不相同，甚至有被改装过的三翼船。三翼船是江南水师官用船只，速度极快，严禁民间使用。这些船上站着的汉子们，腰间都鼓囊囊的，想来藏着兵刃，汉子们黯黑的脸颊上除了显眼的水锈之外，便是沉默的杀意与警惕。

能在两天之内调集这么多的船只，而且没有惊动官府，有这个能力的只能是威名远扬的江南水寨，单论掌控大江的能力，就连江南著名的那几大家族都远远不如江南水寨。

江南水寨全名江南及相关水域十二连环坞，专门在江南密如蛛网的水路上讨生活。不论是运货、客运还是相关产业都要看他们的脸色，尤其是私盐私茶和贩马生意更是要让他们分去大利。夏栖飞当上了水寨大头目之后，更是着力与官府搞好关系，甚至传说他可以与沙湖里的水师提督大人称兄道弟。流氓加官府，谁也挡不住。所以这些年江南水寨明面上减了江湖买卖，但开始逐渐走出了水草，正大光明来到了众人眼前，声势更胜从前。

只有这样强大的势力，才能在大江上横行无阻，不惧物议地沿江索船。

夏栖飞并不是很在意手下那些山贼的生死，但失踪的关妩媚和自己有亲戚关系，更让他警惕的是，何方神圣能这样神不知鬼不觉地咬了自己这么大一块肉？

三月的时候，内库就要重新开门。按照往年规矩，这些都是崔家与明家的生意，但天下皆知内库已由长公主殿下手中移到了监察院范提司手里，而且崔家已经倒了，所以夏栖飞想试一试自己能不能趁虚而入，正大光明地夺回原本就属于自己的东西。但正所谓一文钱难死英雄汉，江上混生活的英雄们要学习做生意，遇到的第一个难题就是钱。

内库生意太大，标的数量以十万起计，三月份就算想有资格坐在内库里喝茶，需要拿出来的银子都会吓死人。以前的崔家、现在的明家都有这个实力，夏栖飞却绝对没有。就算他掌控着水道上的最大黑帮，手上的银子和明家比起来依然像乞丐一样，所以他才会急着四处搜刮银两，甚至重新做起了河盗的生意。连这般小的银钱数目都不肯放过，很显然他快被逼疯了。他不得不考虑，颍州岸边发生的事情会不会是在针对自己。

事情发生之时，他正在沙州城里请江南水师守备许寿山许大人饮酒。江湖传说总有夸大，他如今能接触的水师最高级别将领就是守备一级。许大人知道这件事情之后，保持了沉默，任由夏栖飞去搜那条船，但给了水寨中人一个警告：任何事情都必须在三月初之前搞定，搞定之后要洗得干干净净，把身上的血腥味洗掉！因为提司大人，三月份就要由澹州来江南了。

江南水寨的数十条船只在江面上搜寻了许久，依然没有找到那艘大船。夏栖飞听着手下回报，冷冷地眯起双眼，说道："看来那些人没有下来……那箱子没那么容易搬下船，应该还在阳州附近，你们去查了没有？"

头上裹着白布抵挡江风的汉子一愣，窘迫地回道："属下们算着时辰，两天的时间，船应该到了附近……没想到对方竟然死赖着不走。"

夏栖飞恼火无比，险些一脚就踹了过去，骂道："你是猪啊！"略顿了顿，他寒声喝道，"往上搜，活要见人，死要见尸，最不济也要把那艘船给我拖回来！"

那汉子领命而去，没有注意到这句话表明寨主已经开始信心不足。

夏栖飞坐在桌边，许久不能平静，这半年是他人生中最重要的半年，绝对不允许任何人、任何事来干扰自己，不然筹划已久的复仇大业就要从头开始。

一口灌掉碗中的冷茶，激得他反而有些发热，露出戾狠的神色，走到中庭等着消息。他解开了胸前的襟扣，露出横肉上面的道道疤痕，只是这些疤痕有些奇怪，齐齐整整地并排排着，不像是江湖厮杀中落的刀伤斧痕，反而像是被人捆住后狠狠鞭打一般。

中午的时候，一艘大船缓缓驶离阳州繁华热闹的码头，向下游行去。同一时间，数十条江南水寨的船气势汹汹地逆流而上，冒着夜行的危险，寻找着敌人的踪迹。

上天没有故意安排捉迷藏的时间，在太阳还没有下山之前，双方终于在最平缓的镜泊湾一带遇上了。数十条船只迅疾而上，水匪们天生的操舟能力在此时得到了最有效的发挥，不过几个变阵，便将那艘大船围在了江心，为首那艘三翼船疾速靠了过去。

大船停了下来，似乎是放弃了抵抗。三翼船上的水寨头领朝着大船上喊道："船上的人听着，你们已经被包围了，马上放下你们手中的武器，接受检查！”

大船一片沉默。

头领面色一凛，比画了一个手势，六艘船靠了过来，伸出长长的竹竿费劲地钩住了大船的舷板，取出身上的短刀，准备强行登船。

大船忽然动了起来！这一动便是全力加速，以令这些水匪们瞠目结舌的速度，向着包围线外冲了过去，巨大力量将刚刚搭在船舷上的竹质长钩全部撕碎，十几个正在向上攀爬的水匪堕入水中，激起浪花无数，一片混乱！

堵在正面的那艘水寨大船与京都来船狠狠撞上，然后直接一转头，一折腰，袅袅婷婷地就滑了开去。只是这个美妙的动作伴随着甲板破裂，以及水手惊呼的难听伴奏。

京都来船留下一道白色水浪，疾速向着下游驶去，镜泊湾的江面留下了无数木屑与在水面上不停沉浮的水匪。水匪们抓住船只边缘，在大浪中稳定住身形，瞠目结舌地看着那艘远去的京都大船，震惊异常。这艘船……也太结实了吧！而且怎么会这么快？船上的水手是怎么做到的？难道那些水手比自己这些常年在水上混生活的人更强？

京都来船上的水手全部是当年被裁撤的泉州水师的校官，常年研习水战，操控船舟水战的本事自然要比这些江南水寨的汉子更强几分。

只是江面行舟，害怕水下礁石不敢妄直横行，京都来船没有挂满帆，和那些三翼船比起来在速度上没有优势，只冲破了一道防线，便被江南水寨的十余艘船跟住了。

此时的江面半江瑟瑟半江红，京都来船在先，江南水寨群舟在后，疾速向下冲去，在水面上划出无数道淡色的伤痕，挠得黄色江水好生不安，成了个百舸竞流的美妙画面。

“甩钩！”

江南水寨的头目大声喊叫着，比了几个手势。江风极大，转眼间便将他的话吹到了天边，但看着他的手势，那些水贼们很默契地取出一堆绳索往大船上抛去。

十几条绳索破空而去，画了道漂亮的弧线准确地落在了大船甲板上。水匪们做惯了这等熟练工作，接着将手一紧，绳头带着的挂钩便牢牢挂住了船板。此时双方速度相近，绳索又不是竹子这种硬货，众水匪不再担心什么，手脚利落地沿着绳子便开始往大船上爬。

又是爬到一半，可怜的一半……大船边舷之上打开十几个隔板窗口，每个窗口里都伸出了一支长矛或是长斧，狠狠向绳上那些水匪砍了下去——刀风阵阵，惨呼连连，血花随江风四散，残肢共浊浪而下，只是一个照面，水匪便死伤惨重！

从京都来船的那些窗口中伸出十几支搭弓待发的箭头，冷漠地瞄准四周的船只，虽未发射却是震慑之意十足，似乎在说谁要是再敢靠近，格杀勿论！

后方的水寨首领看得双眼欲裂，暴怒异常，却又心生寒意——他长年混迹于江河之上，不知道经历了多少次剿匪，当然知道长弓、矛、斧各四……乃是朝廷水师的标准配置！

难道这是朝廷的阴谋？

船只放帆而下，速度奇快，很快就出了镜泊湾，来到了沙州水域之中。

水贼首领狠狠地看着仍被围困的大船，对方准备充分而且强得难以想象。但大象也怕蚂蚁，只要仍然在江面上，自己这些人总会有办法让对方沉到江底，所需要的只是时间罢了。

似乎是在回应他的要求，前方江面上陡然出现四艘大船，横排在江面，恰好堵住了下行河道。这四艘大船有三层楼，极为高大，落在江中的阴影被拉得老长，看上去十分威猛。

水寨首领发现这是最近几年常与自己这些人暗中配合的水师楼船，大喜过望地喊道："有兄弟帮手，大家不要着急！"

京都来船依然沉默而坚定地向下游冲去，似乎那四艘沙湖水师的兵船并不存在，又像是要去自尽般悲壮。

下一刻，看着夕阳下的那一幕，那个江南水寨首领顿时傻了，一屁股坐到了船板上。

沙湖水师四艘兵船竟是商量好了一般同时偏舵，给京都来船让开一条水道，就这样让对方过去了！这是怎么回事？没有给他多想的时间，四艘水师船只已经像四头巨兽一般横在了江南水寨众船之前，压迫感十足。站在兵船船头的那位官员这个首领也认识。正是夏寨主的知交、沙湖水师守备——许寿山大人！

许寿山神情冷漠地站在船头，不过衣服似乎是匆忙间穿的，带子没有系好，看上去有些滑稽。他眉头一皱，用眼神向对方示意赶紧投降，也不管对方究竟看懂没有，便用官威十足的声音说道："船上的人听着，你们已经被包围了，马上放下手中的武器，接受检查。"

沙州城就在沙湖入江处，水势相冲，万年以来积下沃土无数，加之百姓辛勤耕种，一直是大江边的著名产粮地。十几年前泉州水师撤编，沙湖水师接受部分人手后便成为庆国最大的水师基地，成千上万的水师官兵日常生活都要依靠这座扼住江南咽喉的州城。

浑身汗味水腥味的水师官兵在为沙州人民带来无尽烦恼、为沙州姑娘带来无穷危险、为沙州官员带来无数治安问题的同时，也为沙州城带来了无数的银子与商机。朝廷年年拨给这些汉子的俸禄，只怕有九成都用在了沙州城的妓院、赌坊与酒楼中，所以沙州的相关产业相当发达，各式酒楼林立，西边满楼红袖招，东边由晨至昏骰子不停摇，好不热闹。

这日从沙州最出名的客栈里走出几个人，这一行人的搭配有些怪异：一个年轻公子哥，一个姑娘，一个书生，一个小孩，跟着几个面色肃然的护卫，直接雇了辆大车驶到了南城。

这一行人自然就是范闲、思思、三皇子、史阐立和高达等虎卫，他们在阳州停了一夜，定了接下来的行程，由当地四处的人调了沙湖水师，范闲竟似不准备再掩藏身份。

大船在江上和水匪们周旋，范闲却带着身边的人提前在阳州下了船，坐着马车舒舒服服地顺着官道来到了沙州城，一路上没有任何人发现。

南城气氛有些紧张。三教九流人等都知道江南水寨的夏寨主在做一件大事，具体细节无人知晓，但从那个院子里不停进出的水寨统领的表情便能知道这件大事遇到了大麻烦。

那个院子看似不起眼，却是江南水寨在沙州的分舵。

范闲乘坐的马车离小院还有百余丈时，便有人注意到了。尤其是江南水寨的暗梢更是把这辆车盯得死死的，想判断这行人的来意。却没有人注意到，在昏暗暮色掩饰下，十几名看似寻常的六处刺客已经占据了这条街上最要害的几个位置。

马车离院子越来越近，很多视线落在车上，气氛有些紧张。车中人却仿佛无所察觉，马车驶到院门才停住。一个书生掀帘而下，走上石阶对门口的打手说了几句什么。不一会儿，院里走出了一位师爷模样的人，面带警戒之色问道："你们是什么人？为什么要见夏爷？"

书生是史阐立，他哪里在所谓江湖里蹚过水，看着那师爷阴狠的表情，再看看四周围上来的那些打手，明显对方身上都带着凶器，心里着实有些慌张，不由腹诽门师让自己做这种事情实在不妥。他强抑着紧张说道："我等来自京都，面见夏寨主，有要事商谈。"

师爷瞧着马车，说道："是你还是车里的人？如果是车里的人，为何到了门前还不下车，如此鬼鬼祟祟，岂是做客的道理。"

范闲将史阐立扔出去，是存着锻炼一下书生心神的念头，根本没有理会外面的事，温和地说道："由阳州至沙州，一路所见民生与京都大不相同，还请殿下牢记于心。"

从京都行来，他刻意让三皇子接触一下沿途寻常百姓，让他看到最真切的民间生活，不论是道旁负薪老汉，还是铺中卖凉茶的二娘，都会专门停留说上几句闲话。

所谓皇子教育，范闲没有什么经验，也没有什么方法，只好摸着石头过河，试试看这种法子究竟能不能好使。对范闲的安排，史阐立嗅到了某种味道，有些为门师担心。三皇子却是平静接受，以远超年龄的成熟保持着沉默，没有胡乱说话。

“民生多艰苦。”三皇子恭敬地回答道，“我大庆朝虽赋税不重，百姓生活依然不易，但看沿途百姓多有安乐之意，由此可知，百姓们的要求实在不高。朝政之要害，便在于首先要满足百姓们最基本的衣食要求。”

范闲完全是在盲人指路，他哪里知道如何治理天下，便不置可否地点点头，说道：“百姓很容易安抚，而一应宫廷所需，朝官俸禄，都是自民间索来。日后殿下助太子殿下治理天下，便要注意索取应有度，只要不超界限，便无大碍。”

三皇子看了范闲两眼，忽然天真地笑道：“老师，阳州民风远比沙州彪悍，那处的人们面上都有怨戾之意，想来便是朝廷索取过甚了。”

在船上他便要求叫范闲老师而不再是司业大人，刻意想拉近关系，范闲阻了几次没有成效，便由着他去。听着这句话，他下意识里想到被自己弄死的阳州知州，不想再继续这个话题，转而问道：“对于江南水寨，殿下有何看法？”

“老师说过，侠以武犯禁，更何况所谓水寨不过是一群水上的黑道，船中的流氓，谋财害命，以暴邀财，并无老师所说的侠风。”只见三皇子稚嫩的面容上闪过一丝狠意，“依学生看来，应调动大军将其一网打尽，首恶者尽数斩首，从恶者流放北疆。”

范闲一愣，说道：“先前说过，民风由地势环境和生存环境造成，一味清剿便如同野火过境，也许一时间能将野草清空。但是如果不从民生出发，百姓活不下去，依然会堕入匪道，便有如春风之后，野草重生，如此循环，何时是个尽头？”

三皇子摇头说道：“老师这话不对，对这等乱民当然要用重典。您也说过，江南水寨一定与沙湖水师有瓜葛，才能生存至今，任由这些乱民暗毁朝纲，将来如何收拾？安抚民生，让百姓过得好，自然是让天下无贼的必备之事，对那些敢冒出头来的贼人却是不能手软。”

范闲似笑非笑看了他一眼，心想小孩子果然比自己要干脆得多，只是掩饰功夫还是差了些。三皇子先前勇提反对意见、提议用剿之对付江南水寨，都是想在他面前表现出决断的一面以及真诚。他的江南行想刻意地熏陶改变老三，老三何尝不是想影响到他？小家伙做得不够圆润，但小小年纪能有此心机实在是很厉害了。

“那殿下为什么不反对臣今日来这江南水寨分舵？”

“老师自有妙算，非学生所能妄自猜测。”三皇子恢复了平静，嘻嘻一笑。

马车外的对话还在进行，不知道史阐立说了几句什么，那位师爷终于慌张起来，围住马车的那些打手们也靠得更近了一些。车帘一掀，范闲走了下来，环顾四周暮色之中的景致，毫不在意那些逼上来的水匪，然后回身将三皇子与思思牵了下来。

三皇子站在他身边，看着四周的打手颇感兴趣地问道：“老师，这就是所谓江湖人士？”

范闲道：“应该就算是了。”

三皇子有些兴奋，却没有什么惧意，毕竟是位皇子，哪里知道也不需要知道江湖险恶，更是不用考虑自己的安全问题。悬空庙之后他就认准了，有范闲在没谁能害自己。更何况如今全天下都知道了范闲的身世……天子家无情，他却坚持地以为范闲是特例。而且在所有人心中，范闲依然是那位能与北齐海棠相提并论的武道奇才，没有人知道他的真实情况。

范闲看了他一眼，问道：“少爷怎么一点都不担心？”

三皇子嘻嘻一笑，说道：“有老师在，怕什么？”

二人对话落在江南水寨众人的耳中，以为明白了对方身份。那个小孩儿大概是某位大族的公子哥，范闲这个书生是西席，只是年纪过于年轻了些，也太漂亮了些。

“少爷，咱们进去吧。”

不理会众人警惕与紧张的目光，范闲好整以暇，带着众人便往院里走去。史阐立汗颜，这次考试算是砸了锅，门师让他不要暴露身份，却要正大光明地进门，他实在是没有办法。

师爷的面色变幻不停，看对方的人员搭配，猜到了对方便是寨主苦苦寻觅的敌人，但是……对方什么时候下了那艘船？又怎么敢找上门来！

此时江南水寨无数兄弟正在江面上辛苦追寻着对方踪迹，正在与那艘大船进行着殊死搏斗，谁能想到对方竟然大大咧咧地来到沙州，就这样嚣张地来到分舵门前，闯了进去！

“拿下他们！”师爷面色青一阵白一阵，内心深处很是慌张。这等嚣张的敌人若非弱智，必然有所凭恃，夏爷正在院内，如果自己应对慢了只怕会出大问题。随着这声喊，那些打手们抽出短刀，发一声吼，向着范闲等人杀了过来！

范闲觉得右手微微一紧，转头望去，只见三皇子脸上依然保持着天真的微笑，手却下意识握了下，想来还是有些害怕。

“信心。”在此关头他依然不忘解说，“天家中人，一定要拥有压倒一切的信心。”

当当当当，便像是那首歌荒诞地响起，江南水寨沙州分舵的兄弟们看到了十分荒诞的一幅场景，只见无数把短刀飞了起来，就像是在下雨一般。

高达领着六名虎卫像阵风似的飘到范闲四人身周，沉默地抽出负着的长刀，生生震飞了那些打手，气势冲天而起，真可谓是挡者辟易！

范闲依然平静地牵着二人往小院里走，在惨呼与刀光的陪伴下，脚步十分稳定。

“虽千万人，吾往矣。”他对身边的三皇子解释道，“朝廷不需要与江湖人打交道，我们只需要安排他们做事，所以在见面之初，不要谈什么。”

三皇子点了点头，瞄着身边的厮斗，心想这感觉真是很爽，手掌心有些潮湿，只是有些不解地问道，“为什么这些江湖人的功夫如此不堪一击？”

江南水寨众人有的躺在地上，半天爬不起来，还能够站着的人畏惧至极。满身冷汗的师爷在心中号叫道，江湖上什么时候忽然多了这么多七八品的高手！居然还是给人当护卫！

范闲对三皇子说道：“习武是为了什么？和读书一般，都是为了权、利、名三字。江湖能够给予武者的，朝廷能给予的更多，所以真正出名的读书人都在朝中做官，真正厉害的高手也都在为朝廷出力。少爷千万不要被那些话本给骗了，江湖是个穷地方，收保护费这种没前途的工作，哪里能够吸引真正的高手……”

正厅堂前，江南水寨的寨主夏栖飞终于站了出来，只见他面无表情地说道：“都退下去吧，别丢人现眼了，我来会会这些京都来的尊客。”

他面色镇静，内心深处也是震惊无比。

不待他伸手相请，范闲一行人就像回家一般，很自然地进了中堂。他将三皇子请到主位上坐下，自己则随意坐在了旁边，思思与史阐立安静地站在他的身后，七名虎卫手按刀柄散在四周。

夏栖飞见对方如此做派，心想这到底还是不是自己的地盘！他强压心头怒气，对范闲一拱手道：“栖飞见过大人。只是江湖草莽之中自有豪杰，大人先前话语未免过分了些。”

此时他要是还看不出来范闲是京都来的大人物，那就真是白痴了，所以他才会控制住情绪，在庆国，任何妄图与官方对抗的势力，最后都只能落个灰飞烟灭的悲惨下场。

“夏栖飞？”范闲先确认了对方的身份，温和地笑着说道，“本官暂时不希望有人知道本官到你府上做客，先前有很多人看见了，你去处理一下，算是对你的第一次考较。”

听到这句话，夏栖飞的脑袋里嗡的一声，积压许久的屈辱感让他的双手开始颤抖。他何时曾被人如此欺压过？但他已对对方的身份有了一个大致的猜测。如果猜测是真的话，这位年轻官员就大不简单，他身边那个小孩儿更是……

“忍！必须得忍。”夏栖飞在心里不停地对自己说着。

以对方的权势，只需要伸根小指头就可以将自己这些年来积累的所有家业全数抹掉，自己的复仇大业不用再提，手下几千个还要养家糊口的兄弟们……更关键的是，庆国子民对皇室的无上敬畏束缚住了他的心神，让他刚生出的一些勇气立刻消失。

江湖儿郎总有几分血性，流氓也有三分狠劲儿，但为了手下的兄弟活路和一生所愿，夏栖飞只得压下满腔怒气，在恭敬之中带着一丝不卑说道："不知大人今日前来，有何吩咐？"

范闲看了他一眼，开口说道："麻烦夏爷先将本官先前吩咐的事情处理了。"

虽然用了夏爷这个称呼，但言语依然清淡得毫不着力，没有一丝江湖中常见的尊敬味道。夏栖飞不知道对方究竟打着怎样的算盘，脸色沉郁着，回身出厅向那位战战兢兢的师爷交代了几句什么。范闲坐在堂中饮茶，似乎并不着急，待他回来后才淡然地说道："本官今日前来，是问夏爷一件事情。前几天夜里，在颍州码头上，本官坐的船上来了些客人，被本官留了下来，不知道夏爷对这件事情准备如何交代？"

夏栖飞毫不犹豫地应道："江湖中人做不来放着手下兄弟不管的事情。不错，那夜误登大人宝舟的人皆是我夏某兄弟……大人微服南下，夏某有眼无珠冒犯了大人，还请大人原谅，一应罪责皆由我夏某一人承担，还请大人放过夏某的那些属下。"

三皇子听着厌烦，将茶杯往桌上重重一放，砰的一声，哼道："你……承担得起吗？"他刻意将句子拉长了一些，稚童清亮声音并不如何阴阳怪气，反而透着一股古怪的寒意。

夏栖飞心头一寒，知道这罪名往大了说就是谋杀皇子，几千条人命往这坑里埋都不见得能填满。但既然能够在幼时躲过明氏大族的追杀，还成功地在江南水寨上位，成为如今武林里的重要人物，心神自然坚定，思维也极缜密——这些贵人并没有调动官兵来清剿，而是“冒着奇险”直接杀入了分舵，自然大有深意。所以他并不怎么真的害怕，只是不知道这些京都的贵人们究竟要些什么东西。他一咬牙，舍了江湖人最重视的骨气，对着范闲单膝跪了下去，诚恳地说道：“草民自知难以承担此项罪责，但请大人看在福泽深厚，并无丝毫受损的情况下，请将草民千刀万剐，也务求留下草民那些鲁莽无知的兄弟。”

范闲不知道是没看出来这是表面功夫，还是很欣赏对方的急智，赞赏地点了点头，说道：“夏当家的果然是位爱惜下属的真正豪杰。”

花花轿子众人抬，夏栖飞的自称由“我”变成“夏某”再变成“草民”，气势越来越低。而范闲却是从直呼其名改称“夏爷”，再到此时的“夏当家的”，步步高升，算是允许对方有了说话的身份。

范闲只说了一句话就住了口，三皇子心头一紧，知道老师不喜欢自己先前插话，要自己来当恶人。不过身为皇子，他当然不怕江湖草莽的记仇，用清脆的声音说道：“你这话说得晚了些，那夜的贼子已经全部被护卫杀死，扔进了江中。”

夏栖飞呆立当场，没想到这些大人物下手比土匪还要狠！居然连一条人命也没有留下来。

他仿佛看到关妩媚和兄弟们在江中漂浮的尸首，心头一痛，怒意大作，偏脸上却只有悲痛，没有恨意，演技着实不凡。

范闲和声道：“官家做事和你们的规矩不同，那些人既然动了刀子，便不能留下性命。如果本官放了他们，日后事情传回京都，朝廷震怒，只怕他们下场会更惨，还会祸及家人。”

夏栖飞沉默不语，片刻后重复了最开始的那句话：“不知大人今日前来，有何吩咐？”

对方的话已经说得很明了，上船劫银的事情暂时用那十几位兄弟的鲜血洗清，此事搁置不论，要论的自然是其他的事情。范闲挥挥手，所有下属都领命出了外厅，三皇子从椅子上跳了下来，也准备离开，却有些意外地被留了下来。

屋子里就只剩下了三个人，夏栖飞不知道这时候心里在想什么，对他这样一个江湖人物来说，能够同时看到两位“皇子”，真是无法想象的事情。

“我是范闲。”

范闲面色柔和，开诚布公地说出了自己的身份。

夏栖飞隐约猜到对方的来历，但得到确认，依然止不住心头一战，双腿发软。

小范大人的故事在庆国民间早已成为传说——年纪不满二十已是监察院权柄最重的提司大人，殿前赋诗、街头杀人、揭春闱弊案、往北齐斗海棠、收藏书、回国欺皇子，短短两年时间，原本寂寂无名的范家私生子已经成为了天下最出名的人，无论名声武道权势，都是世间最顶尖的人物，是所有年轻男子羡慕敬畏的对象。夏栖飞也不例外，由于身世关系，他对范闲更是亲近向往，要知道对方是叶家后人，还是陛下的私生子！

只是如今他却得罪了提司大人——得罪范闲的人最后都是什么下场，夏栖飞太清楚了。粗略算起来，倒在范闲手上的包括礼部尚书郭攸之、刑部尚书韩志维、都察院左都御史郭铮，都察院的御史挨了两顿板子，二皇子被软禁在府，长公主要被迫双手送出内库！

夏栖飞拜倒在地行了个大礼：“草民夏栖飞，拜见提司大人。”

范闲没有让他起身，饶有兴致地看着他，轻声说道：“明七少，本官希望你能诚恳一些，至少在行礼的时候，最好用自己的真名。”

夏栖飞双瞳一缩，霍然抬头，直视范闲那双看似温和，实则咄咄逼人的双眼，右手下意识里垂了下来，随时准备发出雷霆一击。

明七少！这个许久没有听到过的称呼钻入耳朵，像毒蛇般撕咬着夏栖飞的大脑，惊骇之余更是凶念陡生！对方怎么知道自己的身世？如果这消息传了出去，明家怎么可能放过自己？

“不用去摸靴子里的匕首。”范闲不知道对方心里想着这么多事，看着他的动作忍不住笑了起来，“夏当家应该清楚，本官最擅长的也是这种手段。”

三皇子像是察觉不到危险一般，在旁边极为有趣地看着二人对话。

“当年你母亲应该是被现在的明家老太君杖死的。”范闲回忆着院中的情报。

夏栖飞盯着他的眼睛，似乎随时准备出手。但他清楚范提司是可以与北齐海棠相提并论的人物，就算自己豁出命去也不可能当场格杀对方，但这个态度要表现出来。

“你自幼被你那位大哥虐待……”范闲看着他皱了皱眉，“本官不是想提你的伤心事，只是想让你清楚，本官要与你做生意，这生意就必须建立在你与明家的仇恨之上，如果你不够恨明家，我怎么会来找你？”

听到这句话，夏栖飞的气势顿时消失无踪，他强自镇定地说道：“大人找小的谈什么生意？”

“你想做的那件事情，本官可以帮你。”谈到买卖的事情，范闲说话直接起来，“我知道你缺银子，而我有银子。”

范闲当然有银子，澹泊书局加抱月楼、六部衙门、宫中老戴，借整风之名捞取的真金白银加起来已经到了惊人的地步。但在江南富庶之地，与那些世家大族相比还是差得极远。不过天下都知道，他还有个财神爷父亲，他家管完国库管内库，要说范府没钱，连三嫂子那种角色都不会相信。而且他手中有一笔谁都不知道来路的巨额银两，才是他的信心所在。

夏栖飞以为对方会用身世威胁自己，却没想到对方竟是要帮助自己，一时间有些回不过神来，怔怔地问道：“大人……是说三月内库开门之事？”

范闲平静地说道：“内库开门定标，往年肯定是崔、明两家囊中之物。

但崔家垮了，自然会有大变动，你想插手就只有这个机会。我会给你入门的资格、足够的银两接手相关的份额。”

“提司大人厚情……”

夏栖飞神情凝重，没有立刻答应范闲的要求，跪在地上，因为他清楚监察院是如何可怕的地方，与监察院合作的人往往最后只能将自己的身家性命全赔了进去。如果范闲知道他的心理活动，会送他一个比较贴切的形容——与魔鬼做交易。

范闲没有在意对方的退缩，赤裸裸地开出条件：“事情成功之后，水寨是你的，明家也是你的，甚至我不会直接索取相关收益。”

夏栖飞更加沉默，他坚信世上没有如此善良的监察院官员。果不其然，范闲喝了一口冷茶，很自然地说道：“该是你的都是你的，但你……这个人必须是监察院的。”

说完这句话，范闲从怀里取出一块式样简单的腰牌，轻轻搁在黑木桌子光滑的桌面上，轻声说道：“监察院四处驻江南路巡查司监司，品级不高，不要觉得委屈。”

委屈？一个江湖匪首摇身一变成为朝廷命官，还是手握监察官吏实权的监司，傻子才委屈！

夏栖飞被范闲开出来的条件惊呆了，虽然知道自己入了监察院之后，无论将来执掌明家还是江南水寨，都再不可能脱离这个机构，收益如何分配依然是监察院……不，或许只是范提司私人的一句话。但能够获得一大批资金，能够拥有暗中的官员身份，能够获得范提司的首肯参与竞争，他第一次有了信心斗倒那个大家族。他知道自己这一生再也不可能遇到这么好的机会，但依然有些犹豫。成为监察院的忠犬对习惯在江湖上闯荡的他来说实在不怎么甘心，监察院的名声实在太差，如果消息传出去，自己的名声就完全毁了！

于是，他做出了最后的挣扎，说道：“草民实在不知为何要接受这个交易？”

范闲好奇地问道：“夏当家的莫非不想夺回明家？据本官所知，明老爷子当年遗嘱里排头前第一的名字，可就是明青城。”

明青城就是夏栖飞的本名。他咬牙说道：“非是草民不识时务，只是草民如今忝为江南水寨头领，要对付明家有很多法子……至于内库的事情草民或许想岔了，明家财雄势大，草民怎么可能在明面上斗赢对方。”

范闲微笑道：“夜黑风高杀杀人？冒着江南水寨覆灭的风险火烧明园？不说你有没有这个能力，就算你真这么做了你又如何说服自己？水寨兄弟被官府通缉，孤儿寡母在世上流离，你快意恩仇死去，还有脸去见那位将你救活、扶你上位，对你恩重如山的老寨主？”他慢条斯理地说着，气势并不逼人，就这样温温柔柔地说中了夏栖飞的脆弱处。

不等夏栖飞回过神，范闲继续说道：“夏当家最想要的不仅仅是复仇，而是要夺回明家，站在你长兄面前扬眉吐气……就算你将明家杀得一口不留，明家在哪儿呢？你要夺回来的东西还会继续存在吗？我劝你不要这样选择，那滋味一定不好受。”

夏栖飞沉默地站在原地，还在消化着范闲的言语。这时他忽然想到这位年轻的大人与自己的遭逢有极多相似之处，难道他也是在寻求夺回原本属于自己的东西？比如内库？

范闲极有耐心地等待着对方思考的结果，他对自己的说辞有信心，关键是他对这位明七公子有信心，相近的身世他能够尽可能清晰地捕捉到对方真正的想法。

夏栖飞长久沉默后，抛出最后一个疑问：“提司大人，草民不解一事。”

“讲。”

“大人此行自然是为接手内库做准备。崔、明两家把持外供渠道已久，与……那方面牵连太深，可大人为什么如此看得起草民？以大人的权势地位，轻轻松松地就摧垮了崔家，除掉明家也不是难事，大人完全可以自己做这件事情，而不需要草民出力。”

“崔家和明家情况不一样。至于我为什么不出面是因为我不方便出面。”

“不方便”三字道尽官场真谛。他本身是监察院提司，如今又要兼理内库。朝廷的规矩严，内库只负责出产，外销却必须由民间商人投书而得，于院务于私务，范闲都不可能站到台面上来，所以他需要找一个值得信任，又方便行事的代言人。

崔家与明家的情况也当然不一样，整治崔家的时候，范闲做的准备够久够扎实，言冰云领头作雷霆一击，自然一举获胜。而明家如今有了前车之鉴，早已经做好准备，再想从出货渠道与账目这些方面做手脚，一定很难。

当然最大的区别在于——范闲整垮崔家，有北齐那位年轻皇帝帮忙，明家的关系者却集中在东夷城与海外，范闲杀过四顾剑的两个女徒孙，包括他在内的庆国朝廷更是让东夷城背了无数顶黑锅。双方积怨太深，若想要与东夷城携手弄垮明家，范闲自忖没有这个魅力。

他站起身，用手指轻轻在那块腰牌上点了两下，说道：“牌子先留在这里，今夜之前给个回音。你应该清楚，如果决定了你需要准备些什么东西。”

夏栖飞侧身让开道路，没有正面回答他的话，只是说道：“大人今日前来如神子天降，虽然大人不愿扰民，可声势已在，只怕不好遮掩。”

这句奉承话实际上是在提醒，范闲看了他一眼，说道：“目前夏当家还是个不小心踢到铁板的人，先把这角色演好吧。至于本官的行踪何须遮掩？大江上的那艘船还得劳烦夏当家属下们沿途护送，本官那箱银子可不想再被贼人惦记。”

夏栖飞将头低了下去，沉声道：“谢大人不杀之恩。”

范闲回身将老三从椅子上牵了下来，夏栖飞此时才想到，谈话的时候自己似乎冷落了这位小贵人，不免有些忐忑，却来不及做什么弥补，这时他心头忽然一动，迟疑说道：“大人，若三月开门下官与明家打擂台，对方一定会起疑心，到时候……”

"你站在本官这边，本官自然站在你这边。"范闲微微一笑，牵着三皇子的手往外面走去，抛下最后一句话，"夏当家主意拿得快，本官十分欣赏。"

江南水寨沙州分舵里死一般的安静，寨主下了最严厉的封口令，虽然没有明说，但兄弟们都知道出了大事，只敢猜测，不敢胡乱去传，甚至连议论都不敢。

夏栖飞坐在那张犹有余温的椅子上，面色阴晴不定，不知道在思考着什么。师爷从外面走了进来，附到他耳边轻声说道："水师那边已经封营，不知道发生了什么事情？"

夏栖飞低声说道："无妨，只要这事谈妥了，老沈应该没什么问题。"

师爷讷讷说道："先前水师扣了我们很多艘船，依您的命令，没有起冲突……不过京都那几位主子离开后，咱们的船也被放出来了。"

夏栖飞低头道："在对方眼里，我们不过是些蚂蚁罢了。"

师爷脸色苍白地说道："……供奉正在后厢洗剑，只等寨主一声令下。"

夏栖飞始终没有发出命令，眉头皱得极深，片刻后幽然地说道："钱师爷，你看这事做得吗？"他的手轻轻抚摩着那块监察院的腰牌，腰牌十分光滑，不知道已经制出来了多久。

师爷颤抖着声音说道："全凭寨主吩咐，小的……不敢多嘴。"

夏栖飞面无表情地说道："京都来的大人似乎习惯了这种做事的方法，也太过高估自己的实力……就算他们身边有那些七八品的高手护卫，如果我们倾巢而出其实也有机会……"

师爷在心里骂了两句，心想你明知道不可能还这般说，无非就是不想背那个恶名，顺水推舟地说道："那位护卫首领实力已至巅峰，放在江南武林完全足以开山立派，寨主三思。"

"关键是那位大人自己。"夏栖飞已经对范闲给的条件动心，只是一方雄主如今要成为他人属下，永世再难翻身，一时间确实很难接受，所以他和范闲说话的时候已经通知师爷做好了绝杀的准备。江南水寨里最高深莫测的供奉先生就在沙州分舵，他不是没有反击的能力。但他心里也清楚自己通知师爷只是为了让脸面上好看些。

江南水寨便要在自己手上变成朝廷的鹰犬，这种感觉确实难堪与难受。他站起身来，看着师爷那张想要哭的脸，知道对方害怕自己做出不明智的选择。他拍了拍对方的后背，却发现触手处一片湿冷，才知道师爷在这大冬天里竟是被吓出了一身冷汗。他不由自嘲地苦笑了起来——皇权与监察院的威压，果然不是江湖人可以抵抗的。他终于下了决心，说道："散去所有布置，明面上监视，暗中保护那艘船的安全，保证对方安全抵达苏州！"

"陆上呢？"

"大人身边强手如云，不需要我们多事。"

"可是供奉老大人那里……已经准备出手了。"

供奉老大人是江南水寨最神秘的高手，论起辈分来，是老寨主的师叔，自己的师叔祖，虽一向极少出手，却是江南水寨的镇山法宝。如果那个古板而坚持的老供奉知道自己这个外姓寨主想投靠官府的话……夏栖飞发现自己低估了事情的复杂性，脸上流露出一抹狠色，低声说道："去招内堂的贴身护卫过来。"

师爷心头一寒，不敢多言。

半个时辰之后，江南水寨之主夏栖飞端着一钵鸡汤来到后园，准备孝敬老供奉，他的身后则隐藏着最亲信的杀手们，务求毕其功于一役。

但他站了半晌，也没有人来开门。

院子里死一般的寂静。

夏栖飞推开门走了进去，问道："师叔祖？"

没有人回答他，他望向某处，身心俱寒，手上一松，鸡汤摔到了地上，淋漓一片！

屋内蒲团上坐着一位须发皆银的老者。老者发髻紧扎，一身剑袍，长剑系在腰侧，浑身透着股厉杀之意，很明显已经将自己调息到了最完美的境界，时刻准备出剑杀人。

但老供奉再也无法杀人了，圆睁的双目里透着强烈的不甘与愤怒，一道恐怖而精细的血口在他的喉骨处破开，直通颈后，贯穿的伤口后，鲜血顺着后背流到了地上。

那个刺客剑意惊人，竟是把老供奉流出来的血水全部逼到了身后！

夏栖飞不可置信地看着眼前这幕画面，他虽然准备来欺师灭祖，但当这场面真的发生在眼前，他又觉得那样不可思议。谁能这样悄无声息地杀死师叔祖？

一张纸条不知从哪里飘了下来。夏栖飞用颤抖的手接住，只见上面写着："你动了那个念头，我依然给你机会。他动了杀心，所以我杀了他。"

他的身体不受控制地颤抖起来，直到此时此刻，他才明白监察院真的不是一个帮派所能抗衡的，对方是在帮助自己清除归降的最后障碍，也是对自己的最后邀请与警告。

夜里的沙州城安静中带着些紧张的气氛，往常热闹的夜街今日格外安静，所有人都知道发生了什么，但所有人都不知道究竟发生了什么。赌坊往东的那条街上有这座大州最干净舒适的客栈，往常南来北往的大富之家都喜欢在这里包楼。范闲是二世祖，却没有沾染上太多二世祖的习气，生活方面虽不朴素却很简单，只是包了最上面一层。

夏栖飞将那块腰牌放入怀中，又在文书上签了名字，按上鲜红的手印，再恭敬地递了个牛皮纸袋过去。范闲看了一眼文书，点了点头，笑着说道："夏大人，如今咱们就是一家人了。"

这份文书一签，夏栖飞自然与对面的年轻官员成了一家，只是家里也有各色人等，对方是少爷，他却好比卖身为奴。不过江湖枭雄，拿得起放得下，既然自己选择了这条路，就会实实在在地走下去。他跨步向前，利落地往下拜倒，口称："下官夏……明青城，拜见大人。"

话说完了，人却没有跪下去，一双手已经极稳定地扶住了他的身子。范闲望着他说道："既然入了院子就是朝廷的官员，有上下之分，却没有太多尊卑。”

夏栖飞微微一怔。

范闲指着苏文茂说道：“苏大人，是我从一处调到身边的。我想你应该不会有在我身边做事的愿望，但日后如果你想入京，也不是不行。”

夏栖飞心里想，在江南做个土财主也比进京快活许多，嘴上却说道：“全凭大人提拔。”

“莫说假话，院里确实可以帮你做许多事情，你也莫要怨我，总不过是互相利用罢了。苏大人便是你今日入院的见证人，日后相关事宜你都与苏大人联络，待会儿你们两个人在一起说一说。”范闲对苏文茂说道，“手册和条例，你尽快让夏大人熟悉。”

苏文茂低声行礼，便带着夏栖飞退出房去。

这时，三皇子那小小的身子像幽灵般从内房里飘了出来，轻声问道：“老师，监察院就是这般收人的吗？”

“这是特事特办。”范闲很礼貌地请三皇子坐下，“殿下先前听到的在院中并不常见。监察院收人，首先要考察许久，一般我们习惯从军中挑人，这是当年陛下组织监察院养成的习惯，后来也开始注意每年春闱不中的秀才，毕竟如果大字都不识怎么监督吏治？但院里最忌讳接手本身已经有相当势力，或者是身后有背景的人。”

三皇子皱眉道：“夏栖飞可是江南水寨的寨主。”

“所以说是特事特办。”范闲很耐心地解释道，“一般来说像夏栖飞这种人最多只能允许他在院务外围活动，绝不会让他出任监司。”

“为什么是特事呢？”三皇子对于这些事情显得格外感兴趣和好学。

范闲今次没有责备他皇子不应过于看重细务，和声说道：“陛下命臣下江南清理内库，将要面对很多世家，所以监察院需要在江南本地找一个人，而且是个能够绝对控制住的人。”

三皇子很是不解，他小小年纪便心狠手辣，除了因为抱月楼在范闲这里吃了亏，根本没有遇到过什么挫折，完全想象不到江南政务的复杂性和艰难程度。

范闲看着小孩子认真的眼神，有些好笑，也对那位身在宫中的宜贵嫔深感佩服，那样一位憨态可掬的娘娘怎么能养出这样一个性情硬、好学、肯折身段的厉害小皇子？

“江南被信阳方面经营得太久，”范闲在他面前并不避讳提及长公主，“十几年的时间，这里已经是铁板一块，纵使有些人是崔、明两家的敌人，但各方面总有千丝万缕的利益联系，谁也不想如今的格局发生太大的变动。我们自京都远道而来，对于他们来说就是一个强大的变数，外力袭身，就算铁板内部有缝隙也会暂时合为一体……我们需要一个已经在铁板中存在的砂子，让这粒砂子越来越大，最后逐渐将铁板撑裂，再难恢复最初的模样。”

三皇子皱着眉头说道：“如果我们帮他，和我们自己出面有什么区别？”

“关键就是我们不方便出面。”范闲也有些头痛，叹道，“殿下您是不知道，地域的观念，在这个国度里是如何根深蒂固。我可以让小史来开抱月楼分号，可以让澹泊书局开遍苏州，但真要触动了江南人的根本利益，只怕会惹得群起而攻之。”

“群起？会有哪些人？”

“江南最大的富商明家，被我杀了几位少爷的那几家盐商，早已被长公主喂得饱饱的那些各级官员，以及打从江南路正二品的那位凌提督起，一直到苏州城看守城门的老兵卒子。”

范闲像做游戏一般扳着手指头，耐心地说着：“内库里的各级掌柜，街头卖笑的姑娘，庙前卖艺的老汉，但凡是江南人，都不会喜欢我们来指手画脚。”

三皇子愣了愣，狠狠地说道：“攻便来攻，难道本……老师还怕他们不成？”

“怕倒是不怕。”范闲好笑地说道，“可是那句话是怎么说的？法不责众！真让江南乱了起来，这些人有的是办法让民怨载道，民不聊生……真到了那天，你说京都朝廷上一议，到底是去砍几万个人头来为我壮胆，还是将我的乌纱摘了去安抚江南民心？”

三皇子愣了起来，心想以父皇的性子，只怕你范闲肯定不会吃什么苦头，但也会将你调回京去。但想到自己堂堂皇子居然要害怕那些人，不由好生郁闷。

“当然事情也没这么麻烦，监察院不是吃素的，陛下也不可能一味柔和。我只是将情况预估得艰难些。”范闲的笑意渐渐敛去，接下来平静地说道，“如果真要杀人立威，我不介意背这个恶名。”

三皇子摇了摇头，心想真把人杀多了，事情总不好收场，京里都察院再闹起来，难道父皇还真能把御史都杖死？父皇可是位一心要在青史留名的帝王……不如让那个刚被收服的夏栖飞杀去！他的眼睛一亮，却不敢将自己灵机一动的想法告诉老师。浑不知，他那个面上温柔实则心狠的老师做的便是这等下作安排。

“水师那边怎么办？水师守备竟然与水匪头子相互勾结……这事监察院怎么查？”

范闲低头去看那个牛皮纸袋，随口说道：“这事不用查。”

三皇子眉头一皱道：“怎能不查？沙湖这块的水师乃是我朝重兵，直接冠以江南水师之号，这里都出了问题，如果不彻查清楚，庆国号称天下第一强国，如何自安？”

范闲心感意外，抬头看了他一眼，从这些幼稚甚至有些不清楚的话语里，听出小孩子是真的很在意此事，转念间才想通，原来这位小爷还真有雄心。他忍不住笑了起来，将手中的牛皮纸袋递给他，说道：“水师的问题不太大，当然那个守备会倒霉，水师提督这件事情后总要给我一个交代。不过从大江上试探看来，江南水师的军纪还算不错。”

三皇子没有接话，低头翻着牛皮纸袋里的东西，越看越是心惊，全是江南水寨与各地官员暗中交通，账目清楚，真要查下去，只怕会在江南官场掀起一场大风波。

范闲说道："这便是……所谓投名状。夏栖飞将这些东西交给我，就等于将那些官员和他自己的脑袋交给了我。双方交了底,大家才能心安。"

三皇子抬起头来，有些不敢确定地问道："夏栖飞会一直当个暗桩？"

"殿下明白得极快，果然聪慧。"范闲赞赏了一句，"这些官员我们要抓便抓，只看时辰。若他们仍然不识时务，坚持站在朝廷对立面上，那自然要抓。"

所谓朝廷的对立面，对他来说自然就是信阳那一面。

三皇子兴奋地赞道："老师好计策！"

范闲自嘲地一笑道："这算什么狗屁好计策，人人都能想得出来，只是没谁有监察院这样的资源能查出夏栖飞的底细，控制住他为我所用。"

难得听他说了脏话，三皇子乐道："老师一代诗仙原来也会说脏话。"

范闲大笑道："什么狗屁诗仙！我也要上茅房，庄大家还不是娶了两个小妾，世上哪有从内到外全是水晶做成的人儿？"

三皇子忽然促狭地问道："难道父皇也……会骂脏话？"

一听这话，范闲的气就不打一处来，心想这是逼着自己撒谎啊，笑骂道："回去问你家贵嫔娘娘。"

气氛轻松许多，三皇子想着先前夏栖飞说的话，兴致大作，问道："那贼头子说过些天西湖边上要开什么大会，品鉴江南豪杰武道修为，是难得盛事……咱们也去看看吧？"

范闲笑道："不过是些俗人打架，殿下堂堂皇子何必去凑这个热闹？"

三皇子眼睛一亮说道："老师乃是天下难得一见的九品高手，到时候乔装打扮去夺个什么盟主，岂不是一桩妙事？日后写成话本，在天下传扬……"

"愈发俗了。"范闲笑道，"真要如此，京都里不知会怎么传，都察院肯定会不停地参我，陛下至少要批我一个年少孟浪。况且带着你在身边，怎能亲赴险地？当然监察院肯定会派人去，估摸着四处的人手早就在西湖边了，我这边准备让苏文茂去一趟。”

三皇子才知道范闲早有计划，有些失望地叹气起来，他性情再如何坚忍阴狠，总不过是个小孩子，想到不能去凑热闹，看看传说中的武林大会，终究有些恼火。

“夜深了，殿下休息吧。”范闲起身送客。

到门口时，三皇子忽然停住脚步，转身问道：“老师，为什么父皇要安排我与你一道来江南呢？”

范闲微笑地说道：“殿下心中是如何想的，或许就是陛下安排的良苦用心。”

其言可畏，其心可诛。三皇子稚嫩的面容严肃起来，思考许久后，缓缓点了点头，接着却问道：“敢问老师，二表哥现在究竟在哪里？多日不见，学生实在有些挂念。”

范闲看着他的脸色发现，抱月楼二老板对大老板的关心想念很真诚，于是笑着应道：“刑部已经发了海捕文书捉拿他……我怎么会知道？”

三皇子恼火却又无奈，最后问道：“有个问题我一直想问老师。”

“殿下请讲。”

“悬空庙上为什么你要来救我？”三皇子带着期盼望着他，不知想得到怎样的答案。

范闲想都没有想，直接说道：“殿下那时候最危险，我自然要先救你。”

三皇子明显要的不是这个敷衍的答案，说道：“那时候……父皇更危险。”

范闲回得更妙：“我离殿下近些。”

三皇子气苦，恼火地推开木门走了出去，心想这厮果然是个面团身子铁石心，什么话都不肯说明白，就喜欢故弄玄虚！他自幼在母亲教诲下小心翼翼活着，与二皇子交好，却也时常去东宫玩耍，是几个哥哥都很疼爱的小家伙。可他内里却是胆子极大，有远超年龄的成熟——这当然是被逼出来的，看悬空庙上所有人都只顾着皇帝安危，却没人管三皇子的死活，太子更是那般不堪，便知道天家无情并不是假话。事后他不免有些心寒，时常忆起当日范闲挡在自己身前的情形，两相比较，他越发觉得这位名义上的“大表哥”、实际上的“兄长”要比别人可爱得多，值得信任得多，故而对范闲渐生依赖，很想对方待自己也如此。

范闲站在门口，看着三皇子随虎卫走入卧房，才回身进门，想着先前情形忍不住笑了笑。他与三皇子一路南下，关系着实有些微妙，对方是皇子，自己是臣子，又是老师与学生。而且大家心知肚明，都是一个爹生的。只是二人都极聪明，绝对不会主动提及此事，哪怕一点点试探都没有，毕竟这世上像思思这般憨直敢言的人实在很少。

“少爷，该睡了。”范闲正在出神，便被自己敢言敢问的大丫头吓了一跳，回头只见思思端着盆热气腾腾的水认真地盯着自己。

“这几天你可别老动弹。”范闲一面说着，一面将双脚伸进了热水里，舒服地呻吟了一声，连日旅途劳顿，心神也有些疲惫，确实需要烫上一烫。

思思拿着块大方帕，坐在他面前的小凳上，眼睛一眨不眨地看着他。范闲被她看得有些发毛，不解地问道：“怎么了？”思思回头望了一眼木门，低下头轻声说道：“少爷……您查内库就查内库，那些事情就别理会了。”

她得到过范闲亲口确认，脑子又好使，自幼被范闲灌故事灌多了，对某些事情有种天生的敏感。这些日子看着范闲与三皇子间的相处，隐约猜到他在为将来做些什么准备，但天子家事在姑娘的心中还是十分可怕、不能触摸的存在，自然有些担心。

范闲的双足停止了在热水里的搅动，有些意外地看了她一眼，安慰道：“放心，我有分寸。我没办法让这个小家伙像思辙一样去吃苦，只是希望江南行能让他开开眼界，不论将来之事，日后就算是辅佐太子治国，他心胸要是宽广些，这天下也会好过些。”

思思噗哧一声笑了出来：“感情我家少爷……还是位悲天悯人的人物。”

范闲笑斥道："这话说的，难道我就不能？"

"为什么呢？"思思出身贫寒，总期望少爷能说出些仁义的话来，这便是所谓女子心思。

"哪里来的这么多的人生喟叹？明儿就要入江南路，快去睡去，水我自己会倒。"范闲挥了挥手。

思思依然望着他的双眼，单独在范闲面前时，她有很多不符下人身份的大胆。

范闲被缠得无奈，只好说道："为什么悲天悯人……我没有母亲那种胸怀，只是希望天下太平，外疆无战事，内域无饥荒动乱，就算要做富贵闲人也要保证身边是个太平盛世，这样少爷我将来在三十岁就退休才能享清福啊……说到底，我只是很自私地努力培养一个能让自己晚年幸福的环境。"

"少爷，退休是什么意思？"

"告老。"

"啥？三十岁就告老？虽然做不成宰相，但是至少也要成了国公才好回澹州吧？"思思大惊，苦着脸说道，"如今您已经是监察院提司，日后肯定要接陈老大人的位子……这便不能再入朝阁也不能亲掌军队，三十岁顶多是个二等侯，这样就回澹州，这可怎么行？"

范闲没想到自己偶尔吐露的心声竟让这丫头先急了起来，笑道："也不见得回澹州啊，像什么北齐、东夷、南越、西蛮……甚至还有海那边的国度，咱们都得去逛逛，这才叫不虚此生。到时候咱们在草原上骑马，在大海上坐船，慢慢走着慢慢看。"

"西边的蛮人要吃人的。"思思有些怯怯地说道。

说到蛮人，范闲不禁想到最新的那份院报，知道自己先前说的话只是一个看似美好却极难达到的理想状态。思思又扳着指头算道："那还有十二年，少爷准备做些什么呢？"

"做什么？"范闲很认真地说道，"当然是做一位能臣权臣，效忠陛下，监察吏治，将那些鱼肉乡里、贪赃受贿的不法臣子统统拿下。”

思思幽幽地说道：“少爷……可不是个清官。”

客栈之中，油灯已灭，被翻红浪……没有发生。思思自行睡了，范闲从床上爬了起来，披了件袄子，倒了杯冷茶灌入肚中消消火气。他没有点灯，在黑夜中仗着眼力走到了窗边。推开窗户，漫天月光随着寒风一同吹了进来。客栈对面便是沙湖，此时湖风轻荡，吹得湖畔将萎的长草鬼魅晃动，湖中心是那一轮难辨真假的月亮，景色极美。

范闲看着楼外那个双脚悬空、坐在横槛上的黑衣人，面无表情地说道：“明知道我房中有女子，你能不能避讳一点？不要说这又是意外。”

黑衣人没有理他，直接说道：“云之澜要到杭州。”

范闲有些吃惊，但注意力还是在黑衣人身上。他好奇地问道：“我有个疑问，以往你天天跟在老头子身边，难道从来不用睡觉？”

黑衣人没有回答这个问题。

“你那身白衣裳呢？虽然不知道那是不是你的真面目，不过，那时候可要帅很多。”

黑衣人依然沉默，他虽然是范闲的下属，但身份实力已经可以让他不用回答这种无聊而幼稚的问题。

“我有个最大的疑惑，你这么神秘莫测，皇上都不认识你，那你怎么统领六处？要知道你才是六处真正的头目，那位仁兄可只是个代办。”

“自有办法。”事涉公务，庆国最厉害的刺客头子影子同学终于开口了。

“还有，你的话能不能多一些，我知道你崇拜我家那位长辈，但你和他不一样，你要搞清楚自己公务员的身份。从京都到现在你一共只和我说了三句话，我有问题都没法问。”

在影子面前，范闲越发像个话痨。

影子犹豫片刻，说道：“大人请问。”

范闲微笑着说道：“这个问题就是，你捅了我一刀，打算怎么赔我？”

第十一章 恰同学少年

不知道影子许了什么，让范闲接受了那次“意外”事件的补偿。当天下了一场寒冷的冬雨，凄冷凄迷，范闲一行人就这般消失在了沙州城外并不高大的丘陵冬林中。

当夜，有几位穿着全身雨披的官员在夜色中入了沙湖，在江南水师码头登上了那艘京都大船，很是小心，水师负责接待工作的将领们都没有看清那些人的真实面目。

在大船上负责一切事务的苏文茂，看着冒雨登船的同僚，诧异地问道：“你们都过来了，大人怎么办？启年小组总得留几个人吧？”

一位官员苦着脸说道：“大人说演戏总得演真切些，将启年小组的人都留在船上，咱们又遮着脸回来，水师的人才会相信大人是在船上。”

苏文茂瞠目结舌：“大人这是玩起劲儿了，如今都已经在沙州现了踪迹，还藏个……”他生生将那个脏字儿咽了下去，咳了两声后说道，“也成，明天就起船，赶紧入江南路。”

“三月初三。”那位启年小组的官员严肃地说道，“三月初三船到苏州，大人就给了这个日期。”

苏文茂急了：“什么船能走这么慢？”

那官员灵机一动，说道：“属下有一计，不若……”

他附在苏文茂耳边如此这般地说了一番。

“好主意！提司大人可不介意这种小事，咱们不收朝官银子，代他老人家收银子可没错。”苏文茂高兴之余想到件事情，叮嘱道，“对了，将后厢房的那箱银子看好。”

那位官员应了声，心里却嘀咕着，虽说那箱子里装着几万两巨银，但提司大人家里这么有钱，值得当传家宝一般盯着？

接下来，苏文茂意气风发地坐着大船沿江而下，贯彻范提司的指示，接纳下属的建议，一路上见州停州，见港泊港，也不理会码头破烂，或江边只是个住着几千人的小县城。反正是走走停停，一天一泊，好不折腾，却是将整个江南路的官场都扰得乱了起来！

如今谁都知道，范提司和三皇子可能是在那艘京都来的船中，既然如此，但凡这艘船停泊的地方，当地的官员都要前去请安才是，又要备上好酒席与礼物，当此关头谁敢大意？上游的州县送了翡翠，下游的州县怎么也不能比下去了，至少也得来一袋猫眼儿不是？咱州里穷？山参能刨几根吧。咱县里没钱？出名的松针柏木熏金黄腊肉也得提几条！万一船上那两位大人物吃惯了山珍海味，就喜欢咱们有乡土气息的事物呢。什么？城里没什么出产？赶紧派工……去为大人拉船！

一个多月的时间，江南众官员一直没有见着高高在上的天潢贵胄，巴结讨好的力气却是使劲儿地在下。大船一路南下，遇州县而停，就算地方再小也不错过，江南官员为有这难得的送礼机会而高兴的同时，也不免腹诽范提司和三皇子的胃口也太好了！连那些没什么出产的穷县都不放过！

“不懂了吧？蚊子再小也是肉。”苏州城内某府内一位师爷眯眼说道，“看来这位范大人还真是继承了尚书大人的风格，账算得极细啊。”

另一位师爷摇头叹息道：“官声！官声！如今这些年轻贵人，竟是连脸面功夫也不屑做了！”接着忽然鄙夷说道，“再说那位小范大人可不是老范大人的……”

“住嘴！这等事也敢议论！不等监察院剐你，本官就要斩了你！”

那位神情严肃的高官厉声怒斥，待平伏心情后，举起茶杯喝了一口，面无表情说道："不要背后言人是非，只要肯收银子就好，这江南什么都缺，就是不缺银子。"

官员略带忧虑地说道："就怕只是那位提司大人放的烟雾，谁知道他究竟在不在那艘船上？听南下的那位先生说，范大人的车队还在往澹州走，一路上可也没少收银子。"

中原官道上，那支人数最多的队伍，正在"假范闲"的带领下，载着一应下人护卫和庆余堂的掌柜们往澹州走。大江之上，苏文茂驾着大船不亦乐乎地进行着镀金之旅。

几处的消息一混，弄得江南官员们都糊涂了，不知道范提司究竟在哪里。有些人就算猜到范闲可能另有行程，却也无法找到他。

二月初的天气，春未至，冬未去，寒意霸道地占据了大江两岸的田野道路，拒绝任何春意的到来。不过江南一带靠海近，总比别的地方要稍微暖和些。这些天已经没有雪了，但是官道上被翻出来的泥痕被冬风吹得干硬无比，行走的马车上下颠动，车中人有些苦不堪言。

范闲吃不得这苦，掀开窗帘喊停了车队，换成骑马而行，才稍微舒服了些。看着官道两侧的水沟，他神情又凝重了几分。沟渠里早就没了水，如果说是冬天水枯的原因倒也罢了，问题是沟里还长着一人多高的荒草，蔓蔓延延地顺着沟渠往前方生着，荒芜不堪，竟是不知尽头。

除非干了好几年才会搞出这副模样来。他踩着马镫站了起来，居高而望，不由倒吸一口凉气。官道四周的沟渠竟大多都是这副模样，沟里的长草硬扎扎地立着，向天直刺……这样的沟渠怎么能灌溉？春种的时候怎么办？他从北齐回国时，一路所见庆国的水利灌溉系统还算完备，这江南之地富甲天下，怎么反而没有钱去整修沟渠？难道那些地都不用种？

跟他一路出来的监察院四处官员，瞧出了提司大人脸上的不豫，拍马上前解释道："苏杭那边断不是这副模样。这边主要是地薄，劳力又被内库索了太多，才这般荒废。”

范闲没有说什么，众人沉默地沿着荒草丛生的沟渠继续前行。

“后面的车跟上来！”那位四处官员姓伍名麦，苏文茂留在船上后，一行人的后勤安排与整队工作都交给了他。他看出提司的心情不好，隐约知晓原因，不敢多言。

——在沙州城外七十多里的地方，一行人在一处山脚下买了四五个插草标的小丫头。

如今庆国号称盛世，范闲没想到在富庶江南居然还有这种因为快饿死而要卖掉自己子女的惨景，虽说那些可怜人都是江北来的流民，他还是有些郁闷。三皇子不忍发话，思思拿了十几两银子买了五个小丫头，那些父母千恩万谢、眼泪直流地离开，范闲默认了这个事实。

又过数日，官道平整如镜，道路两边冬树挺直，繁华之景突如其来地来到这一行人的面前，看着热闹的道路、行人们光鲜的衣着、远处隐约可见的青青城墙，众人才意识到杭州到了。

范闲挥了挥马鞭，说道：“入城，咱们找宋嫂去！”

众人心头一惊，心想提司大人在杭州城难道也有相好的？监察院官员们都清楚，在男女之事上提司极为稳重，名声在外，自己这些人定是想岔了。

当然是想岔了。范闲只是在想这座杭州城是不是和那座杭州城一样，都有位姓宋的嫂子在卖鱼羹，这里的西湖应该没有苏堤白堤，却不知道有没有如西子一般轻柔的江南女子。游历世间，终于到了文人墨客们念念不忘的江南，他有些小小兴奋。

入杭州城很简单，他们一行人早就备好了相关的路引与文书，冒充是由梧州来、经杭州往南方去的商人。路引文书上面盖的章没人能看出问题，监察院为了工作方便经常用高超的造假技巧伤害各地府衙官员的感情，早已做成了熟练技能。

众人乐呵呵地沿着城门下的直道往城里行去，这时候范闲上了马车，掀起窗帘看着杭州城内的景象，只见街上行人面色安乐，道路两边商铺林立，行不多远便有一家酒楼，只是天时尚早，闻不到什么香气。单看百姓穿着与街面，便知道江南富庶果然不是虚言。

行了一阵，车队前方出现了一长排齐整无比的柳树。冬末犹寒，柳上自然并无青叶迎客，只是像鞭子一样有气无力地垂着，但胜在整齐，给人第一眼的观感冲击极为强烈。

范闲眼尖，透着那层层柳树帘瞧见了那片水面，在这冬末天气里清扬地透着股洁净味道，不是拒人千里之外的寒冷，只是一味温柔，便泓成了平湖十里。远方隐见青山秀美隐于雾中，几座黑灰色的木制建筑沿湖而起，透着丝富贵而不刺眼的味道。

正是西湖。

今日西湖边上有些热闹。

纵马西湖畔，折柳赠青梅。这是范闲前世小学的时候写的两句瞎诗，那一世的他对杭州就有种天然的向往，总想着西湖怎么就能那么美呢，怎么就能有那么多名人呢？但他有位同学是杭州来的，曾经告诉他西湖不咋地。当时还叫范慎的他有些不以为然，却一直没有机会真正去杭州亲近过西湖，一方面是因为后来生病了，最主要的原因在于那一世杭州的房价着实有些贵得离谱。

西湖边的楼上楼是杭州城里最高档的食肆，楼外青幡飘摇，青树成荫，一大方青坪可以晒书。楼内青木为桌，青衣小二，清倌人唱曲……实在是清一色的享受。可惜如今是冬天，青幡冻僵，青树干黄，那方青坪之上俗人正在打架，清倌人还在唱曲儿，却不好只穿一身轻纱，味道便弱了许多。

范闲坐在栏边桌上，借着栏外挡风竹帘的缝隙往外望着湖面，稍许有些失望，宋嫂鱼羹自然是没有的，东坡肉也是没有的，叫花鸡没有……居然连莼菜汤都没有！好在龙井虾仁依然存在，不然他只怕要郁闷地转身离开。没了雷峰塔，没了断桥，这西湖……还是自己心目中的西湖吗？

他端起三根指头粗的小酒盅，吱溜一声一饮而尽，说不出的怅然。

其实是他过苛了，杭州本帮菜清淡中带着舒爽，与京都饮食大不一样，在庆国也是相当出名。隔间里一共三张桌子，除了守在门口的两个护卫，其余人不论主仆贵贱都被范闲命令坐下在那里闷声吃着，嘀嘀嗒嗒的都不知道是口水还是汤汁落在桌上发出的声音，再看众人吃得香甜的模样，虽有长途旅行带来的饥饿问题，也表明这楼上楼的菜做得确实很不错。

此时只有范闲一人还有闲情端着酒杯倚栏观景。将栏外的挡风竹帘少许拉起，光线顿时大明，冬湖水色映入眼中，风儿吹进楼来，吹散了隔间里飘浮着的菜肴香气。

同一时间，楼外湖畔那一大片青石坪上也传出震天的一声喝彩，又引得楼上楼下的众多倚栏而站的食客们齐声喝起彩来。一时间人声鼎沸，竟是说不出的热闹。

这隔间里依然安静，范闲倚栏而观，又饮一杯，面上浮出一丝笑容，并不怎么吃惊。

属下们被这无数声喝彩震得抬起头来，知道楼下比武进行到了关键处，却没有拥到栏边观看，而是重新低下头开始对付席上的美味佳肴。

范闲看了他们一眼，有些奇怪，心想就算你们内心骄傲，认为江湖上的这些武者都不禁你们几刀，但大家同道中人，参详一二的兴趣总是有的吧？他不明白，对虎卫与六处剑手来说，江南武林大会再怎么热闹也不如桌上的美味吸引人，各大门派的高手水平是有的，真要论起杀人就有些不够看了——毕竟他们才是杀人的专业人士。思思和那些刚被买的丫头们更是害怕这种打打杀杀的场面，老老实实地坐在桌边，不会过来。

只有三皇子，他是这次来杭州观看大会的幕后推手，不知道使了多少手段才让范闲答应了自己，哪里肯错过眼前奇景。只见他一只手端着一盘生爆鳝片，一只手拿着筷子往嘴里夹，一面大感兴趣地望着楼外青坪之上正在比武的二人，挤眉弄眼，好生兴奋。

范闲看了他一眼，轻声问道："殿下，有这么好吃吗？"

三皇子有些恼火他耽搁了自己看戏，白了他一眼，说道："宫里不准做这个。"

皇宫饮食都有规例，像黄鳝这种北方少见、不能四季常供，而且模样丑陋的东西，不可能在菜单上。范闲自嘲一笑，顺着老三的目光往楼下望去，止不住地为小孩子讲解了起来。

"使剑的那人是江南龙虎山传人，看这模样至少也是位七品的高手了，可惜腕力稍嫌不足。听说他师父当年是个书生，这基本功没打好，坏习惯也传给了后人。

"和他对战的那人比较有名气，姓吕名阿尘。她是东夷城云之澜的徒弟，算是四顾剑的女徒孙了，系出名门，自然不凡，那个龙虎山的剑客待会儿肯定会被戳几个眼。

"老师……云之澜？"三皇子哪怕是小孩子也听说过这个名字。云之澜是东夷四顾剑首徒，早已晋入九品，为一代剑法大师，去年东夷使团访问庆国，领头的便是此人。

"听说他也来了江南，除了给自己疼爱的女徒打气，想来也和明家有关。"范闲说道。

东夷城与长公主的关系向来良好，与范闲的关系却向来恶劣，两边虽然没有太多的直接接触，间接交锋不知道发生了多少次。唯一一次正面交锋，便让他与对方结下了极难解的仇怨——他在牛栏街上杀死了四顾剑的两个女徒孙。好在费介面子大，亲赴东夷城，将当年给四顾剑治病的面子全数卖光，才换来东夷一脉不来找范闲麻烦的承诺。不然以东夷人记仇的性情，范闲这两年哪里可能过得如此舒服。

要知道四顾剑那个怪物，可是连庆国皇帝都敢暗杀的疯子。

青石坪上人数并不多，朝湖一面搭着个大竹棚，棚里坐着几位德高望重的前辈人物，中间坐着一位江南路的官员。江南水寨的夏栖飞坐在边上，他年纪轻，在武林中的辈分也不足。在主席台就座的还有监察院四处一个不起眼的官员，范闲早就认出了他的身份。

江南武林大会已经开了半日，青石坪上比武的人已经换了几拨，拳来剑往，好生热闹。好在几番交手并没有出人命，在朝廷官员的目光注视下，江湖人士总会有些忌惮。总之最后这场武林大会开成了一次团结成功胜利的大会，江湖人有的获得了名誉，有的获得了难得的露脸机会，有的获得一些华而不实的武道经验。

范闲冷眼看着这一幕，想起了前世的那本小说——《江湖，只是江山的一隅》，眼前青石坪上的所谓江湖，只怕连一隅都算不上，只是江山的一道花边罢了。

但他也有些担心，这些江湖高手没有拿出压箱底的本事，也没有以命相搏。但看得出来确实有些真正强者，就拿最后那场龙虎山的剑客来说，在东夷城一脉的面前竟是半点没有落下风，最后还是看在四顾剑的名义上才退了半步。

真正的高手没有出面，出面的已经不俗，而这些人身后无一例外都有豪门大族或是官府的影子，若有心人将这些力量集中起来，官府也会觉得有些头痛——难怪朝廷对于这片儿管得一直相当严，看来陛下也知道对民间武力必须保持震慑，然后尽量吸纳其力量。

范闲知道自己托大了，夏栖飞说得对，草莽之中真有豪杰，只是在皇帝陛下这二十年的强悍武力高压之下，没有什么施展的机会。

“云之澜在哪里？”三皇子好奇地在楼下人群里寻找着，没有注意到范闲的稍许失神。

范闲摇摇头说道：“他的身份不一样，当然不耐烦在草棚里与那些老头子以及朝廷官员坐在一起，谁知道这时候躲在哪儿呢。”

前年在京都皇宫里，范闲被云之澜的如剑目光狠狠地扎过几道，只是他脸皮厚、心肠黑，知道对方不可能对自己如何，甘之如饴。

他的目光在楼下四处巡视，没有发现那个剑术大家的踪影，颇感忧虑。他不是担心自己，而是担心影子会不会自行动手。陈萍萍说过影子与四顾剑之间的恩怨，那种深入骨髓的仇恨不是能够用公务压制住的，尤其此次云之澜乔装下江南，没有走官方途径，影子要杀他是最好的机会。但今日西湖之畔高手云集，官员大佬众多，如果在众目睽睽之下上演一场九品上强者的大战，众人眼福是有了，影响未免也有些太过恶劣。

范闲思忖着，云之澜明显不是因为武林大会来杭州，应该是因为自己。信阳往东夷城方向输货，四顾剑无论如何也要保住明家。自己要动明家，只怕要先将隐在暗处的他找出来才是。

此时楼下竹棚里的那位官员站起身来，走到石坪之上拱手行了一礼，温和地说道："今日见着诸位豪杰演武，本官不由心生感慨。我大庆朝果然人杰地灵，多有英豪，望诸君日后依然勤勉习武，终有一日能在沙场上为我大庆朝开疆辟土，成就不世功名，光宗耀祖指日可期。"

官员接着笑道："不怕诸位英雄笑话，本官是个手无缚鸡之力的书生，临坪观武，徒有羡慕之情，恨不能拜诸位学上几招，将来也好上马杀贼，为陛下挣些脸面。"

本来江湖之事，平白无故多了朝廷鹰犬在旁盯着，坪上这些人心里都有些怒气。但听到这官员一说，有些人便想倒确实是这么回事，习得好武艺，还是终要卖与帝王家……

在江湖上固然潇洒自由，但也极易落魄，总不及报效军中还可名利双收。皇帝陛下向来深重武功，太平了这多年，将来的仗总是有的打，军功总是有的挣。

但这般想的终究还是少数，大多数站在坪外不与其事的清高之辈自然对这朝廷官员嗤之以鼻，有人便阴阳怪气说道："民间多有英豪不假，不过却不见得全是咱们大庆朝的英豪。先前不是还有几位东夷城的剑客，难道大人也劝她们入伍为将，日后再打回东夷城去？"

范闲在楼上听着，正有些欣赏这位江南路官员说话不错，骤闻此言不禁笑了出来，轻声骂道："好利的一张嘴。"

三皇子恨恨地说道："都是一干刁民，老师说得对，实在是没什么意思，本就不该来看。”

只听得青石坪上那位官员不慌不忙说道：“文武之道本无国界之分，我朝文士往日也曾在大齐参加科举，如今也在朝中出阁拜相。世人皆知东夷城四顾剑先生乃一代宗师，门下弟子自然不凡，若东夷城诸位乐意为我大庆朝廷效力，朝廷自然不会拒绝。何况我朝与东夷城世代交好，先前那位先生说的话，断然不可能发生。”

那个尖酸江湖人闻言大笑起来：“这天下诸侯小国不少，但真正要打起仗来，能配做咱们对手的也就只有北齐与东夷，大人说不会打东夷，难道是要打北齐？”

众人大哗，有些老成持重之辈忍不住瞪了那人两眼，心想不与官斗乃处世明言，你非硬顶着说干吗？又有些江南武林人士觉得此人有些面生，不知道对方是何来历。

在楼上的范闲也觉得有些奇怪，却想不明白奇怪在哪里。

那位江南路官员沉吟少许，微笑着说道：“这位先生言之有理，不过除却咱们中原繁华地外，天下也不平静，那西边的蛮子最近又开始蠢蠢欲动，诸位可曾听说？”他抛出一条未经证实的消息先让场中群豪安静下来，这才笑着说道，“朝廷与北齐去年才互换国书，联姻之事将成，邦谊必将永固，怎会如先生所言再兴兵戈？”

那个言语咄咄逼人的江湖人士略一沉默，然后开口说道：“只要庆国人这般想，那就好，谢大人释疑。”说完这句话，他就将身子退到了后方的人群之中。

这句话却表露了他的身份，原来是个齐国人！场间一阵轻哗，只是武会本无限制，东夷城能派人前来参加，北齐人自然也可以，谁也不好说些什么。

只见那位官员面色一变，似乎也没有想到先前发问的竟然是北齐人，稍停片刻之后，带着嘲弄说道：“三国交好这是不假，不过这位自北方远道而来的先生……先前没有见您下场，此时本官才想明白，原来北齐的朋友都喜欢经文之道，对于这方面的信心确实是差了些。”

此言一出，坪上的庆国人与东夷人都高声笑了起来，北齐虽与南庆一般建国不久，但袭自北魏，陈腐文酸之气太重，相较而言武风确实不盛，在天下人心中都有个孱弱的印象。

虽然北齐也有一位大宗师苦荷，却执着于天一道的修行，少入世间行走。还有一位雄将上杉虎，却被北齐朝廷搁在极北寒地，如今召回京师又软禁于府不受重用，确实有些令人不齿。

要知道东夷城是九品高手最多的地方，论起武道自有一份天然信心。庆国尚武，名帅猛将如云，秦叶二家将星不计其数，武道高手里就占了两位大宗师，九品强者也有不少。先不论一箭穿云的燕小乙大将，单说最近崛起的小范大人就是武道天才……这两年北齐出了位海棠姑娘，却是个女人，江湖人重男轻女比一般百姓还要过分，愈发瞧不起北齐人了。

江南路官员这番话一说，不论庆国拳师还是东夷剑客都高声笑了起来。

那个北齐人面色一黑，露出几分愤恨之色。

范闲却是眉头一挑，站起身来，双眼中清光一现，在楼下的人群里仔细搜寻，手掌握紧了青木栏边，因为用力，看起来有些激动。他所处的楼层一角比较偏，有冬树遮住少许，又有竹帘相隔，楼下人没有注意到他，只将他当作了一般看热闹的食客。

三皇子不解地看着他。

范闲望向了青石坪远处道边大树下，那树下有一个寻常女子，正提着花篮在卖花，天寒时节，也不知道她篮子里的花是从哪里偷来的。

这女子一直背对着这面，头上又系着一条花布巾，无法看到她的面容，只在青石坪间那个官员开口羞辱北齐的时候，她转过身来淡淡地看了一眼，此人不是海棠又是何人？

海棠已至江南。

范闲的脑子开始快速转动，那姑娘应该已经知道自己是庆国皇帝的私生子，为什么还要依信中所言下江南来寻自己？难道她还敢将天一道的心法交给自己，完成北齐的养虎之计？

这个当口有太多事情需要范闲在电光火石之间做出决断，他深深地吸了一口气，平复下心情，继续在楼下搜寻着云之澜的身影。

这是个突如其来的机会，需要极大的魄力才能做出动手的决定，范闲再如何性情沉稳，也止不住有些紧张。不知道影子能不能把握住这个机会，不禁有些可惜影子太独，不然若是让六处剑客与他配合，今天这临时谋划的一局，说不定成功的希望会更大一些。

那边大树下卖花的女子已经款款地向青石坪这边走了过来，一道淡淡然的清新气息从她身上散开，场间那些江湖高手顿时察觉到了异样。

众人自觉地给卖花姑娘避开一条道路，不敢挡在她的身前，直到这面容寻常的卖花姑娘走过去后，众人才觉着有些奇怪，自己为什么要给她让路？

不过片刻，海棠平静地走上那方青坪，自自然然地站在那位官员对面，轻声地说道："这位大人，小女子乃北齐人，粗鲁不识经文，但对于打架这等事情却还有些信心。"

那位江南路官员微微眯眼，看着面前这貌不惊人的女子，半晌没有说话，似是被震慑住了心神。

西湖上的寒风吹了过来，没有吹动海棠身上厚厚的棉袄，却吹得她鬓角的乱发向着脸前乱扑，看着有些好笑。

先前一直愤愤不平却隐忍着的那个北齐人，见到她现身，露出犹疑之色，片刻后双眼一亮，大喜过望地穿出人群，在青石坪下方拜倒："海棠姑娘！您怎么来了？"

江湖人们齐齐一震，再望向坪上那个寻常女子的目光便开始变得警惕与畏惧起来。

海棠？北齐海棠！苦荷宗师的关门弟子，剑试北方无一敌手的九品上强者，传说中的天脉者，西湖边上又不可能凭空冒出个大宗师来，谁能是她的对手？

海棠摆造型、抢风头的时候，范闲没有多余精力去看她，从一开始他就没有去看她，只是仔细查看着楼下所有人的动静，片刻后终于注意到了一个地方。

湖边，堤下，小舟，一个渔夫戴着笠帽，手里握着一根钓竿。

范闲双掌抚在栏杆上，双眼一眨不眨地看着那个渔夫。

海棠亮明身份之时，这个渔夫手中的钓竿轻轻垂了一下。

钓丝上并没有鱼，只是渔夫看重海棠的修为，想让自己隐藏得更深些而做出的下意识心理反应。这个小小的变化落在范闲的眼中，他伸手取过三皇子手中那个青花瓷盘。

三皇子大异道：“我还没……”

话没说完，范闲已经将青花瓷盘用力扔下楼去。

当的一声脆响，瓷盘碎成无数片，叮当不停。

此时楼外因为海棠的出现正一片安静，所以这声音显得格外震耳。

有些人抬头望着楼上，心想是哪个没见过世面的家伙，一听到北齐圣女的名字，竟是吓得把盘子摔到楼下来，这些人却因为大树与竹帘的隔断，没有看到范闲的模样。有些人却依然紧张地看着场内，不知道海棠接下来会做什么。

湖上那个渔夫与楼上的范闲之间没有视线阻隔，也听出这盘子被人用力掷出而不是摔下，他有些诧异，侧头扫了一眼。

只是一眼，便再也不能收回。

范闲的目光冷冷回望过来，盯死了他。

伪装成渔夫的云之澜，看着楼上那个面色宁静的年轻公子，心里有一把火烧了起来。

范闲！你居然也在这里！

云之澜缓缓收回钓竿，目光却依然如两把夺目名剑一般，射向楼上。

隔着数十丈的距离，楼上与船中的两个人仿佛忘了楼内楼外的所有人，忘了这时候海棠正在青石坪上，彼此只是静静地看着对方，目光很长时间不曾分离，没有试探，只有赤裸裸的战意。

云之澜的钓竿收到了一半。很诡异地，一柄无光的尖刃出现在舟旁钓绳的边缘，无声无息随着他收线的动作向上提升，终于渐渐浮出水面。

云之澜的心神大半放在楼中范闲的身上，小半放在坪中海棠的身上，他是四顾剑的首徒，但也知道二人是年轻一代里实力最深不可测的人物。而且传说这两个人格外投契，这时候忽然间同时出现在杭州城，出现在这艘小船的旁边，他们究竟想做什么？

一道黑芒凌厉绝杀闪过！

云之澜一声闷哼，身上带着一道恐怖的血箭，冲天而起！

小舟乌篷犹若被无数道力量同时拉扯，刹那间碎成无数块，激射而出。水花一绽，一个全身黑衣的人影从西湖里破水而出，循着云之澜逃逸的方向刺去！

两道破空声后，湖畔已无人踪。只留下满湖乌篷残片，随着水波一上一下。残片之中，一顶江南常见的笠帽飘浮不定，似乎是在向楼中的范闲表示抗议。

西湖不大，湖堤不过数里长，但由楼上楼看过去，湖水依然有浩荡之势。

范闲站在最顶那层楼，眯着眼睛，隔着竹帘遮掩，望着湖面。

只见湖面靠着右堤的那边，两个影子快速掠过，间或在湖水上一点，震起些许水花，又踩着堤旁的舟首一掠而过，速度十分惊人，如同前后相随的两道闪电一般。

偶尔在湖面上前后缀住，剑气纵横间，两人如大鹏周翔于空，姿势优美而带着股令人不寒而栗的绝杀气息。

影子并没有使用自己最习惯的手法，反而用的是东夷城的四顾剑，故而两位高手的剑势极为相似。电光火石间，虽只在湖面上展现了几个破碎的画面，依然是光彩夺目，剑意凛然。

血光乍现，二人又再次分开，如清灵之鸟往前方滑去。

看似美妙，却是分外惊心。

范闲站得高，看得远，但也不过片刻工夫，那两个高手便消失在湖对岸的冬日柳林之中，看去向，似乎是那些黑色清贵的院落处。

云之澜重伤下还可以支撑那么久，东夷城一代剑术大家，果然不是浪得虚名。

依道理讲，影子如影随形跟踪而去，云之澜只有死路一条，为什么他要直直冲向对岸？难道有东夷城的帮手？范闲愈发觉着西湖对面那几座华丽清贵的木制建筑有些什么古怪。

唰的一声扯下挡风竹帘，范闲从栏边离开，看了眼正傻乎乎看着自己的三皇子，平静地说道："看什么？继续吃饭。"

说完这句话，他就坐到了桌边，拿起筷子在桌上的残羹剩菜里寻找已不多的虾仁。

隔间内所有人都愕然望着他，三皇子郁闷地猜想外面究竟出了什么事，是谁在杀谁？那些青石坪上的人们都冲到了湖边，惊呼乍起，显然是出了大事。

史阐立忍不住轻声问道："大人，出什么事了？"范闲没有怎么思考，直接回答道："不知道是谁，捅了湖边渔夫一刀子，这时候追到湖那边去了。"

隔间里一片安静，什么样的渔夫被袭事件能令楼下那些见多识广的江湖豪杰震惊成那副模样？所有的人都不相信他的话，也不敢多说什么。

西湖之畔，青石坪上，海棠站在那位官员身边，望着远方湖上已经消失无踪的两个绝世强者，面色平静，不知道在想些什么。

江南武林人物们拥到湖边，对着仍有余波的湖面，震惊无比。众人没见着最先前的一幕，但小舟迸破，两个高手如巨鸟翔于湖面的场景，却是看得清清清楚。惊鸿一瞥，便知道对战的二人实力高深莫测，绝非常人，只怕都已入了九品玄妙之境！

众人震惊之余开始猜测那两个人的身份，有些高明人士虽瞧出来湖上剑势颇有四顾之风，却也不会点明，心想东夷城一向爱吹嘘自己高手多，那就让你们自己斗去。

那几位自东夷城来的女弟子面色有些凝重，她们没有想到在庆国繁华的杭州地，居然有人胆敢……而且能够……伤到自己的师父！由吕阿尘领头，这些女剑士们向主持方匆匆行礼后，便沉默着离开了楼旁石坪，焦急地沿着湖堤向那方奔去。

众人震骇之余也有些满足，乏善可陈的武林大会到最后竟然能够看到北齐圣女海棠出面，而且湖边又突兀出现了两个绝世剑客的厮杀，这票价算是赚回来了。

接下来庆国方面以此为契机，巧妙地将海棠上台之事遗忘掉，谁都知道这时候场子里没有人是那位姑娘的对手，如果不想庆人丢脸，还不赶紧趁机蒙混过去。

于是江湖豪杰们选择就近的楼上楼用餐，准备以酒水为引，再好生议论一番先前所见的震惊一幕，难得一见的各帮各派头目，也好在官府“公正”的公证下商讨一下道上的利益分配。

那位江南路的官员与几位德高望重的前辈很自然地与海棠见礼，再也不提先前场中之事，极有礼数地请海棠姑娘入楼少歇。将要进楼上楼时，一个面相清正、双眼温文有神的年轻贵族公子迎了出来，对海棠一揖为礼，温和地说道：“海棠姑娘远道而来，实是荣幸。”

“这位公子是？”海棠从来就不是一个冷若冰霜的仙子，礼貌地问道。

“在下姓明，乃是这座楼上楼的东家。”

一行人最后方是夏栖飞，他抬起双眼看了那个姓明的公子哥儿一眼，面色平静，心里却冷笑一声，多年不见的大侄子现在越发出息了，居然还懂得拍北齐人的马屁。

楼上楼是明家的产业，一向只是掌柜打理，今天楼旁有大事，所以明家之主明青达的儿子明兰石才会亲自来到这里。身为江南巨富之家，当然懂得不仅要搞好与官府的关系，异国的重要人物也要刻意交结才是。所以他才会抢出楼外迎着海棠，也没忘了向海棠身边那位江南路官员问好，竟是位八面玲珑的角色，根本不是败家子。

食客们的目光都聚在门口，想看看传说中的海棠姑娘究竟生得什么模样。一来海棠本身就是位名人，二来庆国人都听说过那个八卦，知道这位姑娘与自家那位小范大人有些什么不清不楚的瓜葛。庆国人都将范闲视作骄傲，此时再看海棠，不免便带了几分挑剔与看将娶新妇的审视眼光。等大家真看清了，不免有些失望——这姑娘长得也不怎么漂亮啊，似乎有些配不上小范大人。

楼外声音渐低，楼中却渐渐喧哗起来，范闲知道众人要入楼了，眼神示意一个虎卫站到隔间旁，免得待会儿有不长眼的江湖人物，想学那些话本上的恶霸来强抢位置，引发冲突——他可没有那个上京时间玩这些把戏。高达看了他一眼，得到范闲点头同意后，挥手让那个虎卫回来，自己出门替下了还没有吃饭的那两个护卫。此时众人都已经吃得差不多了，包括三皇子在内的所有人都盯着范闲，思思也不例外，目光里充满着好奇。

“看什么看？”范闲皱眉说道，“湖上那事和我真没什么关系。”

史阐立心头暗笑，心想门师有时候聪明，有时候的反应却显得过于迟钝。众人不好意思问出心中疑问，还是三皇子不在乎范闲的脾气，嘻嘻笑着开口说道：“不是这事。”

“那是什么事？”

外面的声音越来越大，看样子楼下那些江湖人坐不下了，在往楼上走，三皇子往门外努努嘴，说道：“那位海棠姑娘来了，老师不请人家进屋坐坐？”

屋内所有人都把期盼的目光投到范闲脸上。范闲将脸一沉，斥道：“一个个这脑袋是怎么长的？带你们来杭州看热闹已经算不错了，还指着我亲自演戏给你们看？”

史阐立挤眉弄眼道："老师，海棠姑娘也不是外人，一起吃个饭，只是常事。"

范闲冷笑道："这时候所有人都看着，若请她进来，谁都知道咱们是谁了。"

三皇子用那清嫩的声音反驳道："我就不明白为什么非得微服，咱们亮明身份游山玩水，难道还有人敢把咱们如何了。"

范闲头痛地回道："我不是怕什么，只是难得出京轻松一趟，难道非得前前后后围上十几个白胡子官？殿下您也不爱这种日子吧？"

三皇子一愣，这才知晓原来他微服私访不是存着什么暗查明家罪证的念头，纯属游兴发作而已，于是说道："咱们不去衙门，想必谁也不敢跟着咱们，那不明摆着找憋屈？"

范闲心想官场中人拍马屁场景的可怕，你个小毛孩子哪里懂。兄弟二人互在肚子里蔑视对方，这时忽听到厢房之外的声音大了起来，似乎有人想要他们的这个隔间。

范闲很是诧异，心道还真碰见这种俗事了？

高达黑着脸守在隔间外，看着那些愤怒的江湖人，听着对方不干不净的话语，手握长刀之柄，却没有拔出来，因为海棠正饶有兴致地看着他。他的面前已经躺着三个"江湖好汉"，正抱头捧腹，惨呼不止。

不出范闲所料，那些江湖人上楼后，一眼就瞧中了范闲他们坐的隔间。这本来就是楼上楼最好的两个位置之一，另一个被明少东家留下来，准备招呼武林大会的主持方，那些江湖人不敢与官府并海棠姑娘争地盘，嚷嚷着要里面的人赶紧腾地方。其时明少东家还没有上楼，掌柜与伙计们哪敢得罪这些拿刀的江湖人，只得在一旁说着好话。

高达何等身份？陛下亲随虎卫首领之一，放在江湖上早就开山立派。对于这等毫无道理的要求，根本不会纠缠什么。几个江湖人一动，他长刀不出鞘便敲了过去。紧接着地上便多了几个惨呼连连的家伙。

楼间尽是今日参加武林大会的人士，在江湖上横惯了，今日骤见一个比自己更横的人，同仇敌忾，齐刷刷围了上来，望着高达的目光很是不善。

这事怪范闲，经由大半年的“朝夕相处”，除了一身横杀功夫之外，高达更是沾染了提司大人太多的阴狠之气。今天他不想动重手，用的是范闲的小手段，解决战斗倒是挺快，可那种阴狠气却让旁观的人群感到十分不舒服。

那个龙虎山的剑客皱眉说道：“这位先生，虽说是这几位朋友言语无礼在先，提的要求也有些过分，不过您骤下阴手，未免也过了些吧。”

高达沉着脸，根本懒得理他。龙虎山的剑客看他出手，便知道对方的实力只怕比自己山上闭关的师父还要高些，所以敬称为先生，没有将他当成一般护卫。此时看他依然一张死人脸，剑客虽然警惧隔间里人的身份，依然怒气渐起。

这个时候，海棠姑娘在众人的簇拥之下上了顶楼，看着与众人对峙的高达，眼中闪过一丝异色，尔后自自然然地走到了众人之间。

楼内人都在警惧之余猜测着高达的身份，没有人在江湖上见过这位使刀的高手，不免有些疑惑。海棠却在北齐上京城里见过高达多次，早就一眼认出了对方。

明少东见场间乱成一团，赶紧上来打圆场，又赶紧指挥人腾出别的厢房，安排伙计们扶着“板上好汉”们去休息。

明家在江南财雄势大，哪一方的好汉也要买明少东一个面子，而且他们也瞧出高达修为实在惊人，那隔间里的人只怕更不是自己能招惹的，便渐渐散了，只是嘴里依然不停咕哝着。

将这一切安排妥当了，明少东才略带歉意地与高达说了两句，又极温和礼貌地请海棠与那位官员还有其他人，进入早已留好的另一处雅座。

出乎所有人的意料，海棠姑娘提着花篮似笑非笑地看着高达，轻声说道：“谢明公子好意，不过海棠今日遇着故人，少不得要去叨扰他一番。”

众人一惊，再看高达的目光就有些微妙了。

都是聪明人，那位江南路官员咳了两声，与海棠说了两句，赶紧拉着众人离开。开玩笑，万一里面真是那位小爷，人现在正在江南玩神龙见首不见尾的游戏，自己又不是知府这等够档次拍马屁的官员，要是贸贸然捅破了，以后在官场上还怎么混？众人讨好地向高达投以笑容，赶紧风一般地离开，只有那位明少东苦笑着摇了摇头。

门被吱呀一声推开，海棠提着花篮走了进去，光线为之一亮。

范闲端着个酒杯，看着不请而入的姑娘家，半晌后憋出了两个字："来了？"

海棠点点头，对着房内张着大嘴好奇的人们微笑致意，很自然地走到他的身边坐下，回道："来了。"

范闲将酒杯放下，痛心疾首地说："专门让高达出去，就是怕你进来，泄了本官的行踪……难道你就没看见他向你使眼色？"

高达站在门口，无辜地望着楼外的湖光山色。

海棠取下头上花布巾，没好气地说道："堂堂八品高手看门，傻子才会猜不到里面坐的是谁。"

范闲轻浮地耻笑一声，说道："江南卧虎藏龙，又没有人认识高达，我的船还在江上走着，谁会猜到我已经到了杭州？"

海棠看着他的双眼，半晌后无奈地说道："这么愚蠢的自信真不知道是从哪里来的？莫非这就是你以往所说的精神胜利法？"

范闲反驳道："但只要你不进这间屋，他们也只敢猜，哪里能确定我是谁？"

海棠说道："我就不喜欢你这种鬼鬼祟祟的模样，明明可以正大光明做的事情，非要转几个弯，抹些黑乎乎的颜色，似不如此就不足以证明你是个阴谋家一般。"

一听这话，范闲大怒道："我本来就是阴谋家，你能比我好哪儿去？先前楼下那个北齐人还不是你事先安排好的，想找个机会挑遍江南群雄，你好一战立威，光彩夺目？"

海棠嘲笑道："你要是心里不舒服，刚才就应该跳下去和我打一架。"

"我才没那个闲工夫……我敢拿脑袋打赌，那些来惹事的江湖汉子都是那位明少东安排的，我让高达出去就是想让他震慑一下所谓江湖中人，让明家少来这些下作试探。你倒好，一出面就搅了所有安排，弄得我想借机发飙都没有发成。"范闲显得有些恼火直接把话挑明，"这里是庆国，你总得听我的。"

海棠两眼望向楼顶，说道："我什么时候听过你的安排？"

从她进屋，两个人便开始针锋相对地吵了起来，竟是寸步不让。明明是范闲做事颠三倒四，他偏振振有词；明明是海棠故意揭他老底，却偏说是看不惯他行事风格。两个人说话的速度越来越快，声音不高，就像是一连串闷炮般。

房内所有人的脸色都变得古怪起来，却是紧紧闭着嘴不敢发出任何声音，心想江湖传言果然不假，以范提司的水晶心肝、伶牙俐齿、权势实力，能从气势上将他压得死死的还真只有这位北方来的姑娘，这两个人之间要没有问题，就算把瞎子打死了也不信。

三皇子离得最近，小脑袋一时望着范闲，一时转向海棠，就像坐在第一排看网球的观众一般，表情十分精彩，心想这等场景一定要牢牢记住，回京后好和晨姐姐与父皇说去。

终究还是史阐立心疼门师，小心翼翼插了一句："大人，海棠姑娘，现在还是想想怎么走吧……待会儿只怕杭州知州、杭州将军、江南织造那些大人都要过来，学生已经看见有好几人出了楼。"

范闲一拍大腿，恨恨地盯了海棠两眼："赶紧走，不然还度个屁的假。"

海棠却安坐如山，很直接地说道："我饿了。"

三皇子在一旁凑趣道："那赶紧喊小二重新上些菜。"

范闲瞪了他一眼。

海棠呵呵笑着说道："谢三殿下。"

过午不久，西湖对岸的一处庄园热闹起来，当然热闹只是在院内，外面看着还是如以往一般冷清。这座庄园依山临湖，实在是绝妙的处所，单是这么个园子只怕便要值十几万两银子。

庄园主人姓彭，没有人知道他的身份，往年只是夏天的时候会有些人过来消夏度暑。

今天来到这处庄园的正是范闲一行人。这处庄园乃是前任宰相林若甫用自己门生彭大人一名远亲的名义买下的，范闲来了杭州，当然会住在老丈人的产业里面。

园子里的管家早就得了消息，一切已经安排妥当。范闲跷着二郎腿坐在太师椅上，品着龙井，享受着杭州大富豪的生活，斜眼瞧着正与三皇子轻声说着什么的海棠，不免有些恼火。

一行人当然没有在楼上楼继续待下去，海棠也没有重新点几盘名菜。为了躲避正在路上赶过来的杭州官员们，范闲拉着属下们落荒而逃。车队假意进城，一路上将监察院四处驻杭巡察司的所有人员都动用了，甚至还动用了六处为杀手准备的两间布庄，一行人才算是重新消失在城中的人海里，又悄无声息地绕了回来，进入了西湖旁边的庄园。

范闲很心疼院里的属下。

海棠看了他一眼，问道："你这到底是在躲谁呢？"

范闲叹了口气之后说道："我在躲麻烦。"

其实今天这事真是他自己愚蠢，如果不想泄露行踪，就不能去楼外楼，去了楼外楼，被人抢座位的时候就得忍气吞声当孙子。问题是他又好热闹，又不爱当孙子，如何能将身份一直掩饰住。过了一阵，三皇子去园子里调戏新买的小丫鬟，庄园的仆妇端了盘热糕上来，海棠津津有味地吃了，看那模样，这一路南下确实饿得不轻。

范闲看了她一眼，皱眉道："淑女一点。"

海棠噗哧一笑，心想与这厮半年不见，一见面就吵了起来，感觉还真有些好玩。

等她吃完糕点，范闲示意她跟着自己往后园走去。这处庄园他没来过，但建筑总有相似之处，很快便找到了安静的书房。

在书房中刚坐下，范闲正色说道：“你……如今应该知道那个传闻了。”

海棠点点头，忽然说道：“先不说这个，今天西湖之上那两人是谁，你认出来了吗？”

“那渔夫我见过。”范闲似乎在回忆，“应该是云之澜，去年……噢，不，应该是前年，在宫里见过一次，他那时候是东夷使团的首领。”

海棠沉默良久，有些不解地问道：“能够伤到云之澜……那个杀手究竟是谁？为什么从来没有听说过有这么一个人物？”

范闲道：“暗中伏击，连一个小孩都有可能杀死大宗师。”

海棠摇摇头，认真地说道：“你大概没研究过东夷城的剑术，那个杀手用的是最纯正的四顾剑法。”

范闲轻轻抹平额角细发，随意说道：“东夷城高手多，他们自相残杀，对于我们的计划只有好处，没有坏处。”

海棠依然在回想着那个从湖水中一跃而出的杀手，总觉得那个黑衣人用的虽是纯正剑势，但是总有股说不透的诡异味道，似在哪里见过一般。

之所以她有这种印象，是因为范闲与她在草甸上的那一战，所使用的招数与影子刺客一般，都透着股监察院的无耻劲儿，只是她怎么也想不到这里来。

“不是你的人？”她有些怀疑望着范闲。

范闲自嘲笑道：“你也瞧出来了，杀手可能和你水平差不多，九品上的绝世强者，我哪里使唤得动。”

海棠接受了这个解释，接着问道：“你这一路南下，居然一直没有遇到刺客。这点真的让我有些意外，按理讲信阳方面应该……”

范闲举起手阻止了她的发问，平静地说道：“太平盛世，这种事情太过轰动，而且信阳方面也没有杀死我的能力。”

海棠盯着他的眼睛问道：“你的伤好了？”

范闲面色不变，微笑着说道：“早好了，不然我哪里敢下江南，你知道我向来最是怕死。”

海棠这才放下心来，说道：“信上我们说好的事情，是这会儿，还是晚上再说？”

范闲骨子里是个淫荡之人，将这话听出些香艳味道，赶紧咳了两声，说道：“晚上吧，国师相赠总要郑重些，不点香，你也得容我洗个澡不是？不过先前我的疑问……”

他的疑问在于：明明知道自己是庆国皇帝的私生子，苦荷大宗师为什么还敢将天一道功法交给自己？没等他说完，海棠笑着起身离座，说道：“晚上再说。我要去看看西湖的风景，在书上不知道看了多少回，今天还没有看仔细。”

范闲看着她又顺手提起了桌上的花篮，好奇地问道：“朵朵，这时节你在哪儿弄的花儿？”

“在梧州买的绢花，假的，都是假的。”海棠微笑着出了书房。

范闲沉默地坐在书房里，过了许久才转过身来，望向厚厚的窗帘，关切地问道：“没事吧？”

影子确实就是一道影子，飘一般地离开了窗帘，摇头说道：“云之澜重伤，没有死。”

范闲皱起了眉头，知道自己凭直觉又蒙对了，问道：“出了什么事？”

“云之澜拼死闯进了旁边的一处院子，应该是明家的产业。这次他不是一个人来的，还有他的几个师弟，都在院子里，所以我退了。”影子的言语里没有什么情绪波动。

范闲问道：“明家？东夷城？……这些人实力怎么样？”

“两个九品，三个八品。”影子回道，“不过云之澜半年之内没有力量。”

范闲眼里怒意一现即隐，幽幽地说道：“两个九品三个八品，看来东夷城还真瞧得起我，下了大本钱……我×！哪里蹦出来了这么多高手，玩批发呀！”

影子听不懂他的词，但听懂了他的恼怒，回道：“他们已经离开了那个院子。”

范闲站起身来，陷入沉思之中。此次下江南查内库之事，毫无疑问便要掀翻明家，截断信阳与东夷城的银钱往来。而明家拥有的势力中，信阳方面的武力不足恃，所能倚仗的就是东夷城那些高手们。杀死朝廷命官，尤其是范闲这种人，听上去有些难以想象，想来明家也不愿意被株连九族。但如果真到了生死存亡之际，谁知道会发生什么？

一想到有可能面临层出不穷的东夷城八九品高手暗杀，他再如何权高位重胆大，也有些不寒而栗。所以他才会让影子抢先动手，先废了云之澜，再让六处剑手不遗余力地在江南水乡里追杀那些东夷强者。如果他坐在府衙里等着东夷城刺客的到来，那就是地道的蠢货，所谓最好的防守就是进攻——用监察院的刺客恐怖去对付东夷城的刺客恐怖，这才是正棋。至于四顾剑那个老怪物，范闲并不以为自己的层次可以惊动到对方……他忽然惊悚，想到幸亏云之澜没有死。再多活几个月吧，至少等瞎子叔伤好再说——重狙只能杀人，可不能救人。

他从沉思中醒来，说道：“带上所有的六处剑客，让二处的人配合，只要这些人一冒头你们就出手，不求杀死对方，但必须追得他们心寒，让他们惶惶不可终日，少打我的主意。”

影子点点头，忽然没头没脑地说道：“大人身边那位姑娘很厉害，我不方便时常过来。”

范闲看了他一眼，说道：“我和你的想法一样，从今天起我的安全有她负责，应该没有问题……还有你要注意安全，报仇这种事情急不得，你现在可不是那位大宗师的对手。”

影子没有说什么，直接转身离开，原本站立的地方留着两个略湿的脚印。

为什么一直等到海棠现身，范闲才肯做出动手的决断，也不再在意被人捕捉到自己的行踪。一来是借海棠声势，加上自己的樱木花道杀人目光，为影子营造一个机会。二来是影子离开了，海棠来了，他身边依然有一位九品上强者，配合虎卫，安全上不可能发生任何问题。而且不论是天下哪一方势力，如果想动自己总得考虑一下北齐与苦荷大宗师。而且朵朵比影子可爱多了，不仅可以聊天斗嘴，晚上还可以当同学互抄学习笔记。

黑夜里的彭氏庄园一片安静，不远处西湖水在温柔地浪荡着，园子里灯火星星点点，有高墙相隔，后山也是自家产业，不用担心有心人会注意到什么。千里下江南的人们都有些乏了，今儿在杭州城里吃得也极实在，饱暖催睡意，不多时灯火渐熄，大部分人都沉入了黑甜的梦乡之中，只有园后有两间房里还亮着灯，一间是卧室，一间是书房。

卧室里，思思强撑着精神缝补范闲在沙州时扯破了的袖边。

书房中，范闲坐在桌前，双眉微皱地看着那个小本子。海棠面色凝重坐在对面，手里也拿着本册子在看，纸上笔迹尤新，明显是有人刚刚写出来的。

长久沉默后，二人极为默契地同时抬头，同时苦笑了起来。

还是范闲先开的口：“朵朵，好像有些相冲。”

海棠摇了摇头：“不是好像，也不是有些，这两门功法完全相逆，根本无法练下去。”

此时他们两个人手里拿的小册子，在这个世界上都是绝对珍贵的东西。范闲在看的是北齐天一道的“无上心法”，海棠在看的则是范闲凭着记忆力抄录出来的《无名功诀》上卷。

天一道的心法据传是苦荷于神庙之前青石阶上跪拜数月而求得。范闲与肖恩山洞夜谈后，当然知道这是荒诞的传言，但这门功法本身依然是天下武道修行者们狂热追求的妙诀。范闲的无名功诀虽然没有什么名气，但可以将一个没有师父的年轻人打造成如今的九品高手，霸道举世无双，海棠自然知道其中的分量。在知识共享方面范闲并不吝啬，海棠如此慷慨地拿来了天一道心法，他当然也要奉献出自己的宝贝。

只是他们就着灯光研究了半天，最后却得出了令人垂头丧气的结论。

两种功法的风格截然不同，甚至隐隐相冲。霸道功诀是暴烈粗犷一派，锤炼内神为主，拓实经脉为基，最困难的便是入门的第一个关口。那种无由而生的强大真气由腰后雪山勃然而发，会对修行者的经脉造成强大的震荡，这便是所谓塑形。可是海棠修习天一道功法已有十余载，经脉早已定形，无论如何也不可能散去功力重新修行。她也不可能像范闲一样回到婴儿时期，仗着体内未完全消散的那抹先天之气硬扛过去，又没有范闲前世重症肌无力的宝贵心神体验。这第一个关口，便是无法迈过去。

对范闲来说，天一道的功法也是一个只能看不能摸的冰山美人，这道功法法乎自然，顺应体内体外元气之应，确实玄妙无比。他体内真气的流动线路与方式走的是渐积之路，柔顺之意十足，积水滴而为江河，以润泽之势修筑心神。奈何他修行的霸道功诀，这十几年里已经让身体内的经脉拓宽到了一种常人难以想象的地步，就算他能依功法凝神为露，可这些露水要依附整个经脉的管壁，成就涓涓细流，不知道需要多少年的时间。

“多看看，触类旁通，总会有所进益。”海棠轻声安慰道。

她与范闲都是年轻一代里的顶尖人物，尤其是她已经晋入九品上的境界，却无法触摸到突破的门槛，那个门槛看似极近，却是那般虚无缥缈。本以为得到范闲的帮助，可能会有所裨益，却没有想到范闲的真气功法竟是如此变态的存在，令她不免有些失望。

范闲道：“我这法子你用不上了，不说其中苦楚，便是这种危险我也不会允你尝试。”

海棠眉头一挑道：“我又不是一味勇猛的莽妇，不过……你这功法果然怪异，世上哪有这种伤己先、伤人后的修行套路？也只有你这种怪物才能练成。”

范闲记起五竹叔以前说过的那事，摇头说道：“据我所知，以前有人就练成过。”

“你这门心法是谁人所授？”海棠试探着问道，其实并没有奢望范闲会回答自己。

没料到范闲倒是坦白：“母亲留给我的。”

“叶家小姐？”

“是啊。”

海棠感慨道：“世人多藏珍不敢外露，你我二人这般胡闹本就少见，两本天书在前也是世上少有的场面，怎奈何……竟是没个结果。”

范闲也是很遗憾，从古至今，没有门户之见、勇于互赠家底的人估计也就只有他与海棠这一对奇怪的家伙，这本应是这个世界上知识共享、青史留名的美妙画面，却……他忽而翻开一页，眼中骤现笑意：“别急着感叹……这上面不是还写着双修之法吗？”

海棠正色念道：“性命双修，何为性命？本乎天者，谓之命，率乎己者，谓之性，以神为性，以心为命，神不内守，则性为心意所摇，心不内固，则命为声色所夺。不亡情，不化道，去而复回谓之反……这上面写得清清楚楚，可是你如何练得？”

这说的是他整日周旋于官场之上，哪里能找到离声色之境。

“心远地自偏。”范闲用陶渊明的一句诗回答她的疑问。

海棠神情诧异，接着说道：“那还有一个问题，以你体内粗犷的真气，新生真气一定无法生存下去，难道你舍得将自己这身强大的真气震碎经脉，从头修起？”

范闲没有回答，转而就天一道心法中的几个难解之处询问。海棠一一指点，并不藏私。接着她心想自己虽不能修行霸道功诀，但如果能够将这门功法记下将来传于天一道后人，也是好事。所以偶有不通之处，当然不耻于问。范闲也如她一般，开诚布公，有一说一。

红烛在室，繁星在天，二人同学，其乐融融。他们渐渐沉浸在两本功法所蕴藏的玄妙境界之中，虽未身行却已心品，不再发问，背对而坐，静静感悟着书中的内容。

不知过了多久，范闲忽然低声说道：“其实悬空庙遇刺之后，我真气炸开经脉，流于体内，一直到今天为止……都没有收拢过来。”

海棠背对着他，肩头微微战了一下，半晌后才轻声道：“你终于肯承认了。”

世事总是如此奥妙，本来范闲断不可能毁了经脉重新修行天一道的心法，但如今他的经脉却已经破漏不堪，海棠依然无法从中获得好处，两相比较终是他占了天大的便宜。他本想一直瞒着，但相背良久，他不舒服的感觉越来越重，几番思忖终于还是诚恳地说出了真相。

范闲也没有回身，继续说道：“总瞒不了你太久，而且我想，我身世流言传到北方去的时候，你已经带着这本功法南下……你是瞒着苦荷国师的吧？”

海棠嗯了一声。范闲心里有些感动，又有些不安地问道：“为什么？”

姑娘的花棉袄在微黄的灯光下像画中花朵一般绽放着。

“我知道你肯定遇到了什么事情，不然你就算再无赖也不可能在信中找我要心法。既然你有事，我当然想帮你解决，毕竟你我之间的协议还有很多年的时间来履行。”

范闲沉默了一会儿，问道：“那现在怎么办？本来我是无法练你的心法，但这时候我经脉全碎，正好可以用天一道心法重新筑基复根，我给你的……对你却没什么用处。”

海棠平静地说道：“对于我没用，对将来的人总有用，你不会介意我传给后人吧？”

“你的后人……和我有没有什么关系？”范闲心结既去，哈哈大笑，在言语上占着姑娘的便宜。海棠没有装作听不懂这个笑话，说道：“看在你对我足够坦诚的分上，我不计较。”

范闲笑着转过身来，挥挥手上的书册，无耻地说道："东西反正在我手上，还怕你反悔不成？"

海棠也转过身来，走到他的身边。范闲以为她真生气了，吓得赶紧将书册往怀里藏。海棠暗想这人年纪轻轻已经手握重权，文武双成，在外人面前总是温柔中带着阴冷的模样，怎么每每对着自己却像个市井中的无赖小混混？她没好气地说道："给你改几个句子，老师做了手脚，你要照着练下去练成白痴我可不管。"

范闲没觉着先前看的心法有丝毫滞碍之处，不由好生佩服苦荷的境界，造假造得如此漂亮！接着便是大怒，他心想老秃驴果然阴毒，要不是自己用"一字记之曰心"的无上妙诀吃死了你的女徒，还真不知道自己将来怎么死的。他望着海棠幽幽地说道："难道你准备让我练成白痴？"

海棠平静地说道："你我这事本就做得荒唐，传出去只怕要震惊天下，不谨慎些怎么办？关键便在于你我必须坦诚，若有一丝隐瞒我也不敢信任你。如果你先前不对我承认真气全失，练成白痴也是你自找的。"

范闲怔了怔，心想当好人果然有好报。等海棠将那几个关键句子改了几个字后，他再拾起一看，顿时觉得就像是一幅极美妙的画又被丹青国手涂抹了几个精神要害处，画中山水人物马上生动了起来。他知道这就是天一道无上心法的真实面目了，依此修行，用不了多久自己就能自然而然修补好千疮百孔的经脉。想到此节，坚忍如他也不免有些感慨，望向海棠有些不好意思地说道："待会儿我给你画几幅图……霸道功诀要配着图上真气路线练习，如果瞎整，指不定会出什么问题。"

海棠怔怔地说道："什么时候世上才能少些尔虞我诈……至少在你我之间。"

范闲咳了两声，说道："我以后努力学习……当然，你也需要学习。"

许久后，二人才摆脱了有些尴尬的沉默，为了缓解气氛，海棠说道：

“我来看看你的伤势。”

范闲点点头，内观之术虽然细微，但有时候总是旁观者清，海棠这种境界的人更是容易发现问题所在，以高妙的学识提出相应的解决方法。

海棠走到他的身后，也不见怎么做势运功，右手便贴到了他的后背俞门穴上。书房内一阵无由风起，案上灯光忽明忽暗，空气里骤然出现了一阵极为柔顺的力量波动。

她闭着双眼，将体内的真气小心地送到范闲的体内，察看着他的伤势。四周的环境安静下来，一丝风都没有，灯上火苗直直向上，空气凝滞了一般，却并不黏稠，反而带着股清新的感觉。

九品上强者真气外溢，转瞬与四周环境完美达成和谐，天一道功法果然神妙。许久后，海棠没有睁眼，眉头却是皱了起来，似乎遇到了什么古怪的情况。

范闲却没有什么感觉，只觉着浑身暖洋洋的十分舒服，一股清新的真气流迅疾传遍全身，就像是在洗木桶浴，又像是在夏威夷晒太阳，精神极为放松，竟快要睡着了。

感觉到海棠的异样，他打着呵欠问道：“怎么了？”

“没什么。”海棠皱眉应道，“你不要睡着了。”

“天一道果然厉害，一边治病，居然还可以一边聊天。”范闲笑了起来，“如果这也算治伤的话，我倒愿意天天受伤，比马杀鸡还要舒服。”

“你能不能闭上嘴？”海棠平静地说道，“我可不保证心神一乱，会不会突然加大了力量。”

范闲听出姑娘家的威胁，却是一点也不害怕，无赖地说道：“难道你想谋杀亲夫？”

两声闷哼同时从二人的嘴里发了出来，书房里空气骤然一炸，无数道气流漩涡离体而出，须臾即逝，却是卷得前任相爷林若甫珍藏的书籍漫天飞舞，纸张满天，好不狼狈！

下一刻，范闲坐在纸堆里，心有余悸地望着正轻捋发丝的姑娘，颤声道："真想杀人啊。"

海棠盯着他的双眼，强掩怒意说道："说过这时候不要扰乱我的心神。"

范闲无语，心想是你先开始聊天的。

海棠胸脯微微起伏，望着范闲的眼神有些怪异："你腰后雪山处蕴积的真气……依然十分雄浑，暴戾程度甚至比我们上次交手时还要可怕。如今没有经脉循转，只有越积越厚，幸亏我来得及时，不然再过半年你雪山命门一爆，可就真的完了。"

范闲这辈子有两个老师，一个是五竹叔，一个是费介。一个人教切萝卜丝儿，一个人教放毒药佐料。真气修行他却是自学，这方面的知识比玄宗正派要差不少，此时听海棠这么一说，才知道原来自己前些日子都处于极大危险中，不免有些后怕，脸色有些苍白地说道："悬空庙一事后，我就停止了修行，为什么雪山里的真气还会越积越多？"

海棠想了想说道："大约是你自幼修行，已经养成了习惯，所以哪怕在睡觉……"

范闲举起右手没让她再继续说下去，叹道："就是这个原因。"

对他来说，冥想与睡觉是自幼便合为一体的娱乐生活，别的修行者知道这一点后肯定会很羡慕他，如今这却成了极凶险的事情。此时他想到了另一件事，面色变得阴沉，寒声说道："我是不懂，费先生也不懂，可是洪公公难道看不出来？"

"嗯？"海棠不知道他开始怀疑某个贵人。

范闲摇摇头说道："没什么……辛苦你了。"

屋内一片狼藉，到处纸片乱飞，范闲不敢让下人来做事，与海棠稍微清理了一下，那两本珍贵至极的心法分别被二人揣回了怀里。至于书桌下方那些乱纸片，也就没再去管。

范闲诚恳地说道："这件事情上我占了大便宜，不过还要麻烦朵朵替我护法。"

海棠不介意暂时充当他的保镖，点了点头，转而问道："安之，你给我一句实话，我师兄在上京西山绝壁前遇见的那个黑衣人，究竟是不是你？"

范闲知道她刚才查看自己伤势的时候，确认了自己的暴烈真气与狼桃遇到的那人很相似，只是此事与肖恩有关、与神庙有关，他沉默片刻后回答道："那天早上你去使馆找我，应该就是猜到了什么，不过我永远不会承认什么。"

"老师应该也猜到了一些。"海棠说道，"不过你不用太紧张，他说令堂曾经对他有恩。"

范闲冷笑道："送个假心法给我就算是报恩？"

"那心法虽假却也没什么坏处，而且这是老师听说你是南庆皇帝……儿子后才不得已做的手段。"海棠忽然认真地说道，"这心法乃是我门中无上之秘，还请范大人小心保管。"

范闲指了指自己的脑袋说："你待会儿拿回去，毁了也好或者怎么样也好，我已记着了。"

海棠惊讶于对方超强的记忆力，心想这怪物小时候是被谁教大的？她心头一动问道："老师说你身边有位瞎大师，不知朵朵可有机缘当面拜会？"

海棠身为一代武学天骄，最感兴趣的当然是那位能够伤到老师，却在世间没有半点名气的瞎子大宗师，此时相询纯是想以晚辈身份拜见五竹，求教一二。

范闲苦笑道："我发现在苦荷国师面前确实很难有什么秘密，不过可惜最近你是见不到我叔叔了。他这些年不知道因为什么爱上了叶流云的做派，喜欢一个人到处旅游。"

海棠有些失望，又道："安之，老师虽未对我明言，但听得出来令堂应该与神庙有关。"

当日她与苦荷的对话并未言及此事，但聪慧若她自然猜到了少许。

范闲摇摇头，斩钉截铁地说道:“神庙太远，我们还是先论世事为佳。”

海棠有些恼火他的态度，冷冷地问道：“什么世事？”

范闲嘿嘿一笑，说道：“比如说……朵朵你今年多大了？我们认识了这么久，信也写了不少，连这个最关键的问题我都不知道。”

第十二章 钦差大人

庆历六年初，不论北齐还是南庆都发生了很多神妙的事情。由于天气寒冷的缘故，稻田里还没有长出谷子，自然没有双穗出现。河里没有出现白鱼，山中也没有发现麒麟，但是……梧州开山时挖出来了一对铜璧，沙州修河堤的时候民工们惊喜地发现了一只巨大无比、上有云纹之饰的乌龟！江南水田之中竟有苍鸟、赤雁翔于天际！

不论铜璧还是云龟、苍鸟都属于祥瑞，各地官员赶紧纷纷上表，大拍马屁，庆国皇帝陛下却有些不屑一顾。因为这股祥瑞的无耻风气是去年在北齐国境内兴起的。最先传说是西山第一场雪后有樵夫发现了白鹿、白狼与白狐，以为吉兆上书北齐皇帝。一代宗师苦荷以此为天人之兆，认定各国君主施政得宜，上合天心，故重开山门，于上京城外一处庙内，收一女徒，该女徒便是后来入了皇宫的司理理。

庆国皇帝是个不敬鬼神的强硬之人，直到前些天，钦天监监正战抖着声音，狂喜地禀报，钦天监观测到了景星庆云，才让他开始正视这个事实。

祥瑞又称符瑞，故老相传，经文常注，乃是上天对人间施政者表示满意而施的小魔法。祥瑞的种类也极为繁杂，比如稻生双穗，比如地出甘泉，又分成五个等级，除了像麒麟这种根本找不到的归在嘉瑞之中，其余的等级分别是大瑞、上瑞、中瑞、下瑞。

白狼、白狐乃是上瑞，苍鸟、赤雁乃是下瑞，钦天监大喜报告的所谓“景星庆云”便是天上异彩之云，这……可是实实在在的大瑞啊！名字里又嵌着庆国国字，纵使庆国皇帝再如何矜持与多疑，也似乎飘飘然起来。

今年一定是个风调雨顺的好年头。既然是好年头，自然不能有战争，以祥瑞为召，北齐与南庆之间的交流更加密切，尤其是大皇子与北齐大公主就要成亲，北齐派出了庞大的使团。令南庆人感到震惊与光彩的是，北齐国师苦荷也随着使团南下，要做此次大婚的证婚人！

苦荷大宗师在天下间的地位何其超然，不仅是最顶尖的大宗师之一，天一道也隐隐影响着各地的祭庙与在四野里行走着的苦修士。虽然神庙向来不干世事，但他的声威早已超出了一位武道巅峰的影响力。

如此一来，庆人虽然骄傲光彩，但各项接待事宜又要重新拟过。叶流云野鹤不知踪迹，真能对等接待的只有庆国皇帝了，可庆国鸿胪寺的官员又没有这么大的胆子请陛下亲自出面。

最后还是太后见不得官员慌张，出面了结了此事，依照往年庄墨韩大家规矩，请苦荷大师入宫，由自己负责接待工作。不料等苦荷国师到了京都，却是婉言谢绝了此请，直接住进了庆庙，倒也符合他的身份。

毕竟是一代大宗师，庆人表现了足够的尊敬，接着便是好奇，两国联姻虽然事大，但怎么也不可能惊动他老人家吧？使团入京数日后，苦荷亲赴南朝的真实目的终于显露出来。

原来北齐皇帝亲修一封国书，言明愿与南庆修好，将去年草拟的那份协议延续万年，两国以兄弟相称，不论尊卑，只叙新谊，世世代代友好下去。

如此重要的一次谈判，当然需要苦荷亲自坐镇。庆国皇帝手执北方同行的书信，沉吟数日，终是轻轻点了点头，只怕也是看了苦荷三分薄面。

消息一出，天下欢腾，庆人纵使尚武，终究也喜好太平日子，只是军方有些愤怒，觉得如今朝廷强盛，正是一统天下的大好机会，何必整几张纸套在自己脑袋上。纸虽不重，放在脸上呼吸总是有些不畅。倒是老秦家的军方领袖看得明白，对最亲近的几人说："如今北齐恢复的速度出人意料，几年内总是不好用兵，这协议不过几张纸罢了，到时候撕便撕了，咱们皇帝陛下当年又不是没做过这种事情。"

苦荷国师南下京都的另一个目的，让京都所有的官员百姓都吃了一惊，他要收范尚书独女——范家小姐为徒！苦荷国师的理由倒也充分，言道年关阴阳交合前后数月间天降祥瑞，正是天心仁厚之感，天一道持守天人合一之论，应天心而行人事，择人间奇葩悉心栽培，为民谋福方是正道。奉天之举当然不囿于国土之限，北齐有祥瑞，故收一徒，南庆祥瑞现，自己自然要再收一徒，故而才亲赴京都。

苦荷重开山门的事情去年就已经传遍天下，但南庆人从来没有想过会与自己有什么关系，谁能想到天一道的关门女弟子会落在京都？至于为什么会选择范家小姐更是令人不解，没有太多人想到远在江南的范闲，毕竟他再如何强大，也没能力指使苦荷国师来为自己谋福利。

苦荷没有解释择徒的标准，只是经由一些服侍的太监传播流言，人们才知道苦荷国师在京都偶游民间，曾于太医院门口默立半日，面现慈悲笑容，言道院中某女心性善良淳和，聪慧无二，实为良材。当日，范若若正在太医院"实习"，以数月来学得的护理知识和医道细心照料院中的危重病人，不解衣，唇微干，汗湿冬日之衫，十分辛苦。

在这个世界上有句话叫作"文武无国界"，庄墨韩的学生能在庆国当大官，北齐国师苦荷要收庆人为徒，庆人只会觉得光彩，而不会生出别的感受。

只是苦荷收徒本来就是大事，而且收的是位官宦家小姐，自然要征求对方家中意见，而这事范建都不敢拿主意，又得入宫去请陛下的旨意。在重重宫殿之中，皇帝陛下坐在龙椅上微微皱眉，沉默良久之后只问了一句话："安之就这么不喜欢弘成？"

范建悚然而惊，不知如何言语。皇帝眼中闪过一抹笑意，也吃惊于范闲的手脚之长、能量之大，又觉得苦荷此人太过疼爱那个叫海棠的女子，不足为患，加上他将范闲放逐至江南，总有些许歉疚之意，便挥挥手允了此议。

大皇子成亲之后不久，苦荷便扔下使团，带着范若若飘然离京而去。如此一来，范家与靖王家的婚事，便被无限期地推后，只看哪天真正消亡。世子李弘成本来被软禁在家，骤闻噩耗险些吐血。而靖王知道此事后入宫大闹了一场，最后太后出面才安抚下来。

靖王回府后终是咽不下这口气，领着王府一干花匠打手，冲到了世代交好的范尚书府上，不论前宅还是后宅，乱七八糟一通狠砸，将整座范府砸成了破烂不堪的垃圾场，生生毁了范建珍藏多年的无数件古董，赶得范府丫鬟们花容失色。最后靖王爷在匆匆赶回府的范尚书大人眼圈上打了一记猛拳，印上一记黑印，这才骄骄然领兵回府，稍解胸中那股恶气。

江南地，西湖边，初春无莲，细雨如线。

范闲一行人已经在杭州城里住了将近一月，虽然号称是度假，但在春意将至的江南，他就这么待着当然有更深一层的意思。这些天监察院驻江南的分司开始全力运作起来，不再如以往那般事务经由京都处理，而是直接递到了西湖边的庄园。

这座庄园俨然成了除却京都正院以外监察院的第二权力中心。

江南路官员情况、明家及那些盐商们的资料，还有内库最近几个月的动向，都由庄园中的那个四处官员进行汇总，然后向范闲禀报。没了地域距离，监察院对江南的控制力度进一步加大。只是由于明家的反应极快，早在去年秋天的时候就已经着手安排，本身又是当地巨族，任用的人手都是家族成员，院里安插的钉子层级不够，并没有获得太有用的信息。

相反，江南水寨发挥出了意想不到的作用，夏栖飞深谋远虑，早就想着要夺回明家，准备了很多年，对明家的出货渠道以及相关信息掌握得比监察院还要细致。

明家一直诡异地安静着，听说在苏州城里有过一次上层的聚会，明显是针对范闲的到来。由于那次聚会十分隐秘，监察院没有查到什么风声。

不过以范闲的身份地位，再加上他名义上在管教的三皇子，不论是明家还是江南路的众多官员，都没有胆量去撩拨他。至于东夷城的云之澜那些人本来只是过来替明家撑腰，谁想到范闲如此蛮不讲理地展开了驱逐行动。

一个神仙在人间居住，或许可以长久隐于市井，但一群神仙却无论如何也不能完全遮掩住自己的行踪。常年没有人居住的彭氏庄园忽然多了些人，不论是一应粮食果蔬的采购，还是那些名贵日用品的售卖，都能让那些有心人猜到些什么。十几天后，范提司在杭州的消息已经不胫而走，传遍了整个江南路。但他躲在庄园中避不见客，杭州知州都被礼貌而坚决地拦在了门外，于是所有人都知道了范提司还在度假，不想被打扰。

众人也在猜测，范闲安静了这么久究竟在准备什么呢？

他安静着，官场江湖上的人们也只有被迫安静着，往江上大船送礼的人没有减少，明家人也极为恭顺地搬出了西湖边上另外几座宅院，生怕扰着提司大人的清净。

西湖边的庄园一片安静，却吸引了无数人的目光。

湖上漂来一叶扁舟，两位书生模样的年轻男子正分坐舟首舟尾，中间搁着一方矮几，上面置着清淡果蔬与江南水酒，做派十分潇洒。

二人正是易容之后的范闲与海棠，并未在脸上涂抹面粉之类的物事，只是由范闲巧手剃了些眉角，又用胶略略将眉尾向上提了些，模样顿时变了许多，不是熟悉的人一定认不出来。

小舟缓行于西湖偏僻一角，小雨初歇，湖上空气十分清新。

最近这些天范闲时常与海棠泛舟湖上，一方面是喜爱这里的湖光山色，另一方面是他初习天一道的心法。依海棠所言要时刻亲近自然，以天地之元气修复体内如朽木般的经脉。

他闭着眼睛，半躺在舟首，右手有意无意搭在舷上，指尖与微荡的湖面似触非触，一抹淡淡然以至不可察觉的真气从指尖缓缓溢出，与湖水一沾便又柔顺收回，流回体内。

修习天一道心法后，他不再于雪山处蕴气，而是转由丹田，那些点滴蕴成的真气就像泉水般在经脉管壁上缓缓滋润开来。身处西湖，亲近着自然美景，下有微凉湖水反映白云蓝天，侧有山下微疏山林初展青颜，修行果然快了不少。看来海棠说得有理，但他知道更关键处在于，自己的真气循环比一般的武道修行者要多出一处，自己以往只是用在攀岩上，如今才知道对心神与天地感应也是大有好处。

海棠轻轻划动双桨，注意着范闲的指尖，暗中叹了一口气，心想这个年轻人的悟性与机缘真是世上少有，像眼下这幅场景，真气离体而回沾染自然之息，明显已经是天一道心法第三层。自己虽世称天才，但当初体悟到这种境界也修习了五年之久，可是他才十几天而已！

虽然他如今的境界比她初入门时高出不少，领悟能力也强了许多，但进境如此之快还是令她感到不可思议与警惕。范闲如今身兼南北两大绝学，又握着极大权力，在民间声望又佳，这样一个人将来如果走入了邪道，谁能制他？

感觉到海棠在想什么，范闲醒来，缓缓睁开双眼，似笑非笑地望着她说道："不用担心，如果我真想毁约，你带到江南来的那个北齐人，我就不会让他接触那么多东西。"

在他与海棠的协议，或者准确说是与北齐皇室的协议中，长公主垮台后，内库往北方走私的货物不会减少，在质量上甚至会有提升，甚至包括某些严禁出境的货物……

海棠带到江南来的那个人是北齐朝廷的一位官员——户部主事却兼

着工部的司虞，还在兵部沉浮过一段时间。此人仕途一直没有起色，却是多才多能之人，能算账、知晓兵器构造，更精通货物检验。由此人负责与南庆内库的交易，实在是非常恰当的选择。

“我这人很重承诺。”范闲继续说道，“当初在上京城里答应你们的事情，一定会做到。”

“我们也一样。”海棠松开桨柄，任小舟横于湖面，“你应该收到消息了，老师已经带着范家小姐离开了京都。范思辙也开始逐步接手崔家留在我朝境内的产业。如果不是陛下点头，这些产业本来应该收入国库，而不会成为你的私产。”

范闲摇头说道：“崔家是我大庆子民，他犯事被捉当然应该由我们大庆人接管产业。”

海棠不理会他的强词夺理，继续说道：“我也依言将心法带给了你，协议第一部分的内容，我想我们双方都没有什么好挑剔的。”

这是对双方都极有好处的买卖，只是不知道范闲为什么会如此信任北齐人。海棠也不理解这一点，说道：“安之，你将妹妹与弟弟都送到了上京，不要说是无意之举……到底为什么？”

范闲知道对方终于察觉到了什么，却无法回答她，难道要告诉她自己很担心哪天皇帝陛下忽然要来一招大洗牌，所以要在别的国度里留些后手？他挥手说道：“只要协议继续，我相信不论是你还是你那位……小皇帝陛下，都会保护好我的家人。”

海棠眉头一挑说道：“如果事情败露了，你怎么面对庆国亿万官民？”

“面对？根本无颜以对。”范闲笑着说道，“我不认为自己是卖国贼，但人们肯定会认为我是最大的庆奸。不过对于这个世界而言，我不介意做一位国际主义者。”

“庆国各地的祥瑞，是你做的手脚？”海棠低头问道。

范闲没有否认。梧州、沙州等地的事情自然是监察院做出来的，至于钦天监观测到的景星庆云……不要忘记，前任钦天监是二皇子的人，已经在一个月黑风高的夜晚被监察院请去喝茶，直到今天都没有放出来，钦天监现在与监察院的关系很复杂。

他在心里想着，北齐小皇帝在北边顶片叶子搞三白，南方雪山野兽少，但整个祥云出来总能压你一头。陛下的密信里明显对自己的安排相当满意，字里行间透着股得意。

“庆国的皇帝陛下……”海棠斟酌了一下措辞，“这些年虽很少露面，但世人皆知他很不简单。这次老师收了你妹妹做关门弟子，难说他不会猜到什么。”

“这事本就瞒不得陛下，我身为臣子也不会隐瞒，相关事宜早就写密奏呈上去了。”

海棠微感吃惊，说道：“你倒是光明磊落，那有什么事是你不会说的？”

范闲想了想，认真地说道：“把内库银子往自己家搬？这种事情当然不大好意思和陛下说。”

小舟再次安静，湖水也再次沉静。范闲看着苦笑无语的海棠，发现半年后，这位姑娘的心性有了一些变化，许是初涉朝政之事，终究对心境造成了一些影响。

岸上传来一阵急促的马蹄声，范闲回头望去，只见一匹骏马在湖畔石道上疾驰而过，驶到彭氏庄院门口，一个有些面熟的官员翻身而下，怒气冲天地开始擂门。

弃舟登岸，范闲略带一丝疑问往园中走去。海棠在他身后，与湖边垂钓的老者打着招呼。范闲却没有太多的心思亲民，看着园外那匹骏马，眉头皱了起来。

那个官员已经入了园子，将马扔在园外，也没有系缰，确实有些着急。那匹马在石阶下低头晃悠，打着喷儿，嗅着将将长出来的青草香，只可惜带着嚼头，空着急却吃不到嘴里。

“大人。”一个下属准备解释几句什么，范闲挥手止住。他早已认出来那个怒气冲冲的官员是谁，想到一年不见对方还是那等性情，就觉得有些恼火。

宅落深处隐隐传来激烈的争吵声，绕过影壁后，声音更大，双方的话语里充满着大声的指责与失望愤怒的情绪。

范闲停住脚步，自嘲一笑，对海棠说道："你给我点面子，不要进来了。"

海棠笑着点点头，往侧手方的通园小径走去。

范闲整理了一下衣着，耐着性子在外面听了半天，轻咳两声，做足了老师的派头，将双手负于身后，跨过高高的门槛，走入正堂。

正堂中两个人正面红脖子粗，像斗鸡一样对峙着。

一方是史阐立，一方却是许久不见的杨万里。

去年春闱，杨万里高中三甲，加上人人皆知他是范氏嫡系，所以吏部主事官大笔一挥，便将他划到江南某处富县出任知县，吃了个肥缺。这还是吏部尚书颜行书从中作梗的结果，不然以范家的声势，直接让他做个州同或是运判也不是不可能。

而杨万里也着实替范闲争气，勤于政务，亲民好学，短短一年时间就将辖下治理得井井有条，秋期时的吏部考核得了个清慎明著、公平可称的评语，大理寺审评之时也评了个上下。虽然年限未至无法进阶，但如今也是一位堂堂从六品的官员了。

范氏门下四人中的侯季常与成佳林，如今分别在胶东路与南方为官，据说也是官声不错。

范闲冷眼看着杨万里与史阐立，发现杨万里气势逼人，史阐立却有些步步退后，稍一听便知道是为了什么缘故，于是冷笑了一声。

杨万里回头看了范闲一眼，愣了愣，却出乎意料地转身对着史阐立继续痛道："史兄，你不肯入仕也便罢了，跟在门师身边，为他拾遗补阙，用心做事，也算是为百姓谋福……可如今老师他明显做错了，你在身边为何不加以提醒？咱们执弟子之礼，一样要直言进谏，方是正道！你可知道这江南一地传得何其不堪？都说范提司大人真是位能吏，做事情如何还不知道，收银子却是光明正大得很！……大江？我看那就是一条银江，那艘船不把各州的银子捞光，船中人便一日不肯上岸！”他越说越生气，拂袖道，“去年老师留信让我们好好做官，好好做人……可是……官便是这样做的？我现在都快没脸见人了！老史，你让我好生失望！腐虫！伥货！”

史阐立一听最后两个形容词，气不打一处来，心想你小子在外面做清官做快活了，哪里知道老子我在京都里当妓院老板的辛苦？还伥货！你这是批评老师是食民骨髓的老虎啊……好啊你个杨万里，做官不久，胆子倒大了不少，热血一冲，反骂道：“你个不知民间疾苦的酸儒！要不是老师在京中，你以为你能得个考绩优良的评语？忘恩负义的家伙！”

杨万里将脸一仰，清傲之中带着沉痛说道：“我虽只治一县，但一年之内，县内山贼全无，民生安宁……倒也对得起老师当初的期望。”

史阐立也明白对方为何如此愤怒，直接杀上门来。他们都希望能够跟着小范大人在庆国干出一番事业，只是范闲如今大权在握，做的事情确实是位权臣的模样，和名臣的差距却似乎越来越大。但他常年跟在范闲身边，知道门师诸多的不得已，感情也更为深厚，只听他冷笑着反驳道：“山贼全无？如果不是州营往你富春县境移了十二里地，你当那些山贼就能被你的圣人之言吓跑？十二里地不起眼，但你这个小小知县有这个能耐吗？”

杨万里一怔，问道：“你这话什么意思？”

“什么意思？”史阐立回头望了范闲一眼，眉头皱了起来，心想护卫怎么没有拦着这个人，叫外人听着自己与杨万里的争吵内容，传出去可不得了。

这个时候最无辜的当然是范闲，两个学生吵得不亦乐乎，自己这个正主儿在旁站了半天，却没有人理会自己。他接着史阐立的话，笑着说道：“没什么意思，只是家里老爷子心疼你们几个，给州里的指挥同知写了封信而已。”

此时二人才听出了范闲的声音，吓了一大跳，道：“是老师？”

范闲伸手在太阳穴边搓了两下，将眉角的胶水搓掉，眉毛归了原位，那张清秀英俊的面容恢复了原本。他进屋之后忘了卸掉化妆，竟是让两个吵得兴起的人没有认出来。

他苦笑说道："吵架也要关起门来吵，还好这是我听着了，如果让外人听见……只怕还以为我老范家做出了什么欺师灭祖的大事情。"

大堂一下子安静下来，想到自己争吵的内容全数落在了范闲的耳中，不论是史阐立还是杨万里都有些尴尬。杨万里有些头痛，忽然间想到范闲最后那句话……欺师灭祖？他霍然抬起头来，大声道："大人！我可没那个意思。"

范闲知道杨万里是闽中苦寒子弟出身，最瞧不起贪官污吏，而且性情直爽，不然也不会就这样冒冒失失地闯上门来，他笑着问道："富春县离杭州足有两百里地，你一个文官不带衙役就这样疾驰而来，当着本官的面骂本官是只吃人不吐骨头的老虎，这不是欺师又是什么？"

他是开玩笑，但这玩笑的重量杨万里却承担不起。但此人性情着实耿直，只见他将牙一咬，走到范闲身前一揖到底，沉声说道："学生有错，错在不该在大人背后妄言是非。"

范闲心想这厮怎么转得这么快。不料杨万里话风再转，直挺挺地说道："不过老师既已回府，当着面，学生便要说了，您也知道学生向来不忌惮直言师长之过。"

"讲吧。"范闲无可奈何地说道，"你就这个孤拐个性。"

"大人此次下江南，学生以为有三不该。"

杨万里没有听清范闲对自己的评价，他昨天一夜没睡好，才下决心来杭州当面"进谏"，索性沉痛说道："大人不该纵容属下沿江搜刮民财、役使民力。京船南下，沿江州县官员刻意逢迎，送礼如山，还驱民伕拉船，江南一带水势平缓，如果不是那艘大船故意缓行，哪里需要纤夫？此事早已传遍江南，成为笑谈，沿江州县官员所送之礼何来？还不是搜刮民间所得！"

范闲像是没听见一般，挥手让史阐立去倒了杯茶，慢慢喝着。

杨万里见他如此做派，有些忐忑，继续说道："大人二不该调动江南水师兵船护行，虽说大人有钦差身份，但既然一开始就没有亮明仪仗，反而星夜前行，这已是违制，既是潜行，又调官兵护送，违制之外更是逾礼，惊扰地方，松弛防务，实为大过。"

范闲噗的一声喷出口里的茶水，笑骂道："让我被人砍了，你心里才舒服？"

他挥手止住杨万里接下来的话，继续说道："先说这两不该吧。"他略一斟酌，"你所说沿江收礼一事，我也听到些许风声，确实影响极坏。据京都来信，此事似乎在京都官场之中也成了一件荒唐笑谈，都说我小范在京里憋坏了，一下江南便恨不得刮几层地皮……"

杨万里心中一喜进言道："正是，且不论违法乱纲的问题，单说这影响便对大人官声……"

"是对你的官声影响极大吧？"范闲略带嘲讽地说道，"你一心想做个青史留名的清官，却摊上我这么个大捞银子的贪官门师，想必心里有些不豫，我也理解。不过……不论江南官员如何看，百姓如何看，京中六部如何议论，你是我的门生，怎么也会认为本官会贪银子？"

杨万里一愣，心想您那艘大船的丰功伟业，事实证据确在啊，如今人们都说范提司下江南神神秘秘分成了北中南三条路线，为的就是一次性地贪齐三路的孝敬，难道说错了？

"我有的是银子，"范闲望着杨万里骂道，"我何必还要贪银子？你这脑袋是怎么长的？你与季常还有佳林三人，如今外放做官，每月必会收到京中老爷子送去的银两，这是为何？还不是怕你们被四周同僚的金钱拉下水去，我对你们都是如此要求，更何况自己？"

自从去年春闱外放之后，杨万里等三人按月都会收到京都寄来的银票，数量早已超出了俸禄，这事情其实与范闲无关，他也想不到这么细，全是范尚书为儿子在细心打理。

有了银两傍身，杨万里等三人一方面手脚宽裕了许多，一方面还用这些银两做了些实事。他念及范闲关心，好生感动，又被范闲难得的怒容吓得不轻，赶紧回道："多谢老师。"

范闲笑斥道："给钱你就谢，你不想想这钱是怎么来的？……当然不是贪来的，你知道我手下有几门生意，养你们几个官还是养得起。"

杨万里皱眉说道："可是……江上那艘船？"

"那船和我有什么关系？"范闲的嘴脸有些无耻，"你要博出位骂贪官，自去船上骂那些人去，跑到杭州当面骂我……杨万里啊杨万里，你胆子还真不小。"

杨万里苦闷地说道："老师，那些人可是你的下属！"

范闲微笑着说道："是啊，下属收银子，我却不闻不问，似乎一切都是在我的授意下进行？这只不过是出戏罢了，你着什么急。"

史阐立在一旁冷笑着说道："你今日就这般闯进门来，只怕让多少人在暗地里笑歪了嘴。"

杨万里一想也是这个道理，就算小范大人要贪，也不至于贪得如此轰轰烈烈，贪得如此手段低下啊，难道自己真的想错了？

"也没有太多的深意。"范闲叹了口气说道，"不过是三月初三在苏州要演出戏，那戏太肉麻，我如今想着也要生鸡皮疙瘩，到时候你看着就明白了。"

此时杨万里已经相信了范闲的说法，有些后悔来得太冒失。

"再说二不该。"范闲皱起了眉头，"万里你太天真了，真以为如今是太平盛世？"

杨万里有些惊愕，心想如今国泰民安，风调雨顺，哪里有假？范闲冷笑道："不调水师护驾，那艘船随时有可能被水鬼拖到江底下去，你信不信？"

看着杨万里的神情，知道他终是不会信的，范闲说道："内库之事也不瞒你，我要对付的可不仅仅是内库的蛀虫、江南的豪族，甚至还包括了整个江南的官员和京都里的贵人……那明家是如何起家？如今又如何将家业做得如此之大？”

杨万里摇头，史阐立也是最近接触到监察院与江南水寨夏栖飞的密报才知晓一二。

“海盗！”范闲眼里闪过一抹厉色，“明家从内库接了货，由泉州出海，一路北上往东夷城，一路南下去西边洋鬼子处，这些年出海后总会遇上海盗，三艘船里总要折损一艘……”

杨万里神情诧异，心想自己倒也接触过明家的人物，感觉个个都是温文和善的大富翁，这出海遇着海盗总不好让他们负责，难道大人想说的是……

范闲冷声道："实际上那些海盗都是他们明家自己的人！”

顿时，杨万里大惊失色。

“遇着海盗，他明家要赔钱给内库，看似亏了，但实际上他抢了那船货物偷偷运到海外卖掉，便不用支付给朝廷的六成分红，而且赔给内库的只是成本而已。这一艘船挣得可要比那两艘还要多。只是可怜这些年里海上不知道多了多少亡魂。”

杨万里目瞪口呆，喃喃说道："这……这也多挣不了多少，为什么明家敢冒杀头的危险？”

范闲说的这些是最近监察院与夏栖飞合作查出来的，只可惜没有拿着活口实证。明家这些年用这种无耻的手段不知道挣了多少银子，这些人做事极为心狠手辣，又有贵人掩护，朝野上下只当出海南行风恶浪险、海匪猖獗，根本想不到是明家自抢自货，商匪一家。

他起身盯着杨万里的双眼说道："一旦有适当的利润，商人们就胆大起来。有百分之五十的利润，他就铤而走险；为了百分之一百的利润，他就敢践踏一切庆律；有百分之三百的利润他就敢犯任何罪行，甚至冒着绞首的危险，不把朝廷放在眼里！”

杨史二人都被马克思的名言震得低下了头。

“更何况，朝廷里一直有他们的同路人。”范闲冷笑着说道，“正经外销，挣的钱都是要入册的，哪里有这些账外的钱花着顺手安全？”

这句话说的是信阳，如果不是用这种手段，长公主想在监察院的监视下从内库捞银子，难度肯定要大许多。

“每一个铜板都是血淋淋的。”范闲教育杨万里道，“如果你我想要做事，就必须保证自己的安全，明家能杀人，会杀人，到了真正鱼死网破的时候，也不会忌惮杀了本官！生死存亡之际讲什么礼制……你做官做久了，别把自己做成了朽木一块！”

杨万里愣住了。他十年寒窗，做官后又有范闲这棵大树遮阴，哪里真正感受过人间的凶险，此时被一顿批终于清醒了少许。

范闲挥挥手说道：“不提这些事了，虽说你今天是来踢门，这园子确实没什么客人，咱们也有一年不见，总有些话要说上一说，待会儿整些酒菜，好好喝几杯。”

杨万里有些垂头丧气，但知道门师依然将自己当最亲近的人看待，也是松了口气，有些后悔自己的莽撞，犹疑着说道：“那第三不该……”

范闲笑骂道：“你不把我得罪到底，看样子是吃不下饭去，说吧。”

杨万里想了想觉得这事确实是门师做得不对，便理直气壮地说道：“各地迭出祥瑞，官员百姓们在酒席上总会说上两句，学生在人前从未说过，当着老师的面却要冒昧进言，以色事人，终不长久，以谄邀宠，也是如此，老师这事做得实在是有些过头。”

范闲知道杨万里性子倔耿，人还是极聪明的，瞧出四野祥瑞是自己造的也不奇怪，但这小子居然……敢当着自己的面，骂自己拍皇帝马屁！

“滚滚滚！”他终于真的怒了，痛骂道，“饭也不要吃了，回你的富春县喝粥去！”

杨万里倒也无赖，直挺挺地任由门师的唾沫星子给自己洗脸，满脸大义凛然地说道：“学生今日要在彭园喝粥。”

范闲气得将双袖一拂，出门而去，史杨二人赶紧屁颠屁颠地跟在后面。

庆历三月初三。

澹州省亲的车队、沿江而下的大船都在这一天来到了苏州城外的码头。头天夜里，一支由杭州来的队伍已经悄悄上了船，由京都出来的三支队伍终于胜利地在江南会师。

码头上锣鼓喧天，鞭炮齐鸣，江南路各级官员整肃官服，在行牌下翘首期盼着太学司业兼太常寺少卿兼权领内库转运司正使兼监察院提司兼巡抚江南路钦差大臣……小范大人范闲的到来。

大船在江南水师护航下，缓缓靠拢码头，抛锚放绳，校官们利落地完成了一系列动作。紧接着，被做成阶梯模样的跳板搁在了码头与甲板之间，吏员们赶紧铺上厚布，以免脚滑。

天边远远滚过春雷，轰轰炸响，似在欢迎钦差大人的到来。同一时间，岸上备好的冲天雷也被依次点燃，炮声大作，竟将老天爷的声威都掩了下去。

官员们微微皱眉，却不好意思捂耳朵，只将目光望向大船那边。不一时，一位年轻官员出现在甲板上，领着一行侍卫沉默下了船，分列成两行。又过了一会儿，一位穿着一袭紫色官服的年轻英俊官员才微笑着走了出来，此人在官服外套了件鹤氅，白素颜色顿时冲淡了官服深紫带来的视觉刺激，而众人的目光早被他那张温和亲切而清秀无比的脸庞吸引过去。

只有三品以上官员才有资格穿紫色官服，码头上众官员心知，被己等“千呼万唤”的钦差大人范提司便是眼前这人，他们往前挤了两步，举手欲揖。

范闲没有阻止众人行礼，将手往旁边一伸，握住凭空伸出的一只小手，牵着一个小男孩并排站在甲板上，踏着梯子，往船下行来。

小男孩的身上穿着一袭淡黄色的常服袍衫，领子处露出一圈毛衫的绒毛，衫子上绣着一对可爱却不知名的灵兽，配着那张清美的面容，灵动的双眼，看着煞是可爱。

众官员心中一惊，知道这位便是被皇上赶到范提司身边的三皇子，赶紧调整方向，齐齐对三皇子行礼：“江南路众官员，见过殿下。”

三皇子笑着点了点头，用稚意未去的声音说道：“天气寒冷，诸位大人辛苦了，我只是随老师前来学习，不需多礼。

被“老师”二字提醒的众官员们赶紧又对范闲行礼，连道“大人远来辛苦”云云。

行礼之余，官员们偷瞄着从船上走下来的这两个男子，发现对方年龄相差不少，面容却是极为相似。站在岸边，江风将这两个男子的衣衫下摆吹动，清贵之气十足，更是透着股难得的和谐与脱尘之意。众人不免心里想着，看来范提司的身世流言只怕是真的了……一念及此，心中又开始忐忑，不知道己等先向三皇子行礼会不会让范闲心生不愉，毕竟对方才是正主儿，而且钦差大臣的身份依朝制而论要比未成年皇子高太多。

范闲哪有这么多的想法，望着码头上这些面目陌生的官员，堆起最亲切的笑容，一一含笑应过，又着力将对方的官职与官名记下来，扮足了一位政治新星所应有的模样。

范提司携皇子下江南，这是大事，今天来码头迎接的官员人数极多，文官方面有江南路总督府巡抚这方的直属官员，又有苏、杭两州的知州各领着两拨人，相隔较远的几个州知州不敢擅离辖境来迎接，但州上通判、理同等级的官员还是来了不少，又有江南盐路转运司的官员；武官方面自然少不了江南水师的守备参将之流。当然，如今直属于范闲的内库转运司人员来得最齐。总之林林总总，加起来已近百人，整个江南路的父母官们只怕一大半都挤到了码头上，若东夷城偷了监察院三处的火药，在这儿弄个响儿，庆国最富庶的江南路恐怕会在一天之内陷入瘫痪。

范闲微笑着与众官员见礼，问题是人头攒动，官服混杂，大冬天里汗味十足，一张张陌生而谄媚的面容从眼前晃过，他哪里还认得清到底谁是谁？官员们却是不知道他内心感受，看着小范大人笑容亲切，越发觉得是自己路上送的礼起到了效果，因此大着胆子往他与三皇子的身边挤，怎的也要寒暄两句，套个近乎，才对得起送出去的银子啊！

那些离大江稍远的州县官员却一直没有寻到机会送礼，所以底气自然不是那么足，带着两分艳羡、三分嫉恨，在人群外看着里面的同僚不堪地拍着马屁。

一时间码头上马屁臭不堪闻，范闲被剃得干干净净的下颏也被着力摸了无数下，场面好不热闹。渐渐官员们说的话愈发不堪起来，尤其是苏州府知州那一路官员是太学出来的，非要依着范闲如今兼任太学司业的缘故，口口声声喊着：范老师！

范闲坚不肯受，开玩笑，自己年不过二十，就要当一任知州的老师，这若是传回京都，只怕要被皇帝老子笑死！三皇子被他牵着小手，忍着身边无耻的话语，心里也是不痛快，暗想小范大人乃是本人的老师，你们这些老头子居然敢和我抢？只见他冷着脸咳了两声。

咳声一出，场间顿时冷场，杭州知州是个见机极快的老奸猾，暗喜苏州知州吃瘪，却正色说道：“今日天寒，我看诸位大人还是赶紧请钦差大人还有殿下上去歇息吧。”

此言一出，范闲与三皇子心中甚慰，同时向杭州知州投去欣赏的目光。杭州知州被这目光一扫，顿时觉得浑身暖洋洋的好不舒服，就像是吃了根人参一般。

歇息？没那么容易。官员退开后，相关仪仗依然耗了许多时间，范闲与殿下才被众人拱围着往岸上斜坡走去。坡上有一个大大的竹棚，模样挺新，估计没搭几天。

竹棚外有两位身着紫色官服的大官，范闲拉着三皇子的手往那处赶了几步，以示尊敬。这两位官员身份不一般，一位乃是江南路总督薛清薛大人，一位乃是巡抚戴思成戴大人。

庆国官场上有句话，叫作：一宫，二省，三院，七路。一宫自然是皇宫，二省便是如今并作一处办理政务的门下中书省，三院便是监察院、枢密院、教育院，只是教育院已经在庆历元年的新政之中裁撤为太学、同文阁、礼部三处职司。最后的七路指的便是庆国地方分作七大路，各路总督代天子巡牧一方，如今郡级管理职能逐渐淡化，一路总督在军务外更开始直接控制辖下州县，权力极大，是实实在在的封疆大吏。

与总督的权力相比，巡抚偏重文治，分量却要轻太多。如果以品秩而论，总督是正二品，巡抚是从二品，但庆国皇室为了方便七路总督专心政务，少受六部掣肘，惯例会让一路总督兼协办大学士、都察院右都御史或是兵部尚书衔，这便是从一品的大员了，面对朝中宰相中书也不至于没有说话的机会。而江南乃是庆国重中之重，如今的江南路总督薛清又深得陛下信任，竟是直接兼的殿阁大学士，乃地地道道的正一品超级大员！

以薛清的身份地位，就算是范闲与三皇子也不敢有丝毫轻慢。

到了竹棚外，范闲用温和的目光看了薛清一眼，没有先开口讲话。这是规矩，薛清与戴思成明白对方乃是钦差大臣，自己就算再如何位高权重，也要先向对方行礼，这不是敬范闲，也不是敬皇子，而是敬陛下。

摆香案，请圣旨，亮明剑，竹棚之内官员跪了一地，行完一应仪式之后，范闲赶紧将面前的江南总督薛清扶了起来，又转身扶起了巡抚大人，这才领着三皇子恭谨地对薛清行礼。

薛清的身份当得起他与三皇子之深深一揖，但这位江南总督似乎没想到传说中的范提司并没有一丝年轻权臣及文人的清高气，甘愿在小处上抹平，眼中不由闪过一抹欣赏。

巡抚站在一旁，赶紧半侧了身子回礼。薛清也不会傻不拉叽地任由面前这“哥俩儿”将礼行完，早已温和地扶住了两人，说道：“范大人见外了。”

范闲一怔，再看旁边的小三儿对着薛清似乎有些窘迫，心中更是纳闷。

薛清微笑着说道：“本官来江南之前在书阁里做过，所谓学士倒不全是虚秩，三殿下小的时候，常在本官身边玩耍……只是过去了好几年，也不知道殿下还记不记得？”

三皇子苦笑一声，又重新向薛清行了个弟子礼，轻声说道：“大人每年回京述职，父皇都令学生去府上拜礼，哪里敢忘？”

范闲有些糊涂，心里细细一品，越发弄不清楚京都里那位皇帝究竟在想什么。正想着，又听着薛清和声说道：“说来我与范大人也有渊源。”

范闲在这位大官面前不好卖乖，好奇地问道：“不瞒大人，晚生确实不知。”

薛清喜欢对方直爽，笑着捋须说道：“当初本官中举之时，座师便是林相，论起辈分来，你倒真要称我一声兄了。”

范闲这才明白原来是这么回事，不过对方如今已经贵为一方总督，那些往年情分自然也只是说说而已。而且他再心黑胆大脸厚，也不好意思顺着这个杆儿爬，与总督称兄道弟？自己手头的权力是够这个资格，可是年纪资历却差得太远了些。

一行人在草棚里稍歇，范闲与薛清略聊了聊沿路见闻，薛清又问陛下在京中身体可好，总之都是一些套话废话，不过也稍稍拉近了些距离，彼此熟络了一些。范闲发现对方清癯面容里带着一丝并未刻意掩饰的愁绪，稍一思忖便知道是怎么回事。身为总督，地盘里却忽然出现了一位要常驻的钦差大臣，这事轮到哪一路总督身上都不好受。更何况这位钦差大臣要接手内库，只怕要与京里的贵人们大打出手。薛清位高权重，又深受陛下信任，但夹在中间总是不方便。

薛清举起茶杯轻轻饮了一口，有意无意地说道：“小范大人这两年大概就得在江南辛苦了，虽说是陛下信任，但是江南不比京都，终究不是长留之地……再过两年，我也要向陛下告老，回京里做个钓鱼翁。能多亲近亲近皇上，总比在江南要好些。”

范闲听出对方话里的意思，笑着迎合道：“大人代陛下巡牧一方，劳苦功高。”

薛清微笑着说道："小范大人可定好了住在哪处？这苏州城里盐商不少，他们都愿意献出宅子，供大人挑选。"

盐商之富，天下皆知，他们送上的宅子会豪奢到什么程度不问而知，然而范闲却话锋一转道："太过叨扰也是不好，而且传回京里，晚生总有些惴惴。"他说得直爽，惹得薛清摇头直笑，心想文人就有这点不好，做什么事都遮遮掩掩，只是你在江上收银子时怎么如此放肆？

范闲诚恳地问道："烦请大人指教，往年的内库转运司正使……怎么安排？"

薛清有些意外地看了他一眼，回道："要说安排，内库拟定的官宅远在闽地，不过这十几年也没有谁真的去住过。就拿你的前任黄大人来说，他就长年住在信阳。"

说到"信阳"二字时，他有意无意看了范闲一眼。

范闲问道："可以不住在朝廷安排的官邸？"

这话似是疑惑，似是试探。

薛清点了点头。

范闲笑着说道："不敢瞒老大人，我这个月一直住在杭州，没能前来苏州拜访大人是本人的不是……不过那处宅子倒真是不错，如果可以自己选，我当然愿意住在杭州了。"

薛清没想到对方提出要住在杭州，沉默了那么一阵子，似在猜想他所言是真是假。江南总督府在苏州，他最忌讳的当然就是范闲也留在苏州，不说干扰政务，只说这两头齐大的局面，江南路的官员都会头痛，对他处理事务大有阻碍。他瞧着范闲诚恳的面容，眼中闪过一抹异色，微笑着说道："自然无妨，范大人想住哪里，就住哪里。"

范闲呵呵一笑说道："当然，就算住在杭州，也少不得要常来苏州叨扰大人几顿。听说大人府上用的是北齐名厨，京都人都好生羡慕，我也想有这口福。"

薛总督大笑道："本官便是好这一口，没想到范大人也是同道中人。

何须再等以后，今天晚上诸位同僚已为大人与殿下备好了接风宴，在江南居，明天我便请大人来家中稍坐。”得了范闲暗中不干涉他做事的承诺，这位江南总督顿时放松了很多。

这几声大笑传遍了竹棚内外，江南路众官员循着笑声望去，只见总督大人与提司大人正言谈甚欢，松了口气的同时更是暗生佩服，心想小范大人果非常人，众人暗自害怕的较劲局面竟是没有发生，也不知道他说了些什么竟让总督大人如此开心。

只见范闲又凑到薛清耳边轻声说了几句什么，薛清稍一诧异，此后又生出一丝怒意，冷哼着说道："范大人不要多虑，也莫看本官的颜面，这些家伙，我平日里总记着陛下仁和之念，便暂容着，范大人此议正是至理。"

范闲知道薛清这是在还自己不在苏州落脚这个人情，诚恳道了声谢，然后站起身来。

竹棚里顿时安静，天光透着，散着清亮，河风微凉，凭空生出静肃的意味。众人的视线落在他的身上，不知道钦差大人的就职宣言会如何开始。

"本官，是个不按常理出牌的人。"范闲看了一眼四周的官员，微笑着说道，"虽然与诸位大人往日未曾共事过，但想来我还有些名气，这大家大约也知道一点。这性情往好了说是每每别出机杼，往坏了说就是有些胡闹、不知轻重。"

众官员笑了起来，纷纷说钦差大人说话真是风趣，真是谦虚。

接下来范闲并不谦虚地说道："那些虚话套话，我也不用多说了。陛下身体好着，不用诸位问安，太后老人家身子康健，京里一片祥和之意，咱们也不用在这方面多加笔墨。而诸位大人既然得朝廷重托，治理江南重地，这些年赋税进额都摆在这儿，沿路所见民生市景也不是虚假，功劳苦劳，也不用我多提……"

江南官员们都知道范闲一路暗访而来，闻得此语大松一口气，只盼着范闲再多说两句，最好在给陛下的密奏上面多提两句。不料范闲话锋一转："但我却要说说诸位做得不对的地方。这有些不厚道，但我依然要说，为什么？因为诸位大人似乎忘了本官的出身。"

范闲的出身是什么？不是什么诗仙居中郎太常寺，而是……黑乎乎、阴森森的监察院！众官员一听，大惊失色，心想银子咱们都已经送到位了，您还想怎么样？监察院也不能这么欺负人啊！

"我自陆路来，沿路经沙州、杭州，那艘船却驶于大江之上。听闻大江乃是一道银江，诸位大人往那艘船上送了不少礼物银两，还劳动了不少民伕拉纤！诸位大人厚谊，本官在此心领，只是如此光明正大地行贿，倒教本官佩服……诸位好大的胆气！"

不等众官员发话，范闲回身向江南总督薛清一揖，说道："今日见着本官，总督大人大发雷霆，当面直斥本官之非，本官不免有些惶恐，不明所以。幸亏总督大人体恤本官并不知情，直言相告，本官才知道，原来诸位竟是偷偷瞒着本官……做出了这等大胆的事来。"他的声音渐渐高了，一声冷笑继续道，"监察院监察举国吏治，抓的便是贪官污吏，诸位却是大着胆子对本官行贿送礼！莫非以为我离了京都，这手中的刀……便杀不得人了吗？"

众官目瞪口呆，被范闲这番话震得不知如何言语，将求救的目光投向总督大人，发现总督大人却在捋须沉思，摆着置身事外的做派！

官员们这才明白，范闲先前那段话说沿江官员是瞒着自己送礼，便将自己提了出来，更是借口总督大人震怒，将总督大人择得干干净净，还送了总督大人一顶不畏权贵、高风亮节的帽子！沿江送礼？你那属下也没拒绝啊！监察院信息通畅，你就算身在杭州哪有不知之理？可范闲称自己一无所知，江南路官员再看他的眼神便有些不对了——这范提司果然如传言中那般，一张温和无害的清秀笑脸下藏着的是无耻下流与狠毒！

官员们不知道范闲接下来会做什么，吓得站了起来，怔怔地看着范闲。

只见范闲一拍手，掌声传出棚外，一个监察院官员手里捧着厚厚的礼单从船上走了下来——礼单已经是这么厚了，那船上藏着的礼物只怕真的已经堆成了一座小山！

范闲回身向总督薛清请示了几句，薛清微笑地看着眼前这一幕，挥手示意衙门里的差役跟着监察院的官员上了船，不多时辛苦万分地拉着几个大箱子下了船，来到了竹棚之中。

几个箱子当众打开，只见一片金光灿灿！里面的珠宝贵重物品不计其数，统统都是沿江官员们送上来的礼物。棚中风寒，所以生着火盆，范闲接过下属递过来的礼单，草草翻了几页，眉头一挑，笑着说道："东西还真不少啊。"

众官员羞怒交加，心想钦差大人做事太不厚道，构织罪名，实在恶心，难道你还想治罪众官？除非你想整个江南官场一锅端了，总督大人到那时总不能继续看戏！你坏了规矩，得罪了江南官员，看你日后如何收场。范闲接下来的动作，却让官员们的眼珠子险些掉了下来，只见他随手一抛，便将厚的礼单扔入了火盆中！

火势顿时大了起来，记载着众官员行贿证据的礼单迅疾化作灰烬。

范闲站在火盆旁，面无表情地说道："不要以为本官是用幼稚的伎俩收买人心，你们没这么蠢，我也没有这么自作多情……之所以将这些烧了是给诸位一个提醒，一个出路。本官乃监察院提司，不需要卖你们颜面，我在江南要做的事务，也不需要诸位大人配合，所以请诸位清醒一些，日后如果再有类似事件发生，休怪我抓人不留情。"

监察院可以审查三品以下所有官员，他敢说这个话，便是有这个魄力。至于颜面问题，他身份太过特殊，比任何一位朝官都特殊，确实也不需要卖。至于日后的事务配合问题……江南路官员的面子没了，难道就敢暗中与堂堂提司顶牛？

"接风宴后，诸位大人将这箱子里的东西都收回去。该退的都退了，至于役使的民伕，折价给工钱，几个穷县如果一时拿不出来，发文到我这里，本官这点银子还是拿得出来的。”

众官员无可奈何，低头应是。

这时候，苏州码头上的滑索已经动了起来，这个始自二十余年前的新奇玩意儿最能负重，只见滑索伸到了京船之上，缓缓地吊下来了一个大箱子。

箱子里不知道放的是什么东西，无比沉重，拉得滑索钢绳都在轻轻抖动。

范闲事先查过数据，知道苏州港是负责内库出货的大码头，有这个吊装能力，并不怎么担心，那些刚被他吓了一通的官员们却是又被吓了一跳。

大箱子被吊到岸上，又用了几十个工人才千辛万苦地推到了坡上，推进了竹棚里，一位监察院官员恭敬地请示道：“提司大人，箱子到了。”

范闲嗯了一声，走到了箱子旁边。箱子外裹柳条，内里却竟似是铁做的一般。

众位官员心头纳闷，心想这玩的又是哪一出？就连总督薛清与巡抚戴思成都来了兴趣，走上前来，看箱子里藏的究竟是什么宝贝？

范闲自怀中取出钥匙，掀开了箱盖。

与第一次见到这箱子里内容的关妩媚一样，棚内一片银光之后，所有官员的眼睛都直了……银子！里面全是光彩夺目的银子！不知道有多少银锭整整齐齐地码在箱子里！

其实先前那几个箱子里的礼物贵重程度并不见得比这一大箱银锭要低，只是陡然间这么多银锭出现在众人的面前，这种视觉上的冲击力实在是太刺激了！

许久后，众人有些恋恋不舍地将目光从箱子那里收回来，准备看范闲下一步的表演。

“这箱银子随着我从京都来到江南。而日后我不论在何处为官，都会带着这箱银子。”范闲和声说道，“为什么？就是为了告诉各路官员，本人有的是银子！不怕诸位笑话，我范安之乃是含着金匙出生的人物，任何想用银钱买通我的人都赶紧死了这份心。此番下江南，本官查的便是诸位的银子事项，一应政事都不会插手，有谁还敢行贿受贿，贪污欺民，不要怪我手狠。有位前贤深知吏治败坏之可怕，所以他带了几百口棺材出京，号称哪怕杀尽贪官，也要止住这股歪风。本官不喜欢杀人，所以我不带棺材，我只带银子。”

众官员沉默悚然。

“箱中有银十三万八千八百八十两整，我在此当着诸位官员与各位父老们说句话，江南富庶，本官不能保证这些银子有多少会用在民生之上，但我保证，当我离开江南的时候，箱子里的银子不会多出一两来！”范闲的视线扫过官员们，“望诸位大人以此为念。”